U0217224

「十三五」国家重点出版物出版规划项目

国家出版基金项目
NATIONAL PUBLICATION FOUNDATION

中国中药资源大典

中国中药资源大典

湖北卷

9

黄璐琦 / 总主编

黄 晓 游秋云 艾中柱 / 主 编

北京科学技术出版社

图书在版编目（CIP）数据

中国中药资源大典. 湖北卷. 9 / 黄晓，游秋云，艾
中柱主编. -- 北京：北京科学技术出版社，2024. 6.
ISBN 978-7-5714-4054-1

Ⅰ. R281.4

中国国家版本馆CIP数据核字第2024ZP8061号

责任编辑：吕　慧　刘　雪　吴　丹　李兆弟　侍　伟
责任校对：贾　荣
图文制作：樊润琴
责任印制：李　茗
出 版 人：曾庆宇
出版发行：北京科学技术出版社
社　　址：北京西直门南大街16号
邮政编码：100035
电　　话：0086-10-66135495（总编室）　0086-10-66113227（发行部）
网　　址：www.bkydw.cn
印　　刷：北京博海升彩色印刷有限公司
开　　本：889 mm × 1 194 mm　　1/16
字　　数：1 339千字
印　　张：60.5
版　　次：2024年6月第1版
印　　次：2024年6月第1次印刷
审 图 号：GS京（2023）1758号
ISBN 978-7-5714-4054-1

定　　价：490.00元

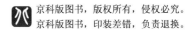

京科版图书，版权所有，侵权必究。
京科版图书，印装差错，负责退换。

《中国中药资源大典·湖北卷》

编写委员会

指导单位	湖北省卫生健康委员会
	湖北省中医药管理局
总 主 编	黄璐琦
主　　编	王　平　吴和珍　刘合刚
副 主 编	陈家春　李晓东　康四和　甘啟良　熊兴军　聂　晶　余　坤
	黄　晓　艾中柱　游秋云　周重建　万定荣　汪乐原

编　　委（按姓氏笔画排序）

力　华	万　智	万定荣	万舜民	马艳丽	马哲学	王　平	王　东
王　伟	王　旭	王　玮	王　诚	王　倩	王　涛	王　涵	王　斌
王　路	王　静	王玉兵	王正军	王臣林	王庆华	王红星	王志平
王迎丽	王建华	王艳丽	王绪新	王智勇	王毅斌	方　丹	方　琛
方　震	方优妮	尹　超	孔庆旭	邓　丰	邓　旻	邓　娟	邓　静
邓中富	邓爱平	甘　泉	甘啟良	艾中柱	艾伦强	石　晗	卢　琼
卢　锋	卢妍瑛	卢晓莉	帅　超	申雪阳	田万安	田守付	田经龙
史峰波	付卫军	包凤君	冯　煜	冯启光	冯建华	冯晓红	兰　洲
成刘志	成润芳	吕　沐	吕　露	朱　明	朱　霞	朱建军	向　栋
向　莉	向子成	向华林	刘　启	刘　迪	刘　晖	刘　敏	刘　渊
刘　博	刘　辉	刘　斌	刘　磊	刘义飞	刘义梅	刘丹萍	刘传福
刘合刚	刘兴艳	刘军昌	刘军锋	刘丽珍	刘国玲	刘建平	刘建涛
刘新平	闫明媚	江玲兴	许明军	许萌晖	阮　伟	阮爱萍	孙　媛
孙云华	孙立敏	孙仲谋	牟红兵	纪少波	严少明	严星宇	严雪梅
严德超	杜鸿志	李　平	李　立	李　芳	李　凯	李　洋	李　莉
李　浩	李　超	李　靖	李小红	李小玲	李丰华	李太彬	李文涛

李方涛　李世洋　李兴伟　李兴娇　李利荣　李宏焘　李建芝　李秋怡
李晓东　李海波　李乾富　李梓豪　李德凤　李德平　杨建　杨瑞
杨万宏　杨小宙　杨卫民　杨玉莹　杨光明　杨红兵　杨明荣　杨欣霜
杨学芳　杨振中　杨焰明　肖光　肖帆　肖浪　肖权衡　肖惟丹
吴丹　吴迪　吴勇　吴涛　吴亚立　吴自勇　吴志德　吴和珍
吴洪来　吴海新　何博　何文建　何江城　余坤　余艳　余亚心
邹远锦　邹志威　汪婧　汪静　汪文杰　汪乐原　张宇　张红
张芳　张明　张沫　张星　张俊　张格　张健　张银
张翔　张磊　张才士　张子良　张华良　张旭荣　张志君　张松保
张国利　张明高　张南方　张美娅　张晓勇　张梦林　张景景　张颖柔
陈乐　陈泉　陈俊　陈峰　陈途　陈锐　陈从量　陈秀梅
陈茂华　陈国健　陈泽璇　陈宗政　陈顺俭　陈家春　陈智国　陈霖林
范钊　范又良　范海洲　林良生　林祖武　明晶　季光琼　周艳
周密　周晶　周卫忠　周兴明　周丽华　周建国　周重建　周根群
周瑞忠　周新星　周啟兵　庞聪雅　郑宗敬　赵云　赵晖　赵翔
赵鹏　赵东瑞　赵君宇　赵昌礼　郝欲平　胡文　胡红　胡天云
胡文华　胡志刚　胡建华　胡敦全　胡嫦娥　柯源　柯美仓　柏仲华
柳卫东　柳成盟　钟艳　郜邦鹏　姜在铎　姜荣才　洪祥云　姚奇
秦思　袁杰　耿维东　聂晶　夏千明　夏斌斌　晏哲　钱特
徐雷　徐卫权　徐友滨　徐华丽　徐拂然　徐昌恕　徐泽鹤　徐德耀
高志平　郭丹丹　郭文华　唐鼎　涂育明　谈发明　黄莉　黄晓
黄楚　黄必胜　黄发慧　黄智洪　曹百惠　戚倩倩　龚玲　龚颜
龚绪毅　康四和　梁明华　寇章丽　彭宇　彭义平　彭建波　彭荣越
彭宣文　彭家庆　葛关平　董喜　董小阳　韩永界　韩劲松　森林
喻剑　喻涛　喻志华　喻雄华　程志　程月明　程淑琴　答国政
舒勇　舒佳惠　舒朝辉　童志军　曾凡奇　游秋云　蒯梦婷　雷普
雷大勇　雷志红　雷梦玉　詹建平　詹爱明　蔡志江　蔡宏涛　蔡洪容
蔡清萍　蔡朝晖　裴光明　廖敏　谭卫民　谭文勇　谭洪波　熊睿

2

熊小燕　熊兴军　熊志恒　熊林波　熊国飞　熊德琴　黎　曙　黎钟强
潘云霞　薛　辉　魏　敏　魏继雄

品种审定委员会　（按姓氏笔画排序）

王志平　刘合刚　杨红兵　吴和珍　汪乐原　黄　晓　森　林　潘宏林

审稿委员（按姓氏笔画排序）

王　平　艾中柱　刘合刚　李建强　李晓东　肖　凌　吴和珍　余　坤
汪乐原　张　燕　陈林霖　陈科力　陈家春　苟君波　袁德培　聂　晶
徐　雷　黄　晓　黄必胜　康四和　詹亚华　廖朝林

3

《中国中药资源大典·湖北卷9》

编写委员会

主　　编　黄　晓　游秋云　艾中柱

副 主 编　森　林　李秋怡　龚　玲　李方涛

《中国中药资源大典·湖北卷》

编辑委员会

主任委员　章　健

委　　员（按姓氏笔画排序）

王明超　王治华　吕　慧　任安琪　毕经正　刘　雪　刘雪怡　孙　立

李小丽　李兆弟　吴　丹　范　娅　侍　伟　庞璐璐　赵　晶　贾　荣

黄 序

  湖北省位于我国中部，地处亚热带季风气候区，位于第二级阶梯向第三级阶梯的过渡地带，温暖湿润的气候和复杂多样的地貌类型孕育了丰富的中药资源。

  中药资源是中医药事业和中药产业发展的重要物质基础，是国家重要的战略性资源。湖北省作为第四次全国中药资源普查的试点省区之一，于 2011 年 12 月启动中药资源普查工作，历时 11 年，完成了 103 个县（自治县、市、区、林区）的中药资源普查工作，摸清了湖北省中药资源情况。《中国中药资源大典·湖北卷》由湖北省卫生健康委员会、湖北省中医药管理局组织编写，以普查获取的数据资料为基础，凝聚了全体普查"伙计"的共同心血与智慧，以较全面地展现了湖北省中药资源现状，具有重要的学术价值。

  我曾多次与湖北省的"伙计们"一起跋山涉水开展中药资源调查，其间有许多新发现和新认识，如在蕲春县仙人台发现了失传已久的"九牛草"[*Artemisia stolonifera* (Maxim.) Komar.]。"伙计们"的专业精神令人感动，该书付梓之际，欣然为序。

中国工程院院士

中国中医科学院院长

第四次全国中药资源普查技术指导专家组组长

2024 年 3 月

前　言

　　湖北省地处我国中部，属于典型的亚热带季风气候区。全省地势大致为东、西、北三面环山，中间低平，略呈向南敞开的不完整盆地。湖北省西部的武陵山区、秦巴山区为我国第二级阶梯山地地区，海拔落差大，小气候明显；东南部属于我国第三级阶梯，日照充足，降水丰富，环境适宜。多样的地理环境与气候特征孕育了湖北省丰富的中药资源，湖北省历来被称为"华中药库"，为我国中药生产的重要基地。

　　2011年，在第四次全国中药资源普查试点工作启动之际，湖北省系统梳理本省在中药资源普查队伍、产业规模、政策支持等方面的优势，向全国中药资源普查办公室提交试点申请，获得批准，并于2011年12月18日正式启动普查工作。湖北省历时11年，分6批完成了全省103个县（自治县、市、区、林区）的野外普查工作。为进一步梳理普查成果，促进成果转化应用，湖北省于2019年7月29日启动《中国中药资源大典·湖北卷》的编写工作。

　　《中国中药资源大典·湖北卷》分为上、中、下三篇，共10册。上篇主要介绍湖北省的地理环境和气候特征、第四次中药资源普查实施情况、中药资源概况、中药资源开发利用情况、中药资源发展规划简介，以及湖北省新种、新记录种。中篇介绍湖北省道地、大宗药材，每种药材包括来源、原植物形态、野生资源、栽培资源、采收加工、药材性状、功能主治、用法用量、附注 9 项内容。下篇主要按照《中国植物志》的分类方法，以科、属为主线，分类介绍湖北省植物类中药资源，以便于读者了解湖北省植物类中药资源的种类、分布及应用现状等。

湖北省第四次中药资源普查共普查到植物类中药资源 4 834 种，其中具有药用历史的植物类中药资源 4 346 种。《中国中药资源大典·湖北卷》共收载植物类中药资源 3 298 种。普查过程中，发现新属 1 个、新种 17 个，重新采集模式标本 4 个，发现新分布记录科 2 个、新分布记录属 6 个。

《中国中药资源大典·湖北卷》目前收载的主要为植物类中药资源，动物类中药资源、矿物类中药资源和部分暂未收载的植物类中药资源将在补编中收载。

《中国中药资源大典·湖北卷》的编写工作由湖北省卫生健康委员会、湖北省中医药管理局组织，湖北省中药资源普查办公室、湖北中医药大学普查工作专班承担。本书是参与湖北省中药资源普查工作的全体同志智慧的结晶，在编写过程中得到了全国中药资源普查办公室和湖北省相关部门的大力支持，全省各普查单位、相关高校及科研院所的无私帮助，有关专家的悉心指导。在此，对所有领导、专家学者、普查队员等的辛勤付出表示诚挚的谢意和崇高的敬意！

本书可能存在不足之处，敬请读者不吝指正，以期后续完善和提高。

编　者

2024 年 2 月

凡　例

（1）本书共10册，分为上、中、下篇。上篇综述了湖北省的地理环境和气候特征、第四次中药资源普查实施情况、中药资源概况、中药资源开发利用情况、中药资源发展规划及新种、新记录种；中篇论述了121种湖北省道地、大宗药材；下篇共收录植物类中药资源3 298种。

（2）本书下篇主要介绍各中药资源，以中药资源名为条目名，下设药材名、形态特征、生境分布、资源情况、采收加工、功能主治及附注等，其中资源情况、采收加工、附注为非必要项，资料不详者项目从略。各项目编写原则简述如下。

1）条目名。该项记述中药资源物种及其科属的中文名、拉丁学名。其中菌类、苔藓类的名称主要参考《中华本草》，蕨类、裸子植物、被子植物的名称主要参考《中国植物志》。

2）药材名。该项记述中药资源的药材名。凡《中华人民共和国药典》等法定标准收载者，原则上采用法定药材名；法定标准未收载者，主要参考《中华本草》《全国中草药名鉴》《中国中药资源志要》。

3）形态特征。该项简要描述中药资源的形态特征，突出鉴别特征。主要参考《中国植物志》，并结合普查实际所获取的信息进行描述。

4）生境分布。该项记述中药资源在湖北省的生存环境与分布区域。生存环境主要源于普查实际获取的生境信息，并参考相关志书的描述。分布区域主要介绍中药资源的分布情况，源于植物标本采集地。

5）资源情况。该项记述中药资源的蕴藏量情况，用丰富、较丰富、一般、较少、稀少来表示；并用"野生"或"栽培"记述药材的主要来源。

6）采收加工。该项记述药材的采收时间与加工方法。

7）功能主治。该项主要记述药材的功能和主治。

8）附注。该项记载中药资源最新的分类学地位与接受名的变动情况；记载《中华人民共和国药典》与地方标准收载的物种学名；描述物种其他医药相关用途，以及本草、地方志书中的相关记载情况等。

（3）附录。以名录形式收载中篇、下篇没有收载的湖北药用植物资源。

被子植物

唇形科 Labiatae 藿香属 Agastache

藿香
Agastache rugosa (Fisch. et Mev.) O. Kuntze

| 药 材 名 |

藿香。

| 形 态 特 征 |

多年生草本。茎直立，高 0.5 ~ 1.5 m，四棱形，直径 7 ~ 8 mm，上部被极短的细毛，下部无毛，在上部具能育的分枝。叶心状卵形至长圆状披针形，长 4.5 ~ 11 cm，宽 3 ~ 6.5 cm，向上渐小，先端尾状长渐尖，基部心形，稀截形，边缘具粗齿，纸质，上面榄绿色，近无毛，下面略淡，被微柔毛及点状腺体；叶柄长 1.5 ~ 3.5 cm。轮伞花序多花，在主茎或侧枝上组成顶生密集的圆筒形穗状花序，穗状花序长 2.5 ~ 12 cm，直径 1.8 ~ 2.5 cm；花序基部的苞叶长不超过 5 mm，宽 1 ~ 2 mm，披针状线形，长渐尖，苞片形状与之相似，较小，长 2 ~ 3 mm；轮伞花序具短梗，总梗长约 3 mm，被具腺微柔毛。花萼管状倒圆锥形，长约 6 mm，宽约 2 mm，被腺微柔毛及黄色小腺体，多少染成浅紫色或紫红色，喉部微斜，萼齿三角状披针形，后 3 齿长约 2.2 mm，前 2 齿稍短。花冠淡紫蓝色，长约 8 mm，外面被微柔毛，花冠筒基部宽约 1.2 mm，微超出花萼，向上渐宽，至喉部宽约 3 mm，冠檐二唇形，

上唇直伸，先端微缺，下唇 3 裂，中裂片较宽大，长约 2 mm，宽约 3.5 mm，平展，边缘波状，基部宽，侧裂片半圆形。雄蕊伸出花冠，花丝细，扁平，无毛；花柱与雄蕊近等长，丝状，先端相等的 2 裂；花盘厚环状；子房裂片顶部具绒毛。成熟小坚果卵状长圆形，长约 1.8 mm，宽约 1.1 mm，腹面具棱，先端具短硬毛，褐色。花期 6 ~ 9 月，果期 9 ~ 11 月。

| 生境分布 | 分布于湖北房县、丹江口、兴山、五峰、罗田、恩施、利川、建始、巴东、咸丰、鹤峰、神农架，以及武汉、十堰。

| 功能主治 | **全草**：止呕吐，清暑。用于霍乱腹痛，中暑。

唇形科 Labiatae 筋骨草属 Ajuga

筋骨草原变种

Ajuga ciliata Bunge var. ciliata

| 药 材 名 | 筋骨草。

| 形态特征 | 多年生草本。根部膨大，直立，无匍匐茎。茎高 25 ～ 40 cm，四棱形，基部略木质化，紫红色或绿紫色，通常无毛，幼嫩部分被灰白色长柔毛。叶柄长 1 cm 以上或几无，绿黄色，有时呈紫红色，基部抱茎，被灰白色疏柔毛或仅边缘具缘毛；叶片纸质，卵状椭圆形至狭椭圆形，长 4 ～ 7.5 cm，宽 3.2 ～ 4 cm，基部楔形，下延，先端钝或急尖，边缘具不整齐的双重牙齿，具缘毛，上面被疏糙伏毛，下面被糙伏毛或疏柔毛，侧脉约 4 对，与中脉在上面下陷，在下面隆起。穗状聚伞花序顶生，一般长 5 ～ 10 cm，由多数轮伞花序密聚排列组成；苞叶大，叶状，有时呈紫红色，卵形，长 1 ～ 1.5 cm，先端急尖，

基部楔形，全缘或略具缺刻，两面无毛或仅下面脉上被疏柔毛，边缘具缘毛；花梗短，无毛；花萼漏斗状钟形，长 7 ~ 8 mm，仅在齿上外面被长柔毛和缘毛，余部无毛，具 10 脉，萼齿 5，长三角形或狭三角形，先端锐尖，长为花萼的一半或略长，整齐；花冠紫色，具蓝色条纹，花冠筒长为花萼的 1 倍或更长，外面被疏柔毛，内面被微柔毛，近基部具毛环，冠檐二唇形，上唇短，直立，先端圆形，微缺，下唇增大，伸长，3 裂，中裂片倒心形，侧裂片线状长圆形；雄蕊 4，二强，稍超出花冠，着生于花冠筒喉部，花丝粗壮，挺直，无毛；花柱细弱，超出雄蕊，无毛，先端 2 浅裂，裂片细尖，花盘环状，裂片不明显，前面呈指状膨大，子房无毛。小坚果长圆状或卵状三棱形，背部具网状皱纹，腹部中间隆起，果脐大，几占整个腹面。花期 4 ~ 8 月，果期 7 ~ 9 月。

| 生境分布 | 生于海拔 340 ~ 1 800 m 的山谷溪旁、阴湿草地上、林下湿润处及路旁草丛中。湖北有分布。

| 功能主治 | **全草**：用于肺热咯血，跌打损伤，扁桃体炎，咽喉炎等。

唇形科 Labiatae 筋骨草属 *Ajuga*

筋骨草微毛变种

Ajuga ciliata Bunge var. *glabrescens* Hemsl.

| 药 材 名 | 筋骨草。

| 形态特征 | 本种与原变种的区别在于本种叶薄，无毛或几无毛，如有毛则为微柔毛，阔椭圆形或椭圆状卵形，花白色至淡粉红或红色，花萼疏被微柔毛或几无毛。

| 生境分布 | 生于海拔 1 100 ~ 2 500 m 的路边、草坡、草丛中及林下。分布于湖北建始、秭归等。

| 功能主治 | **全草：**用于肺热咯血，跌打损伤，扁桃体炎，咽喉炎等。

唇形科 Labiatae 筋骨草属 Ajuga

多花筋骨草 *Ajuga multiflora* Bunge

| 药 材 名 | 多花筋骨草。

| 形态特征 | 多年生草本。茎直立，不分枝，高 6 ~ 20 cm，四棱形，密被灰白色绵毛状长柔毛，幼嫩部分尤密。基生叶具柄，柄长 0.7 ~ 2 cm，茎上部叶无柄；叶片均纸质，椭圆状长圆形或椭圆状卵圆形，长 1.5 ~ 4 cm，宽 1 ~ 1.5 cm，先端钝或微急尖，基部楔状下延，抱茎，边缘有不甚明显的波状齿或波状圆齿，具长柔毛状缘毛，上面密被、下面疏被柔毛状糙伏毛，脉 3 出或 5 出，在两面凸起。轮伞花序自茎中部向上渐靠近，至先端呈一密集的穗状聚伞花序；苞叶大，下部者与茎叶同形，向上渐小，呈披针形或卵形，渐变为全缘；花梗极短，被柔毛；花萼宽钟形，长 5 ~ 7 mm，外面被绵毛状长柔毛，

以萼齿上毛最密，内面无毛，萼齿 5，整齐，钻状三角形，长为花萼的 2/3，先端锐尖，具柔毛状缘毛；花冠蓝紫色或蓝色，筒状，长 1 ~ 1.2 cm，两面均被微柔毛，内面近基部有毛环，冠檐二唇形，上唇短，直立，先端 2 裂，裂片圆形，下唇伸长，宽大，3 裂，中裂片扇形，侧裂片长圆形；雄蕊 4，二强，伸出，微弯，花丝粗壮，具长柔毛；花柱细长，微弯，超出雄蕊，上部疏被柔毛，先端 2 浅裂，裂片细尖，花盘环状，裂片不明显，前面呈指状膨大，子房先端被微柔毛。小坚果倒卵状三棱形，背部具网状皱纹，腹部中间隆起，具 1 大果脐，其长度占腹面的 2/3，边缘被微柔毛。花期 4 ~ 5 月，果期 5 ~ 6 月。

| 生境分布 | 生于开朗的山坡疏草丛、河边草地或灌丛中。湖北有分布。

| 功能主治 | **全草**：利尿。

唇形科 Labiatae 筋骨草属 Ajuga

紫背金盘
Ajuga nipponensis Makino

| **药 材 名** | 紫背金盘。

| **形态特征** | 一年生或二年生草本。茎通常直立，柔软，稀平卧，通常从基部分枝，高 10 ~ 20 cm 或以上，被长柔毛或疏柔毛，四棱形，基部常带紫色。基生叶无或少数；茎生叶均具柄，叶柄长 1 ~ 1.5 cm，基生叶若存在则叶柄较长，可达 2.5 cm，具狭翅，有时呈紫绿色，叶片纸质，阔椭圆形或卵状椭圆形，长 2 ~ 4.5 cm，宽 1.5 ~ 2.5 cm，先端钝，基部楔形，下延，边缘具不整齐的波状圆齿，有时几呈圆齿，具缘毛，两面被疏糙伏毛或疏柔毛，下部茎叶背面且常带紫色，侧脉 4 ~ 5 对，与中脉在上面微隆起，在下面凸起。轮伞花序多花，生于茎中部以上，向上渐密集，组成顶生穗状花序；苞叶在下部者与茎叶同形，

向上渐变小成苞片状，卵形至阔披针形，长 0.8 ~ 1.5 cm，绿色，有时呈紫绿色，全缘或具缺刻，具缘毛；花梗短或几无；花萼钟形，长 3 ~ 5 mm，外面仅上部及齿缘被长柔毛，内面无毛，具 10 脉，萼齿 5，狭三角形或三角形，长为花萼之半，近整齐，先端渐尖；花冠淡蓝色或蓝紫色，稀为白色或白绿色，具深色条纹，筒状，长 8 ~ 11 mm 或略短，基部略膨大，外面疏被短柔毛，内面无毛，近基部有毛环，冠檐二唇形，上唇短，直立，2 裂或微缺，下唇伸长，3 裂，中裂片扇形，先端平截或微缺，侧裂片狭长圆形，中部略宽，先端急尖；雄蕊 4，二强，伸出，花丝粗壮，直立或微弯，无毛；花柱细弱，超出雄蕊，先端 2 浅裂，裂片细尖；花盘环状，裂片不甚明显；子房无毛。小坚果卵状三棱形，背部具网状皱纹，腹面果脐达果轴的 3/5。

| 生境分布 | 生于海拔 100 ~ 2 300 m 的田边、矮草地湿润处、林内及向阳坡地。分布于湖北丹江口、巴东、宣恩、神农架，以及武汉、十堰、宜昌。

| 功能主治 | **全草**：镇痛散血。用于肺脓肿，肺炎，扁桃体炎，咽喉炎，气管炎，腮腺炎，急性胆囊炎，肝炎，痔疮肿痛，鼻衄，牙痛，目赤肿痛，便血，血瘀肿痛，产后瘀血，妇女血气痛等；外用于金疮，刀伤，外伤出血，跌打扭伤，骨折，痈肿疮疖，狂犬咬伤等。

唇形科 Labiatae　药水苏属 Betonica

药水苏

Betonica officinalis L.

| 药 材 名 | 药水苏。

| 形态特征 | 多年生草本，高 50 ~ 100 cm。根茎纤维状。茎直立，钝四棱形，具条纹，密被微柔毛。基生叶具长柄，宽卵圆形，长 8 ~ 12 cm，宽 3 ~ 5 cm，先端钝，基部深心形，边缘具圆齿，两面被疏柔毛；茎生叶卵圆形，长 4.5 ~ 5.5 cm，宽 3 ~ 4 cm，通常 2 对，远离，最下的 1 对叶具长柄，柄长可达 7.5 cm，被疏柔毛，上面的 1 对叶较小，叶柄长仅 4 cm；最下部的 1 对苞叶无柄，长圆状披针形，长

约 2.5 cm，宽约 1 cm，先端锐尖，边缘具牙齿，上部的苞叶线形，很小，全缘，与花萼等长。轮伞花序具多花，密集成紧密的长约 4 cm 的长圆形穗状花序，有时最下方的 1 轮伞花序稍远离；小苞片卵圆形或线形，先端具硬的锐刺尖头，外面被微柔毛，边缘密被柔毛，内面无毛，与花萼等长；花梗近无；花萼管状钟形，连齿长约 6.5 mm，外面在中部以上密被柔毛，中部以下被微柔毛或近无毛，内面除在齿上被疏柔毛外，其余部分无毛，脉 5，不明显，齿 5，长三角形，长约 2.5 mm，等大，先端具硬刺尖头；花冠紫色，长约 1.2 cm，外面除在冠筒中部以下无毛外，其余皆被微柔毛，内面疏被微柔毛，无柔毛环，冠筒圆柱形，直伸或略下弯，近等大，长约 8 mm，伸出花萼很多，冠檐二唇形，上唇长圆形，长约 4 mm，宽约 2.5 mm，边缘呈波齿状，下唇扁圆形，宽大，长约 4 mm，宽约 6 mm，3 裂，中裂片较大，直径可达 4 mm，宽卵圆形，边缘呈波齿状，侧裂片细小，卵圆形，宽约 1.5 mm；雄蕊 4，前对比后对长近 1 倍，均超出冠筒，花丝丝状，扁平，被微柔毛，花药卵圆形，2 室，室近平行；花盘平顶；子房黑褐色，无毛。花期 5 月。

| **生境分布** | 生于草地、荒原和山区。湖北有栽培。

| **功能主治** | 用于脾胃不和或脾胃气滞所致纳少、脘腹胀满、嗳气呃逆、大便溏薄等。

唇形科 Labiatae 心叶石蚕属 Cardioteucris

心叶石蚕
Cardioteucris cordifolia C. Y. Wu

| **药 材 名** | 心叶石蚕。 |

| **形态特征** | 多年生草本。具根茎。茎直立，上升，单一或有时分枝，高50 ~ 90 cm，下部圆柱形近木质，上部草质，钝四棱形，深四槽，被软的长硬毛。叶具柄，柄长3 ~ 8 cm，茎下部者长达10 cm，向上渐短；叶片正圆状心形，长6 ~ 10 cm，宽4.5 ~ 9 cm，先端钝或急尖，基部心形或近心形，边缘具带尖突的粗锯齿或圆齿，上面散生长柔毛，下面除脉上被长柔毛外几无毛。花中等大，具梗，成顶生松散、长5 ~ 8 cm、宽3 ~ 4 cm的聚伞式圆锥花序，下部聚伞花序常5花，稀13花，依次向上渐少，上部者仅1花；总梗与花梗被腺毛，花梗长3 ~ 8 mm，苞片卵圆形，较花梗短，小苞片2， |

线形，着生于花梗中部。花萼钟形，长 5 ~ 7 mm，宽 6 ~ 8 mm，外被短柔毛，
萼筒长 2.2 ~ 2.4 mm，齿 5，呈极张开的二唇形，上唇卵圆形，先端 3 浅齿，
果时常近全缘，下唇几三角形，先端 2 浅齿；花冠白色，长约 12 mm，外被短
柔毛，内面无毛，花冠筒长约 5 mm，冠檐具 5 裂片，后方缺弯深裂达喉部，前
裂片长约 8 mm，宽约 4 mm，其余裂片均长圆形，长约 4 mm，宽约 3 mm；雄
蕊 4，自花冠后方缺弯处伸出，前对较长，花药极叉开，着生于盾状药隔上；
花柱长，超过雄蕊，先端相等 2 深裂，裂片丝状而长，花盘全缘，子房倒卵状
球形，无毛。小坚果棕黑色，长 2.5 ~ 3.2 mm，宽 2 ~ 2.4 mm。

| 生境分布 |　生于海拔 2 000 ~ 2 700 m 的林下及灌丛中。湖北有分布。

| 功能主治 |　润肺止咳，清热凉血。用于肺结核，咳嗽，咯血，百日咳，支气管炎。

风轮菜 *Clinopodium chinense* (Benth.) O. Kuntze

| 药 材 名 |

风轮菜。

| 形态特征 |

多年生草本。茎基部匍匐生根,上部上升,多分枝,高可达 1 m,四棱形,具细条纹,密被短柔毛及腺微柔毛。叶卵圆形,不偏斜,长 2 ~ 4 cm,宽 1.3 ~ 2.6 cm,先端急尖或钝,基部圆形,呈阔楔形,边缘具大小均匀的圆齿状锯齿,坚纸质,上面榄绿色,密被平伏短硬毛,下面灰白色,被疏柔毛,脉上尤密,侧脉 5 ~ 7 对,与中肋在上面微凹陷,在下面隆起,网脉在下面清晰可见;叶柄长 3 ~ 8 mm,腹凹背凸,密被疏柔毛。轮伞花序多花密集,半球状,位于下部者直径达 3 cm,最上部者直径 1.5 cm,彼此远隔;苞叶叶状,向上渐小至苞片状;苞片针状,极细,无明显中肋,长 3 ~ 6 mm,多数,被柔毛状缘毛及微柔毛;总梗长约 1 ~ 2 mm,分枝多数;花梗长约 2.5 mm,与总梗及花序轴被柔毛状缘毛及微柔毛;花萼狭管状,常染紫红色,长约 6 mm,具 13 脉,外面主要沿脉上被疏柔毛及腺微柔毛,内面在齿上被疏柔毛,果时基部稍一边膨胀,上唇 3 齿,齿近外反,长三角形,先端具硬尖,下唇 2 齿,齿稍长,直伸，先端芒尖；花冠紫红色，长约 9 mm，外面被微柔毛，内面在下唇下方喉部具 2 列毛茸，冠筒伸出，向上渐扩大，至喉部宽近 2 mm，冠檐二唇形，上唇直伸，先端微缺，下唇 3 裂，中裂片稍大；雄蕊 4，前对稍长，均内藏或前对微露出，花药 2 室，室近水平叉开；花柱微露出，先端不相等 2 浅裂，裂片扁平；花盘平顶；子房无毛。小坚果倒卵形，长约 1.2 mm，宽约 0.9 mm，黄褐色。花期 5 ～ 8 月，果期 8 ～ 10 月。

| 生境分布 |　生于海拔 1 000 m 以下的山坡、草丛、路边、沟边、灌丛、林下。湖北有分布。

| 资源状况 |　野生资源一般，栽培资源一般。药材来源于栽培。

| 采收加工 |　**全草**：夏、秋季采收。

| 功能主治 |　疏风清热，解毒消肿。用于感冒，中暑，急性胆囊炎，肝炎，肠炎，痢疾，腮腺炎，乳腺炎，疔疮肿毒，过敏性皮炎，急性结膜炎。

唇形科 Labiatae 风轮菜属 Clinopodium

邻近风轮菜
Clinopodium confine (Hance) O. Ktze.

| 药 材 名 | 邻近风轮菜。

| 形态特征 | 草本，铺散，基部生根。茎四棱形，无毛或疏被微柔毛。叶卵圆形，长 9 ~ 22 mm，宽 5 ~ 17 mm，先端钝，基部圆形或阔楔形，边缘近基部以上具圆齿状锯齿，每侧 5 ~ 7 齿，薄纸质，两面均无毛，侧脉 3 ~ 4 对，与中脉在两面均明显；叶柄长 2 ~ 10 mm，腹平背凸，疏被微柔毛。轮伞花序通常多花密集，近球形，直径 1 ~ 1.3 cm，分离；苞叶叶状；苞片极小；花梗长 1 ~ 2 mm，被微柔毛；花萼管状，萼筒等宽，基部略狭，花时长约 5 mm，果时略增大，外面全无毛或沿脉上有极稀少的毛，内面喉部被小疏柔毛，上唇 3 齿，三角形，下唇 2 齿，长三角形，略伸长，齿边缘均被睫毛；花冠粉

红色至紫红色，稍超出花萼，长约 4 mm，外面被微柔毛，内面在下唇片下方略被毛或近无毛，花冠筒向上渐扩大，至喉部宽 1.2 mm，冠檐二唇形，上唇直伸，长 0.6 mm，先端微缺，下唇与上唇等长，3 裂，中裂片较大，先端微缺；雄蕊 4，内藏，前对能育，后对退化，花药 2 室，室略叉开；花柱先端略增粗，2 浅裂，裂片扁平；花盘平顶；子房无毛。小坚果卵球形，长 0.8 mm，褐色，光滑。花期 4 ~ 6 月，果期 7 ~ 8 月。

| **生境分布** | 生于田边、山坡、草地。湖北有分布。

| **资源状况** | 野生资源一般，栽培资源一般。药材来源于栽培。

| **功能主治** | 祛风清热，行气活血，解毒消肿。用于感冒发热，食积腹痛，呕吐，泄泻，痢疾，白喉，咽喉肿痛，痈肿丹毒，荨麻疹，毒虫咬伤，跌打肿痛，外伤出血。

唇形科 Labiatae 风轮菜属 Clinopodium

细风轮菜 *Clinopodium gracile* (Benth.) Matsum.

| 药 材 名 | 细风轮菜。

| 形态特征 | 纤细草本。茎多数，柔弱，上升，不分枝或基部具分枝，高 8 ~ 30 cm，直径约 1.5 mm，四棱形，具槽，被倒向的短柔毛。最下部的叶圆卵形，细小，长约 1 cm，宽 0.8 ~ 0.9 cm，先端钝，基部圆形，边缘具疏圆齿，较下部或全部叶均为卵形，较大，长 1.2 ~ 3.4 cm，宽 1 ~ 2.4 cm，先端钝，基部圆形或楔形，边缘具疏牙齿或圆齿状锯齿，薄纸质，上面榄绿色，近无毛，下面色较淡，脉上被疏短硬毛，侧脉 2 ~ 3 对，与中肋在两面微隆起，下面明显，呈白绿色；叶柄长 0.3 ~ 1.8 cm，腹凹背凸，基部常染紫红色，密被短柔毛；上部叶及苞叶卵状披针形，先端锐尖，边缘具锯齿。轮伞花序分离，

或密集于茎端成短总状花序，疏花；苞片针状，较花梗短；花梗长 1 ~ 3 mm，被微柔毛；花萼管状，基部圆形，花时长约 3 mm，果时下倾，基部一边膨胀，长约 5 mm，具 13 脉，外面沿脉上被短硬毛，其余部分被微柔毛或几无毛，内面喉部被稀疏小疏柔毛，上唇 3 齿，短，三角形，果时外反，下唇 2 齿，略长，先端钻状，平伸，齿均被睫毛；花冠白色至紫红色，比花萼长约 1/2 倍，外面被微柔毛，内面在喉部被微柔毛，花冠筒向上渐扩大，冠檐二唇形，上唇直伸，先端微缺，下唇 3 裂，中裂片较大；雄蕊 4，前对能育，与上唇等齐，花药 2 室，室略叉开；花柱先端略增粗，2 浅裂，前裂片扁平，披针形，后裂片消失；花盘平顶；子房无毛。小坚果卵球形，褐色，光滑。花期 6 ~ 8 月，果期 8 ~ 10 月。

| **生境分布** | 生于路旁、沟边、空旷草地、林缘、灌丛中。湖北有分布。

| **资源状况** | 野生资源一般，栽培资源一般。药材来源于栽培。

| **功能主治** | 用于感冒头痛，中暑腹痛，痢疾，乳腺炎，痈疽肿毒，荨麻疹，过敏性皮炎，跌打损伤等。

唇形科 Labiatae 风轮菜属 Clinopodium

寸金草

Clinopodium megalanthum (Diels) C. Y. Wu et Hsuan ex H. W. Li

| 药 材 名 |

风轮菜。

| 形 态 特 征 |

多年生草本。茎多数，自根茎生出，高可达 60 cm，基部匍匐生根，简单或分枝，四棱形，具浅槽，常染紫红色，极密被白色平展刚毛，下部较疏，节间伸长，较叶片长。叶三角状卵圆形，长 1.2 ~ 2 cm，宽 1 ~ 1.7 cm，先端钝或锐尖，基部圆形或近浅心形，边缘为圆齿状锯齿，上面橄榄绿色，被白色纤毛，近边缘较密，下面较淡，主沿各级脉上被白色纤毛，余部有不明显小凹腺点，侧脉 4 ~ 5 对，与中脉在上面微凹陷或近平坦，在下面带紫红色，明显隆起；叶柄极短，长 1 ~ 3 mm，常带紫红色，密被白色平展刚毛。轮伞花序多花密集，半球形，花时连花冠直径达 3.5 cm，生于茎、枝顶部，向上聚集；苞叶叶状，下部的苞叶略超出花萼，向上渐变小，呈苞片状；苞片针状，具肋，与花萼等长或略短于花萼，被白色平展缘毛及微小腺点，先端染紫红色；花萼圆筒状，开花时长约 9 mm，具 13 脉，外面主要沿脉上被白色刚毛，余部满布微小腺点，内面在喉部以上被白色疏柔毛，果时基部稍一边膨胀，上

唇3齿，齿长三角形，多少外反，先端短芒尖，下唇2齿，齿与上唇近等长，三角形，先端长芒尖；花冠粉红色，较大，长 1.5 ~ 2 cm，外面被微柔毛，内面在下唇下方具 2 列柔毛，花冠筒伸出，基部宽 1.5 mm，自伸出部分向上渐扩大，至喉部宽达 5 mm，冠檐二唇形，上唇直伸，先端微缺，下唇 3 裂，中裂片较大；雄蕊 4，前对较长，均延伸至上唇下，几不超出，花药卵圆形，2 室，室略叉开；花柱微超出上唇片，先端不相等 2 浅裂，裂片扁平；花盘平顶；子房无毛。小坚果倒卵形，长约 1 mm，宽约 0.9 mm，褐色，无毛。花期 7 ~ 9 月，果期 8 ~ 11 月。

| 生境分布 | 生于山坡、草地、路旁、灌丛中及林下。湖北有分布。

| 资源状况 | 野生资源一般，栽培资源一般。药材来源于栽培。

| 采收加工 | **全草：** 秋季采收，洗净，切段，晒干。

| 功能主治 | 清热解毒，活血消肿。用于牙痛，风湿关节痛，疮肿，疳积，跌打肿痛。

唇形科 Labiatae 风轮菜属 Clinopodium

灯笼草

Clinopodium polycephalum (Vaniot) C. Y. Wu et Hsuan ex H. W. Li

药材名

灯笼草。

形态特征

直立多年生草本。高 0.5 ~ 1 m，多分枝，基部有时匍匐生根。茎四棱形，具槽，被平展糙硬毛及腺毛。叶卵形，长 2 ~ 5 cm，宽 1.5 ~ 3.2 cm，先端钝或急尖，基部阔楔形至几圆形，边缘具疏圆齿状牙齿，上面榄绿色，下面略淡，两面被糙硬毛，尤其是下面脉上，侧脉约 5 对，与中脉在上面微下陷，在下面明显隆起。轮伞花序多花，圆球状，花时直径达 2 cm，沿茎及分枝形成宽而多头的圆锥花序；苞叶叶状，较小，生于茎及分枝近顶部者退化成苞片状；苞片针状，长 3 ~ 5 mm，被具节长柔毛及腺柔毛；花梗长 2 ~ 5 mm，密被腺柔毛。花萼圆筒形，花时长约 6 mm，宽约 1 mm，具 13 脉，脉上被具节长柔毛及腺微柔毛，萼内喉部具疏刚毛，果时基部一边膨胀，宽至 2 mm，上唇 3 齿，齿三角形，具尾尖，下唇 2 齿，先端芒尖；花冠紫红色，长约 8 mm，花冠筒伸出于花萼，外面被微柔毛，冠檐二唇形，上唇直伸，先端微缺，下唇 3 裂；雄蕊不露出，后对雄蕊短且花药小，在上唇穹隆下，直伸，前雄蕊长超过下唇，花药正常，花盘平顶，子房无毛。小坚果卵形，长约 1 mm，褐色，光滑。花期 7 ~ 8 月，果期 9 月。

| 生境分布 |　生于山坡、路边、林下、灌丛中。湖北有分布。

| 资源情况 |　野生资源一般，栽培资源一般。药材来源于栽培。

| 功能主治 |　用于子宫出血，胆囊炎，黄疸性肝炎，感冒头痛，腹痛，疳积，风火眼，跌打损伤，疔疮，皮肤疮疡，蛇犬咬伤，烂脚丫，烂疔、痔疮等。

唇形科 Labiatae 风轮菜属 *Clinopodium*

匍匐风轮菜 *Clinopodium repens* (D. Don) Benth.

| 药 材 名 | 匍匐风轮菜。

| 形态特征 | 多年生柔弱草本。茎匍匐生根,上部上升,弯曲,高约35 cm,四棱形,被疏柔毛,棱上及上部尤密。叶卵圆形,长1 ~ 3.5 cm,宽1 ~ 2.5 cm,先端锐尖或钝,基部阔楔形至近圆形,边缘在基部以上具向内弯的细锯齿,上面榄绿色,下面略淡,两面疏被短硬毛,侧脉5 ~ 7对,与中肋在上面近平坦或微凹陷,在下面隆起;叶柄长0.5 ~ 1.4 cm,向上渐短,近扁平,密被短硬毛。轮伞花序小,近球状,花时直径1.2 ~ 1.5 cm,果时直径1.5 ~ 1.8 cm,彼此远隔;苞叶与叶极相似,具短柄,均超过轮伞花序;苞片针状,绿色,长3 ~ 5 mm,被白色缘毛及腺微柔毛;花萼管状,长约6 mm,绿色,具13脉,外面被

白色缘毛及腺微柔毛，内面无毛，上唇 3 齿，齿三角形，具尾尖，下唇 2 齿，先端芒尖；花冠粉红色，长约 7 mm，略超出花萼，外面被微柔毛，冠檐二唇形，上唇直伸，先端微缺，下唇 3 裂；雄蕊及雌蕊均内藏。小坚果近球形，直径约 0.8 mm，褐色。花期 6 ~ 9 月，果期 10 ~ 12 月。

| 生境分布 |　生于山坡、草地、林下、路边、沟边等。分布于湖北宣恩，鹤峰，神农架，汉阳，黄陂，武昌等。

| 资源状况 |　野生资源一般，栽培资源一般。药材来源于野生。

| 功能主治 |　用于麻疹，肺炎，神经衰弱。

唇形科 Labiatae 风轮菜属 Clinopodium

麻叶风轮菜

Clinopodium urticifolium (Hance) C. Y. Wu et Hsuan ex H. W. Li

| **药 材 名** | 麻叶风轮菜。

| **形态特征** | 多年生直立草本。根茎木质。茎高 25 ~ 80 cm，钝四棱形，具细条纹，坚硬，基部半木质，常带紫红色，有时近圆柱形，疏被向下的短硬毛，上部常具分枝，沿棱及节上较密被向下的短硬毛。叶卵圆形、卵状长圆形至卵状披针形，长 3 ~ 5.5 cm，宽 1.2 ~ 3 cm，先端钝或急尖，基部近平截至圆形，边缘锯齿状，坚纸质，上面榄绿色，被极疏的短硬毛，下面略淡，主要沿各级脉上被稀疏贴生具节疏柔毛，侧脉 6 ~ 7 对，与中肋在上面微凹陷，在下面明显隆起；下部叶叶柄较长，长 1 ~ 1.2 cm，向上渐短，长 2 ~ 5 mm，腹凹背凸，密被具节疏柔毛。轮伞花序多花密集，半球形，位于下部者

直径达 3 cm，位于上部者直径约 2 cm，彼此远隔；苞叶叶状，下部者超出轮伞花序，上部者与轮伞花序等长，且呈苞片状；苞片线形，常染紫红色，明显具肋，为花萼长的 2/3 ～ 3/4，被白色缘毛；总梗长 3 ～ 5 mm，分枝多数；花梗长 1.5 ～ 2.5 mm，与总梗及花序轴密被腺微柔毛；花萼狭管状，长约 8 mm，上部染紫红色，具 13 脉，外面主要沿脉上被白色纤毛，余部被腺微柔毛，内面在齿上疏被疏柔毛，果时基部稍一边膨胀，上唇 3 齿，齿近外反，长三角形，先端具短芒尖，下唇 2 齿，齿直伸，稍长，先端芒尖；花冠紫红色，长约 1.2 cm，外面被微柔毛，内面在下唇下方喉部具 2 列毛茸，花冠筒伸出，基部宽 1 mm，自基部 1/3 处向上渐宽大，至喉部宽约 3 mm，冠檐二唇形，上唇直伸，先端微缺，下唇 3 裂，中裂片稍大；雄蕊 4，前对稍长，几不露出或微露出，花药 2 室，室略叉开；花柱微露出，先端不相等 2 浅裂，裂片扁平；花盘平顶；子房无毛。小坚果倒卵形，长约 1 mm，宽约 0.8 mm，褐色，无毛。花期 6 ～ 8 月，果期 8 ～ 10 月。

| **生境分布** | 生于山坡、草地、路旁、林下。湖北有分布。

| **资源状况** | 野生资源一般，栽培资源一般。药材来源于栽培。

| **功能主治** | 疏风清热，解毒止痢，活血止血。用于感冒，中暑，痢疾，肝炎，急性胆囊炎，疰腮，目赤红肿，疔疮肿毒，皮肤瘙痒，妇科血证，尿血，外伤出血。

唇形科 Labiatae 鞘蕊花属 Coleus

肉叶鞘蕊花 *Coleus carnosifolius* (Hemsl.) Dunn

| 药材名 | 肉叶鞘蕊花。

| 形态特征 | 多年生肉质草本。茎较粗壮，直立，高约30 cm，多分枝，幼时被短柔毛，老时近无毛，淡褐色。叶肉质，宽卵圆形或近圆形，直径1.2 ~ 3.5 cm，先端钝或圆形，基部截形或近圆形，稀有急尖，边缘具疏圆齿或浅波状圆齿，两面绿色带紫色或紫色，略被毛，满布红褐色腺点，侧脉约3 ~ 4对，弧形，与中脉在两面微凸起；叶柄与叶片等长或有时短于叶片，压扁状，多少具翅，略被毛。轮伞花序多花，果时直径3 ~ 4 cm，排列成长达18 cm的总状圆锥花序，花梗伸长，长3 ~ 6 mm，与短的总梗及花序轴密被微柔毛；苞片倒卵形，长4 mm，宽3 mm，先端具小尖头，近脱落，具5脉，外密被

腺微柔毛及红褐色腺点；花萼卵状钟形，花时长约 2.5 mm，外密被具腺微柔毛及红褐色腺点，内面无毛，果时增大，伸长，呈管状钟形，明显下倾，略弯曲，长达 8 mm；萼齿 5，近等长，后齿特别增大，三角状卵圆形，果时外反，其余 4 齿长圆状披针形，先端渐尖；花冠浅紫色或深紫色，外面被微柔毛，长约 1.2 cm，花冠筒基部宽不及 1 mm，在花萼外骤然下弯，向上渐宽，至喉部宽达 2.5 mm，冠檐二唇形，上唇 4 浅裂，下唇全缘，伸长；雄蕊 4，内藏，花丝基部近合生；花盘前方膨大。小坚果卵状圆形，光滑，黑棕色或黑色。花期 9～10 月，果期 10～11 月。

| 生境分布 | 生于山林中或岩石上。湖北有分布。

| 资源状况 | 野生资源一般，栽培资源一般。药材来源于野生。

| 功能主治 | 散寒解表，祛痰止咳。用于风寒咳嗽，咳痰。

五彩苏

Coleus scutellarioides (L.) Benth.

药材名

五彩苏。

形态特征

直立或上升草本。茎通常紫色，四棱形，被微柔毛，具分枝。叶膜质，其大小、形状及色泽变异很大，通常卵圆形，长4～12.5 cm，宽2.5～9 cm，先端钝至短渐尖，基部宽楔形至圆形，边缘具圆齿状锯齿或圆齿，黄色、暗红色、紫色及绿色，两面被微柔毛，下面常散布红褐色腺点，侧脉4～5对，斜上升，与中脉在两面微凸出；叶柄伸长，长1～5 cm，扁平，被微柔毛。轮伞花序多花，花时直径约1.5 cm，多数密集排列成长5～10（～25）cm、宽3～5（～8）cm的简单或分枝的圆锥花序；花梗长约2 mm，与花序轴被微柔毛；苞片宽卵圆形，长2～3 mm，先端尾尖，被微柔毛及腺点，脱落；花萼钟形，具10脉，开花时长2～3 mm，外面被短硬毛及腺点，果时花萼增大，长达7 mm，萼檐二唇形，上唇3裂，中裂片宽卵圆形，十分增大，果时外反，侧裂片短小，卵圆形，约为中裂片之半，下唇呈长方形，较长，2裂片高度靠合，先端具2齿，齿披针形；花冠浅紫色至紫色或蓝色，长 8 ~ 13 mm，外面被微柔毛，花冠筒骤然下弯，到喉部增大至 2.5 mm，冠檐二唇形，上唇短，直立，4 裂，下唇延长，内凹，舟形；雄蕊 4，内藏，花丝在中部以下合生成鞘状；花柱超出雄蕊，伸出，先端相等 2 浅裂；花盘前方膨大。小坚果宽卵圆形或圆形，压扁，褐色，具光泽，长 1 ~ 1.2 mm。花期 7 月。

| 生境分布 | 生于山坡林缘和湿润草地。湖北有分布。

| 资源状况 | 野生资源一般，栽培资源较丰富。药材来源于栽培。

| 采收加工 | **全草**：夏季采收，晒干或鲜用。

| 功能主治 | 清热解毒。用于疮疡肿毒。

唇形科 Labiatae 火把花属 Colquhounia

藤状火把花 *Colquhounia seguinii* Vant.

| **药 材 名** | 藤状火把花。

| **形态特征** | 灌木，高约2 m。茎近圆柱形，直立攀缘，茎无毛或稍被绒毛；枝条圆柱形，枝密被微柔毛，具花；小枝对生，长短不一，通常长5 ~ 10 cm。叶一般甚小，卵状长圆形，长2.5 ~ 4 cm，宽1 ~ 2 cm，有时甚大，长可达11 cm，宽5.5 cm，均先端渐尖，基部宽楔形或近圆形，边缘有细锯齿，草质，上面深绿色，疏被糙伏毛，下面灰绿色，沿中脉及侧脉被柔毛，侧脉2 ~ 4对，在上面微凹陷，在下面稍隆起；叶柄密被微柔毛，通常长1 ~ 3 cm，有时长可达4.5 cm，下部者最长，几与叶片相等，上部者变短，密被微柔毛；苞叶卵圆形，长1 ~ 1.5 cm。轮伞花序由具短梗、1 ~ 3花的聚伞花序组成，

通常在小枝上形成长 3 ~ 4 cm 的小头状花序；苞片线形，多少被微柔毛；花梗长 2 ~ 3 mm。花萼管状钟形，长约 5 mm，外面密被微柔毛，内面除萼齿先端外，余部无毛，脉 10，近显著，齿 5，三角形，长 2 mm。花冠红色、紫色、暗橙色至黄色，长约 2 cm，外面被细柔毛及腺点，花冠筒为上唇长圆形，长约 1.2 cm，长不及上唇片的 2 倍，冠檐二唇形，上唇长圆形，长约 8 mm，先端圆形，下唇 3 浅裂，中裂片最小，侧裂片较大，卵圆形；雄蕊 4，不伸出，前对较长，花丝扁平，疏被短柔毛，花药卵圆形，2 室，室极叉开；花柱扁平，稍超出雄蕊，先端极不相等 2 浅裂，后裂片近消失；花盘平顶，边缘具圆齿；子房无毛。小坚果三棱状卵圆形，先端具翅，翅长约为小坚果的 2 倍。花期 11 ~ 12 月，果期翌年 1 ~ 2 月。

| **生境分布** | 生于海拔 240 ~ 2 700 m 的灌丛中。湖北有分布。

| **资源状况** | 野生资源一般，栽培资源一般。药材主要来源于栽培。

| **采收加工** | **全株**：11 ~ 12 月采收，除去杂质，洗净，润透，切段，晒干。

| **功能主治** | 祛风除湿，活血散瘀，续筋接骨。用于风湿性关节炎，跌打损伤，半身不遂。

绵穗苏

Comanthosphace ningpoensis (Hemsl.) Hand.-Mazz.

| 药 材 名 | 绵穗苏。

| 形态特征 | 多年生草本，直立。具密生须根的木质根茎。茎高 60 ~ 100 cm，基部圆柱形，上部钝四棱形，微具槽，除茎顶花序被白色星状绒毛外，余部近无毛，干时黄褐色，近茎顶紫褐色，节间短于叶片。叶卵圆状长圆形、阔椭圆形或椭圆形，长 7 ~ 13 cm，宽 4 ~ 8 cm，先端渐尖，基部阔楔形渐狭，边缘在基部以上具胼胝尖的锯齿，纸质，老叶两面近无毛，幼叶上面多少被小刚毛，下面疏被星状毛，侧脉 6 ~ 9 对，弧状，与中脉在上面微显著，在下面明显隆起，网脉在两面明显；叶柄极短，长 0.5 ~ 1 cm，腹凹背凸，无毛。穗状花序于主茎及侧枝上顶生，在茎顶常呈三叉状，中央者长 12 ~ 18 cm，在侧枝上的花序不发达，长 8 ~ 11 cm，穗状花序圆柱形，开花时直径约 1.5 cm，

各部被星状绒毛，常由在下部间断而稍远离、在上部密集、具 6 ~ 10 花的多数轮伞花序组成；苞片早落，明显从叶状过渡到鳞片状，下部轮伞花序的苞片叶状，绿色，阔卵圆状披针形，通常长 1.5 cm，无柄，先端锐尖，基部近心形，边缘疏生数齿，上面疏被小刚毛，下面被星状绒毛，上部苞片卵圆状菱形，先端锐尖，带绿色，基部黄褐色，两面均被白色星状绒毛；小苞片早落，微小，线形至钻形，长 1 ~ 1.5 mm，黄褐色，外面被白色星状绒毛，内面无毛；花梗长 1 ~ 3 mm，与花序轴密被白色星状绒毛；花萼管状钟形或钟形，连齿长 4mm，外面密被白色星状绒毛，内面无毛，脉 10，不显著，萼筒长 3 mm，萼齿 5，短三角形，微尖，前 2 齿略宽；花冠淡红色至紫色，长 7 mm，外面伸出部分密被白色星状绒毛，内面近花冠筒中部有 1 不规则宽大而密集的毛环，花冠筒长 3 mm，向上渐扩大，冠檐开张，二唇形，上唇长 1 mm，宽 2 mm，先端 2 浅裂或全缘，直伸，下唇 3 裂，中裂片卵圆形，直径约 2 mm，较大，开张，内凹，侧裂片长约 1 mm，直伸；雄蕊 4，前对略长，均伸出花冠很多，几达花冠的 1 倍，直伸，花丝丝状，无毛，花药卵珠形，1 室；花柱丝状，稍超出雄蕊，先端相等 2 浅裂；花盘平顶；子房褐色，无毛，具腺点。花期 8 ~ 10 月。

| **生境分布** | 生于海拔约 1 220 m 的山坡草丛及溪旁。湖北有分布。

| **资源状况** | 野生资源一般，栽培资源一般。药材主要来源于栽培。

| **采收加工** | **全草**：8 ~ 11 月采收，除去杂质，洗净，切段，晒干或鲜用。

| **功能主治** | 祛风发表，止血调经，消肿解毒。用于感冒，头痛，瘫痪，劳伤吐血，崩漏，月经不调，痛经，疮痈肿毒。

香青兰
Dracocephalum moldavica L.

| 药 材 名 | 香青兰。

| 形 态 特 征 | 一年生草本，高22～40 cm。直根圆柱形，直径2～4.5 mm。茎数个，直立或渐升，常在中部以下具分枝，不明显四棱形，被倒向的小毛，常带紫色。基生叶卵圆状三角形，先端圆钝，基部心形，具疏圆齿，具长柄，很快枯萎；下部茎生叶与基生叶近似，具与叶片等长之柄，中部以上者具短柄，柄为叶片之1/4～1/2以下，叶片披针形至线状披针形，先端钝，基部圆形或宽楔形，长1.4～4 cm，宽0.4～1.2 cm，两面只在脉上疏被小毛及黄色小腺点，边缘通常具不规则至规则的三角形牙齿或疏锯齿，有时基部的牙齿呈小裂片状，分裂较深，常具长刺。轮伞花序生于茎或分枝上部5～12节处，长3～11 cm，

疏松，通常具 4 花；花梗长 3 ~ 5 mm，花后平折；苞片长圆形，稍长或短于花萼，疏被贴伏的小毛，每侧具 2 ~ 3 小齿，齿具长 2.5 ~ 3.5 mm 的长刺；花萼长 8 ~ 10 mm，被金黄色腺点及短毛，下部较密，脉常带紫色，2 裂近中部，上唇 3 浅裂至 1/4 ~ 1/3 处，3 齿近等大，三角状卵形，先端锐尖，下唇 2 裂近基部，裂片披针形；花冠淡蓝紫色，长 1.5 ~ 2.5 cm，喉部以上宽展，外面被白色短柔毛，冠檐二唇形，上唇短舟形，长约为花冠筒的 1/4，先端微凹，下唇 3 裂，中裂片扁，2 裂，具深紫色斑点，有短柄，柄上有 2 突起，侧裂片平截；雄蕊微伸出，花丝无毛，先端尖细，花药平叉开；花柱无毛，先端 2 等裂。小坚果长约 2.5 mm，长圆形，顶平截，光滑。

| 生境分布 | 生于海拔 220 ~ 1 600 m 的干燥山地、山谷、河滩多石处。湖北有分布。

| 资源状况 | 野生资源一般，栽培资源一般。药材主要来源于栽培。

| 采收加工 | **全草**：8 ~ 12 月采收，除去杂质，洗净，切段，晒干或鲜用。

| 功能主治 | 疏风清热，利咽止咳，凉肝止血。用于感冒发热，头痛，咽喉肿痛，咳嗽气喘，痢疾，吐血，衄血，风疹，皮肤瘙痒。

唇形科 Labiatae 水蜡烛属 Dysophylla

水虎尾 *Dysophylla stellata* (Lour.) Benth.

| 药 材 名 | 水虎尾。

| 形态特征 | 一年生直立草本。茎高 15 ~ 40 cm，基部直径至 1 cm，于中部以上具轮状分枝，无毛，有时节上被灰色柔毛，下部节间极短。叶 4 ~ 8 轮生，线形，长 2 ~ 7 cm，宽 1.5 ~ 4 mm，先端急尖，基部渐狭而无柄，边缘具疏齿或几无齿，不外卷，上面榄绿色，下面灰白色，两面均无毛；生于茎下部的叶有时狭小。穗状花序长 0.5 ~ 4.5 cm，宽 4 ~ 6.5 mm，极密集，不间断；苞片披针形，明显，超过花萼；花萼钟形，密被灰色绒毛，长约 1.2 mm，宽约 1 mm，果时增大至 1.8 mm；花冠紫红色，长 1.8 ~ 2 mm，冠檐 4 裂，裂片近相等；雄蕊 4，伸出，花丝被髯毛；花柱先端 2 浅裂；花盘平顶。小坚果倒卵形，

极小，棕褐色，光滑。花果期全年。

| 生境分布 | 生于海拔 100 ～ 1 550 m 的稻田中或水边。湖北有分布。

| 资源状况 | 野生资源一般，栽培资源一般。药材主要来源于栽培。

| 采收加工 | **全草**：8 ～ 12 月采收，除去杂质，洗净，切段，晒干或鲜用。

| 功能主治 | 解毒消肿，活血止痛。用于疮痈肿毒，湿疹，跌打瘀肿，毒蛇咬伤。

唇形科 Labiatae 水蜡烛属 Dysophylla

水蜡烛

Dysophylla yatabeana Makino

药材名

水蜡烛。

形态特征

多年生草本。茎高 40 ~ 60 cm，无毛，顶部被微柔毛，不分枝或稀具短的分枝。叶 3 ~ 4 轮生，狭披针形，长 3.5 ~ 4.5 cm，宽 5 ~ 7 mm，先端渐狭，具钝头，基部无柄，全缘或于上部具疏而不明显的锯齿，纸质，上面榄绿色，下面色稍淡，并被不明显的褐色小腺点，两面无毛。穗状花序长 2.8 ~ 7 cm，直径约 1.5 cm，紧密而连续，有时基部间断；苞片线状披针形，其长几与花冠相等，常带紫色；花萼卵钟形，长 1.6 ~ 2 mm，外面被疏柔毛及锈色腺点，萼齿 5，三角形，长约为萼筒的 1/2；花冠紫红色，长为花萼的 2 倍，无毛，冠檐近相等 4 裂；雄蕊 4，极伸出，花丝密被紫红色髯毛；花柱略伸出雄蕊，先端相等 2 浅裂；花盘平顶。小坚果未见。花期 8 ~ 10 月。

生境分布

生于海拔 100 ~ 1 500 m 的水池中、水稻田内或湿润空旷地方。分布于湖北南漳等。

| 资源状况 | 野生资源一般，栽培资源一般。药材主要来源于栽培。

| 采收加工 | **全草**：8 ~ 11 月采收，除去杂质，洗净，润透，切段，晒干。

| 功能主治 | 收敛止血，活血祛瘀。用于咯血，吐血，创伤出血，小便不利，高脂血症，冠心病。

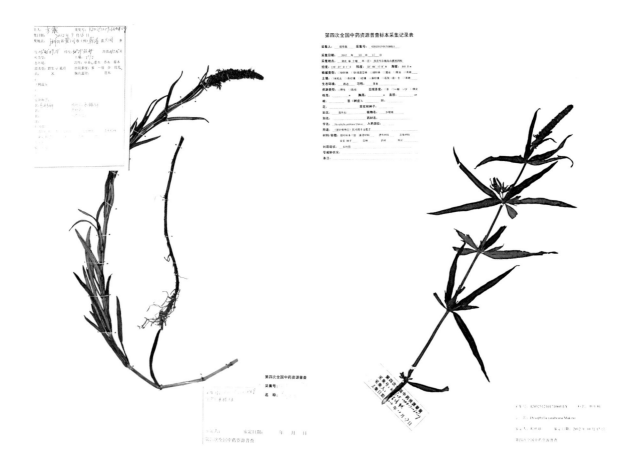

唇形科 Labiatae 香薷属 Elsholtzia

紫花香薷
Elsholtzia argyi H. Lév.

| 药 材 名 | 紫花香薷。

| 形态特征 | 草本，株高可达 1 m。茎四棱形，具槽，紫色，槽内被疏生或密集的白色短柔毛。叶卵形至阔卵形，长 2 ~ 6 cm，宽 1 ~ 3 cm，先端短渐尖，基部圆形至宽楔形，边缘在基部以上具圆齿或圆齿状锯齿，近基部全缘，上面绿色，被疏柔毛，下面淡绿色，沿叶脉被白色短柔毛，满布凹陷的腺点，侧脉 5 ~ 6 对，与中脉在两面微显著；叶柄长 0.8 ~ 2.5 cm，具狭翅，腹凹背凸，被白色短柔毛。穗状花序长 2 ~ 7 cm，生于茎、枝先端，偏向一侧，由具 8 花的轮伞花序组成；苞片圆形，长、宽均约 5 mm，先端骤然短尖，尖头刺芒状，长达 2 mm，外面被白色柔毛及黄色透明腺点，常带紫色，内面无毛，

边缘具缘毛；花梗长约 1 mm，与花序轴被白色柔毛；花萼管状，长约 2.5 mm，外面被白色柔毛，萼齿 5，钻形，近相等，先端具芒刺，边缘具长缘毛；花冠玫瑰红紫色，长约 6 mm，外面被白色柔毛，在上部具腺点，花冠筒向上渐宽，至喉部宽达 2 mm，冠檐二唇形，上唇直立，先端微缺，边缘被长柔毛，下唇稍开展，中裂片长圆形，先端通常具突尖，侧裂片弧形；雄蕊 4，前对较长，伸出，花丝无毛，花药黑紫色；花柱纤细，伸出，先端相等 2 浅裂。小坚果长圆形，长约 1 mm，深棕色，外面具细微疣状突起。花果期 9 ~ 11 月。

| 生境分布 | 生于海拔 200 ~ 1 200 m 的山坡灌丛中、林下、溪旁及河边草地。湖北有分布。

| 资源状况 | 野生资源一般，栽培资源一般。药材主要来源于栽培。

| 采收加工 | **全草**：8 ~ 10 月采收，除去杂质，洗净，切段，晒干。

| 功能主治 | 发汗解表，和中利湿。用于感冒，发热无汗，黄疸，带下，咳嗽，暑热口臭，吐泻。

唇形科 Labiatae 香薷属 *Elsholtzia*

香薷
Elsholtzia ciliata (Thunb.) Hyland.

| 药 材 名 |

香薷。

| 形态特征 |

直立草本，高 0.3 ~ 0.5 m。具密集的须根。茎通常自中部以上分枝，钝四棱形，具槽，无毛或被疏柔毛，常呈麦秆黄色，老时变紫褐色。叶卵形或椭圆状披针形，长 3 ~ 9 cm，宽 1 ~ 4 cm，先端渐尖，基部楔状下延成狭翅，边缘具锯齿，上面绿色，疏被小硬毛，下面淡绿色，主沿脉上疏被小硬毛，余部散布松脂状腺点，侧脉 6 ~ 7 对，与中肋在两面稍明显；叶柄长 0.5 ~ 3.5 cm，背平腹凸，边缘具狭翅，疏被小硬毛。穗状花序长 2 ~ 7 cm，宽达 1.3 cm，偏向一侧，由多花的轮伞花序组成；苞片宽卵圆形或扁圆形，长、宽均约 4 mm，先端具芒状突尖，尖头长达 2 mm，多半褪色，外面近无毛，疏布松脂状腺点，内面无毛，边缘具缘毛；花梗纤细，长 1.2 mm，近无毛，花序轴密被白色短柔毛；花萼钟形，长约 1.5 mm，外面被疏柔毛，疏生腺点，内面无毛，萼齿 5，三角形，前 2 齿较长，先端具针状尖头，边缘具缘毛；花冠淡紫色，长约为花萼的 3 倍，外面被柔毛，上部夹有稀疏腺点，喉部被疏柔毛，花冠筒自基部向上渐宽，至喉部宽约 1.2 mm，冠檐二唇形，上唇直立，先端微缺，下唇开展，3 裂，中裂片半圆形，侧裂片弧形，较中裂片短；雄蕊 4，前对较长，外伸，花丝无毛，花药紫黑色；花柱内藏，先端 2 浅裂。小坚果长圆形，长约 1 mm，棕黄色，光滑。花期 7 ~ 10 月，果期 10 月至翌年 1 月。

| **生境分布** | 生于海拔 0 ~ 3 100 m 的路旁、山坡、荒地、林内、河岸。湖北有分布。

| **资源状况** | 野生资源一般，栽培资源一般。药材主要来源于栽培。

| **采收加工** | **全草：** 8 ~ 10 月采收，除去杂质，洗净，切段，晒干。

| **功能主治** | 发汗解表，化湿和中，利水消肿。用于急性胃肠炎，腹痛吐泻，头痛发热，恶寒无汗，霍乱，水肿，鼻衄，口臭。

唇形科 Labiatae 香薷属 Elsholtzia

野草香

Elsholtzia cypriani (Pavol.) S. Chow ex P. S. Hsu

| **药 材 名** | 野草香。

| **形态特征** | 草本，高 0.1 ~ 1 m。茎、枝绿色或紫红色，钝四棱形，具浅槽，密被下弯短柔毛。叶卵形至长圆形，长 2 ~ 6.5 cm，宽 1 ~ 3 cm，先端急尖，基部宽楔形，下延至叶柄，边缘具圆齿状锯齿，草质，上面深绿色，被微柔毛，下面淡绿色，密被短柔毛及腺点，侧脉 5 ~ 6 对，与中脉在上面微下陷，在下面隆起；叶柄长 0.2 ~ 2 cm，上部具三角形狭翅，腹平背凸，密被短柔毛。穗状花序圆柱形，长 2.5 ~ 10.5 cm，花时直径达 0.9 cm，于茎、枝或小枝上顶生，由多数密集的轮伞花序组成；苞片线形，长达 3 mm，被短柔毛；花梗长 0.5 mm，与花序轴密被短柔毛；花萼管状钟形，长约 2 mm，外

面密被短柔毛，内面仅在萼齿上略被微柔毛，余部无毛，萼齿 5，长约为花萼的 1/4，近等长，花后果萼伸长，长管状，长达 5 mm，外密被绵毛，萼齿细小，向前弯曲，偏向一侧，呈尖嘴状；花冠淡红色，长约 2 mm，外面被柔毛，内面无毛，花冠筒漏斗形，基部宽 0.5 mm，向上渐宽，至喉部宽达 1.5 mm，冠檐二唇形，上唇全缘或略凹缺，下唇开展，3 裂，中裂片圆形，侧裂片半圆形，全缘；雄蕊 4，伸出，前对较长，花丝无毛，花药卵圆形，2 室；花柱外露，约与后对雄蕊等长，先端近相等 2 浅裂，裂片钻形。小坚果长圆状椭圆形，黑褐色，略被毛。花果期 8 ～ 11 月。

| 生境分布 | 生于海拔 400 ～ 2 900 m 的田边、路旁、河谷两岸、林中或林边草地。湖北有分布。

| 资源状况 | 野生资源一般，栽培资源一般。药材主要来源于栽培。

| 采收加工 | **叶或茎叶：** 8 ～ 11 月采收，除去杂质，洗净，切段，晒干或鲜用。

| 功能主治 | 清热发表，解毒截疟。用于风热感冒，咽喉肿痛，鼻渊头痛，风湿关节痛，泻痢腹痛，疟疾，疔疮肿毒，神经性皮炎。

唇形科 Labiatae 香薷属 *Elsholtzia*

鸡骨柴 *Elsholtzia fruticosa* (D. Don) Rehd.

| 药 材 名 | 鸡骨柴叶、鸡骨柴。

| 形态特征 | 灌木，高 0.8 ~ 2 m。多分枝，茎、枝四棱形，幼时被白色卷曲柔毛，老时皮层剥落，变无毛。叶对生，叶柄极短或近无柄；叶片披针形或椭圆状披针形，长 6 ~ 13 cm，宽 2 ~ 3.5 cm，先端渐尖，基部狭楔形，边缘在基部以上具粗锯齿，近基部全缘，上面被糙伏毛，下面被弯曲的短柔毛，两面具黄色腺点，侧脉 6 ~ 8 对。轮伞花序多花密集成假穗状花序，顶生和腋生；苞片披针形或钻形；花萼钟形，长约 1.5 mm，外面被短柔毛，萼齿 5，长约 0.5 mm，果时花萼圆筒状，长约 3 mm；花冠白色或淡黄色，长约 5 mm，外面被蜷曲柔毛和黄色腺点，上唇直立，长约 0.5 mm，先端微缺，边缘具长

柔毛，下唇 3 裂，中裂片圆形，长约 1 mm，侧裂片半圆形；雄蕊 4，前对较长，伸出，花丝无毛，花药 2 室；子房 4 裂，花柱伸出花冠，柱头 2 深裂。小坚果长圆形，长 1.5 mm，腹面具棱，褐色。花期 7 ~ 9 月，果期 9 ~ 11 月。

| 生境分布 | 生于海拔 1 200 ~ 3 100 m 的山坡、谷底、路旁、溪边或村边。分布于湖北神农架。

| 资源状况 | 野生资源一般，栽培资源一般。药材主要来源于野生。

| 采收加工 | **鸡骨柴叶**：夏、秋季采收，鲜用或晒干。
鸡骨柴：秋季采挖，洗净，晒干。

| 功能主治 | **鸡骨柴叶**：用于足癣，疥疮。
鸡骨柴：温经通络，祛风除湿。用于风湿关节痛。

唇形科 Labiatae 香薷属 *Elsholtzia*

异叶香薷 *Elsholtzia heterophylla* Diels

| 药 材 名 | 异叶香薷。

| 形态特征 | 草本，高 0.3 ~ 0.8 m。具纤细匍匐枝及密集的须根。茎劲直，暗紫色，钝四棱形，具浅槽，疏被白色具节疏柔毛。叶两型，匍匐枝上的叶小，宽椭圆形或近圆形，长 0.2 ~ 0.6 cm，宽 0.2 ~ 0.4 cm，边缘疏生钝齿，具短柄；茎上叶披针形或椭圆形，长 1.3 ~ 2.6 cm，宽 0.3 ~ 0.7 cm，两端渐尖，边缘具浅锯齿或圆齿状锯齿，干时略向下面反卷，上面沿中脉上被小疏柔毛，下面除中脉及侧脉被疏柔毛外，余部密布凹陷的腺点，侧脉 4 对，与中脉在上面凹陷，在下面隆起，叶柄极短或近无柄。穗状花序单生于茎顶，圆柱形，长 2.5 ~ 4 cm，开花时宽达 1.8 cm；苞片覆瓦状排列，紧密，宽扇形，宽 6 ~ 8 mm，先端

具短突尖或钝,干膜质,脉纹明显,带紫色,2苞片连合成杯状;花萼管状,长 3.5 ~ 4 mm,外面被疏柔毛及腺点,内面无毛,萼齿披针形,约等于花萼的1/3;花冠玫瑰红紫色,长 10 ~ 12 mm,外面疏被柔毛及腺点,内面无毛,花冠筒自基部向上逐渐扩大,至喉部宽达 2.5 mm,冠檐二唇形,上唇直立,先端微缺,下唇开展,3裂,中裂片边缘啮蚀状,侧裂片全缘;雄蕊4,伸出,前对较长,花丝无毛,花药卵圆形,2室;花柱超出雄蕊,先端不相等2浅裂,裂片钻形。小坚果长圆形,长约 1.5 mm,棕黑色,光滑。花果期 10 ~ 12 月。

| 生境分布 | 生于海拔 1 200 ~ 2 400 m 的村旁、田边、沼泽及河沟附近。分布于湖北西部。

| 资源状况 | 野生资源一般,栽培资源一般。药材主要来源于野生。

| 采收加工 | **全草:** 夏、秋季采收,除去杂质,晒干,鲜用。

| 功能主治 | 发散解表,清热利湿,理气和胃。用于感冒发热,头痛,身痛,咽喉痛,虚火牙痛,乳蛾,消化不良,目赤红痛,尿闭,肝炎。

唇形科 Labiatae 香薷属 Elsholtzia

海州香薷 *Elsholtzia splendens* Nakai ex F. Maekawa

| **药 材 名** | 海州香薷。

| **形态特征** | 直立草本，高 30 ~ 50 cm。茎直立，污黄紫色，被近 2 列疏柔
毛，基部以上多分枝，分枝劲直开展，先端具花序，节间伸长，长
2 ~ 12 cm。叶卵状三角形、卵状长圆形至长圆状披针形或披针形，
长 3 ~ 6 cm，宽 0.8 ~ 2.5 cm，先端渐尖，基部或阔或狭楔形，下
延至叶柄，边缘疏生锯齿，锯齿整齐，锐或稍钝，上面绿色，疏被
小纤毛，小纤毛在脉上较密，下面色较淡，沿脉上被小纤毛，密布
凹陷的腺点；叶柄在茎中部叶上较长，向上变短，长 0.5 ~ 1.5 cm，
腹凹背凸，腹面被短柔毛。穗状花序顶生，偏向一侧，长 3.5 ~ 4.5 cm，
由多数轮伞花序组成；苞片近圆形或宽卵圆形，长约 5 mm，宽

6 ～ 7 mm，先端具尾状骤尖，尖头长 1 ～ 1.5 mm，除边缘被小缘毛外，余部无毛，极疏生腺点，染紫色；花梗长不及 1 mm，近无毛，花序轴被短柔毛；花萼钟形，长 2 ～ 2.5 mm，外面被白色短硬毛，具腺点，萼齿 5，三角形，近相等，先端刺芒尖头，边缘具缘毛；花冠玫瑰红紫色，长 6 ～ 7 mm，微内弯，近漏斗形，外面密被柔毛，内面有毛环，花冠筒基部宽约 0.5 mm，向上渐宽，至喉部宽不及 2 mm，冠檐二唇形，上唇直立，先端微缺，下唇开展，3 裂，中裂片圆形，全缘，侧裂片截形或近圆形；雄蕊 4，前对较长，均伸出，花丝无毛；花柱超出雄蕊，先端近相等 2 浅裂，裂片钻形。小坚果长圆形，长 1.5 mm，黑棕色，具小疣。花果期 9 ～ 11 月。

| **生境分布** | 生于海拔 200 ～ 300 m 的山坡路旁或草丛中。分布于湖北黄冈、孝感等。

| **资源状况** | 野生资源一般，栽培资源较丰富。药材主要来源于栽培。

| **采收加工** | **全草**：夏、秋季采收，除去杂质，晒干，生用。

| **功能主治** | 发表解暑，化湿行水。用于夏月乘凉饮冷伤暑，头痛，发热，恶寒，无汗，腹痛，吐泻，水肿，脚气。

唇形科 Labiatae 香薷属 Elsholtzia

穗状香薷 *Elsholtzia stachyodes* (Link) C. Y. Wu

| 药 材 名 |

穗状香薷。

| 形 态 特 征 |

柔弱草本，高 0.3 ~ 1 m。茎直立，钝四棱形，具槽，黄褐色或常带紫红色，幼时略被卷曲白色短柔毛，其后毛多脱落，多分枝，分枝具花序。叶菱状卵圆形，长 2.5 ~ 6 cm，宽 1.5 ~ 3.5 cm，先端骤渐尖，基部楔形或阔楔形，下延至叶柄成狭翅，边缘在基部以上具整齐或近整齐缺刻状锯齿，薄纸质，上面绿色，散布白色短柔毛，下面淡绿色，仅沿脉上被短柔毛，余部散布淡黄色凹陷的腺点，侧脉约 4 对，与中脉在上面微显著，在下面明显隆起；叶柄长 0.5 ~ 4 cm，通常长度几与叶片相等，腹面具槽，槽上密被、余部疏被白色微柔毛。穗状花序顶生及腋生，位于茎、枝顶上者较长，长 4 ~ 8.5 cm，腋生枝上者最短，长仅 1.5 cm，开花时直径可达 6（~ 8）mm，通常直径 5 mm，由疏花多少不连续的轮伞花序所组成；苞片钻状线形，具肋，常超出花冠；花梗短，长 0.5 mm，与花序轴被白色短柔毛；花萼钟形，长约 1.5 mm，外面密被白色柔毛，内面齿上略被微柔毛，萼齿 5，披针形，近相等，果时花

萼略增大，管状钟形，长约 2 mm；花冠白色，有时为紫红色，长约为花萼的 2 倍，外面被短柔毛，内无毛，花冠筒向上渐宽大，冠檐二唇形，上唇直立，先端微缺，下唇开展，3 裂，中裂片椭圆形，侧裂片先端圆形；雄蕊 4，前对不发育，后对内藏或微露出；花柱微露出，先端近相等 2 裂。小坚果椭圆形，淡黄色。花果期 9 ～ 12 月。

| **生境分布** | 生于海拔 800 ～ 2 800 m 的开旷山坡、路旁、荒地、林中空旷处或石灰岩上。分布于湖北英山、神农架。

| **资源状况** | 野生资源一般，栽培资源丰富。药材主要来源于栽培。

| **采收加工** | **全草：**夏、秋季采收，除去杂质，晒干，生用。

| **功能主治** | 发汗解表，化湿和中，利水消肿。用于风寒感冒，水肿脚气。

唇形科 Labiatae 香薷属 *Elsholtzia*

木香薷 *Elsholtzia stauntoni* Benth.

药材名

木香薷。

形态特征

直立半灌木，高 0.7 ~ 1.7 m。茎上部多分枝，小枝下部近圆柱形，上部钝四棱形，具槽及细条纹；带紫红色，被灰白色微柔毛。叶披针形至椭圆状披针形，长 8 ~ 12 cm，宽 2.5 ~ 4 cm，先端渐尖，基部渐狭至叶柄，边缘除基部及先端全缘外具锯齿状圆齿，上面绿色，除边缘及中脉被微柔毛外，余部极无毛，下面白绿色，除中脉及侧脉略被微柔毛外，余部无毛但密布细小腺点，侧脉 6 ~ 8 对，与中脉在上面明显凹陷，在下面明显隆起；叶柄长 4 ~ 6 mm，腹凹背凸，常带紫色，被微柔毛。穗状花序伸长，长 3 ~ 12 cm，生于茎枝及侧生小花枝顶上，位于茎枝上者较长，在茎或枝上圆锥状，由具 5 ~ 10 花、近偏向于一侧的轮伞花序组成；苞叶除花序最下方 1 对叶状且超出轮伞花序外，均呈苞片状，披针形或线状披针形，长 2 ~ 3 mm，常染紫色；花梗长 0.5 mm，与总梗、花序轴被灰白微柔毛；花萼管状钟形，长约 2 mm，宽约 1 mm，外面密被灰白色绒毛，内面仅在萼齿上被灰白色绒毛，余部无毛，萼齿 5，卵状披针形，长约 0.5 mm，近等大，果时花萼伸长，明显管状，长达 4 mm，宽 1.5 mm；花冠玫瑰红紫色，长约 9 mm，外面被白色柔毛及稀疏腺点，内面约在花冠筒中部花丝基部有斜向间断的髯毛环，花冠筒长约 6 mm，基部宽约 1 mm，向上渐宽，至喉部宽达 2.5 mm，冠檐二唇形，上唇直立，长约 2 mm，先端微缺，下唇开展，3 裂，中裂片近圆形，长约 3 mm，侧裂片近卵圆形，先端圆，较中裂片稍短；雄蕊 4，前对较长，十分伸出，花丝丝状，无毛，花药卵圆形，2 室；花柱与雄蕊等长或略超出雄蕊，先端近相等 2 深裂，裂片线形，子房无毛。小坚果椭圆形，光滑。花果期 7 ～ 10 月。

| **生境分布** | 生于海拔 700 ～ 1 600 m 的谷地溪边或河川沿岸、草坡及石山上。分布于湖北西部。

| **资源状况** | 野生资源一般，栽培资源丰富。药材主要来源于栽培。

| **采收加工** | **全株**：夏、秋季采收，除去杂质，晒干，生用。

| **功能主治** | 发汗解表，化湿和中，利水消肿。用于风寒感冒，水肿，脚气。

唇形科 Labiatae 小野芝麻属 Galeobdolon

小野芝麻 *Galeobdolon chinense* (Benth.) C. Y. Wu

| 药 材 名 |

地绵绵。

| 形态特征 |

一年生草本。有时具块根。茎高 10 ~ 60 cm，四棱形，具槽，密被污黄色绒毛。叶卵圆形、卵圆状长圆形至阔披针形，长 1.5 ~ 4 cm，宽 1.1 ~ 2.2 cm，先端钝至急尖，基部阔楔形，边缘具圆齿状锯齿，草质，上面橄绿色，密被贴生的纤毛，下面色较淡，被污黄色绒毛；叶柄长 5 ~ 15 mm。轮伞花序具 2 ~ 4 花；苞片极小，线形，长约 6 mm，早落；花萼管状钟形，长约 1.5 cm，直径约 0.7 cm，外面密被绒毛，萼齿披针形，长 4 ~ 6 mm，先端渐尖成芒状；花冠粉红色，长约 2.1 cm，外面被白色长柔毛，尤以上唇为甚，花冠筒内面下部有毛环，冠檐二唇形，上唇长 1.1 cm，倒卵圆形，基部渐狭，下唇

长约 8 mm，宽约 9 mm，3 裂，中裂片较大，侧裂片与之相似，近圆形；雄蕊花丝扁平，无毛，花药紫色，无毛；花柱丝状，先端不相等的 2 浅裂；花盘杯状；子房无毛。小坚果三棱状倒卵圆形，长约 2.1 mm，直径 0.9 mm，先端截形。花期 3 ～ 5 月。

| **生境分布** | 生于海拔 50 ～ 300 m 的疏林中。分布于湖北黄冈、咸宁等。

| **资源状况** | 野生资源一般，栽培资源一般。药材主要来源于野生。

| **采收加工** | **块根**：夏季采挖，洗净，鲜用。

| **功能主治** | 止血。用于外伤出血。

块根小野芝麻
Galeobdolon tuberiferum (Makino) C. Y. Wu

| 药 材 名 | 块根小野芝麻。

| 形态特征 | 多年生草本。主根先端膨大成 1 圆形或长圆形的小块根。茎高 10 ~ 20 cm，细弱，四棱形，具槽，被短刚毛。叶小，卵状菱形，长 1 ~ 2 cm，宽 0.8 ~ 1.6 cm，先端急尖或钝，基部阔楔形，边缘具圆齿状锯齿，草质，上面榄绿色，被贴生的白色纤毛状毛茸，下面色较淡，被长短不等的贴生硬毛，叶柄长 5 ~ 15 mm。轮伞花序具（2 ~ ）4 ~ 8 花；苞片叶状，长 5 ~ 6 mm，宽 3 ~ 4 mm，小苞片线形，长约 3 mm；花萼管状钟形，长约 8 mm，直径约 2.2 mm，外面被有刚毛，萼齿三角状披针形，长约为萼长之半，先端长渐尖；花冠紫红色或淡红色，长 13 mm，花冠筒基部直径 0.6 mm，喉

部宽 4 mm，内面在中部稍下方具毛环，冠檐二唇形，上唇直立，长圆形，长 6 mm，外面被长刚毛，下唇长 8 mm，宽 5 mm，染有紫色斑点，3 裂，中裂片倒心形，大，侧裂片小，近圆形；雄蕊花丝扁平，无毛，花药深色；花柱丝状，先端近相等 2 浅裂；花盘杯状；子房裂片长圆形，上部被有小鳞片。小坚果褐色，三棱状倒圆锥形，长 2 mm，宽 1 mm，先端截形，无毛。花期 4 月。

| **生境分布** | 生于海拔约 300 m 的村旁阴湿处及山脚。分布于湖北汉阳、武昌等。

| **资源状况** | 野生资源一般，栽培资源一般。

| **功能主治** | 凉血止血，活血止痛。用于肺热咳嗽，咯血等。

唇形科 Labiatae 活血丹属 Glechoma

白透骨消

Glechoma biondiana (Diels) C. Y. Wu et C. Chen

| 药 材 名 | 白透骨消。

| 形态特征 | 多年生草本，高 15 ~ 30 cm。全株被具节的长柔毛。匍匐茎着地生根，茎上升，四棱形。叶对生；叶柄长 1.2 ~ 2.5 cm，被长柔毛；叶片心形，长 2 ~ 4.2 cm，宽 1.9 ~ 3.8 cm，先端急尖，通常具针状小尖头，基部心形，边缘具圆锯齿，两面被具节长柔毛。轮伞花序通常具 3 花；小苞片线形，长约 4 mm，具缘毛；花萼筒状，长 1 ~ 1.2 cm，外面被柔毛，萼齿 5，上唇 3 齿，较长，下唇 2 齿，稍短，先端芒状，具缘毛；花冠粉红色或淡紫色，钟形，长 2 ~ 2.4 cm，外面被疏长柔毛，上唇宽卵形，先端凹，两侧裂片卵形；雄蕊 4，内藏，花药 2 室；子房 4 裂，花柱与上唇等长，柱头 2 裂；花盘杯状，

前方呈指状膨大。小坚果长圆形，深褐色，具小凹点。花期 4 ～ 5 月，果期 5 ～
6 月。

| **生境分布** | 生于海拔 1 000 ～ 1 700 m 的溪边、林缘阴湿肥沃土上。分布于湖北西部。

| **资源状况** | 野生资源一般，栽培资源一般。药材主要来源于野生。

| **采收加工** | **全草：** 5 ～ 7 月采收，晒干。

| **功能主治** | 祛风活血，利湿解毒。用于风湿痹痛，跌打损伤，肺痈，黄疸，急性肾炎，尿
道结石，疟腮。

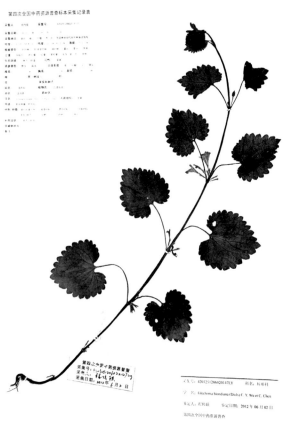

唇形科 Labiatae 活血丹属 Glechoma

活血丹 Glechoma longituba (Nakai) Kupr.

| 药 材 名 | 活血丹。

| 形态特征 | 多年生草本。具匍匐茎，上升，逐节生根。茎高 10 ~ 20（~ 30）cm，四棱形，基部通常呈淡紫红色，几无毛，幼嫩部分被疏长柔毛。叶草质，下部者较小，叶片心形或近肾形，叶柄长为叶片的 1 ~ 2 倍；上部者较大，叶片心形，长 1.8 ~ 2.6 cm，宽 2 ~ 3 cm，先端急尖或钝三角形，基部心形，边缘具圆齿或粗锯齿状圆齿，上面被疏粗伏毛或微柔毛，叶脉不明显，下面常带紫色，被疏柔毛或长硬毛，常仅限于脉上，脉隆起，叶柄长为叶片的 1.5 倍，被长柔毛。轮伞花序通常具 2 花，稀具 4 ~ 6 花；苞片及小苞片线形，长达 4 mm，被缘毛；花萼管状，长 9 ~ 11 mm，外面被长柔毛，尤沿肋上为

多，内面多少被微柔毛，齿 5，上唇 3 齿，较长，下唇 2 齿，略短，齿卵状三角形，长为花萼的 1/2，先端芒状，边缘具缘毛；花冠淡蓝色、蓝色至紫色，下唇具深色斑点，花冠筒直立，上部渐膨大成钟形，有长筒与短筒 2 型，长筒者长 1.7 ~ 2.2 cm，短筒者通常藏于花萼内，长 1 ~ 1.4 cm，外面多少被长柔毛及微柔毛，内面仅下唇喉部被疏柔毛或几无毛，冠檐二唇形，上唇直立，2 裂，裂片近肾形，下唇伸长，斜展，3 裂，中裂片最大，肾形，较上唇片大 1 ~ 2 倍，先端凹入，两侧裂片长圆形，宽为中裂片之半；雄蕊 4，内藏，无毛，后对着生于上唇下，较长，前对着生于两侧裂片下方花冠筒中部，较短，花药 2 室，略叉开；子房 4 裂，无毛；花盘杯状，微斜，前方呈指状膨大；花柱细长，无毛，略伸出，先端近相等 2 裂。成熟小坚果深褐色，长圆状卵形，长约 1.5 mm，宽约 1 mm，先端圆，基部略呈三棱形，无毛，果脐不明显。花期 4 ~ 5 月，果期 5 ~ 6 月。

| 生境分布 | 生于海拔 50 ~ 2 000 m 的林缘、疏林下、草地上或溪边等阴湿处。分布于湖北竹溪、房县、兴山、秭归、五峰、京山、罗田、利川、巴东、鹤峰、神农架，以及武汉、十堰。

| 采收加工 | 全草：4 ~ 6 月采收全草，晒干或鲜用。

| 功能主治 | 利湿清热，散瘀消肿。用于热淋，石淋，湿热黄疸，暑热病，伤风咳嗽，子肿，疳积，疮痈肿痛，牙痛，痹痛，跌扑损伤，蛇咬伤，疥疮。

唇形科 Labiatae 异野芝麻属 *Heterolamium*

异野芝麻

Heterolamium debile (Hemsl.) C. Y. Wu

| 药 材 名 |

异野芝麻。

| 形态特征 |

纤细不分枝草本，高 15 ~ 40 cm。茎近直立，四棱形，具 4 槽及细条纹，初时密被微柔毛，后变无毛。叶具长柄，柄长 1.5 ~ 5 cm，向上渐变短；叶片心形，有时卵圆形，下部者为肾形，通常宽 2.5 ~ 5 cm，先端钝或急尖，基部心形或有时近平截，边缘除基部外具粗大圆齿，有时小齿与大圆齿交错，两面疏被白色具节贴生的糙伏毛，侧脉约 3 对。轮伞花序具 2 ~ 6 花，具梗，在茎顶排列成松散长 4 ~ 10 cm 的总状圆锥花序；苞片卵圆状长圆形，小苞片线形；花萼花时管状，长约 4 mm，宽 2.5 mm，外面被微柔毛，内面在喉部具毛环，具 15 脉，二唇形，上唇中齿大，侧齿小，下唇 2 齿长，果时花萼增大；花冠白色，花冠筒狭窄，伸出花萼外，上唇 2 裂，裂片圆形，下唇 3 裂，中裂片较大，正圆形，微内凹，外面近中央部分具髯毛，侧裂片较短，卵圆形。小坚果三棱状卵圆形。花期 6 月，果期 7 月。

| **生境分布** | 生于海拔约 1 700 m 的丛林下。分布于湖北西部。

| **采收加工** | **全草**：夏季采收，晒干或鲜用。

| **功能主治** | 理气和胃，清热解毒。用于胃热呕吐，疮肿，热淋涩痛，月经不调。

唇形科 Labiatae 异野芝麻属 *Heterolamium*

细齿异野芝麻 *Heterolamium debile* (Hemsl.) C. Y. Wu var. *cardiophyllum* (Hemsl.) C. Y. Wu

| 药材名 |

细齿异野芝麻。

| 形态特征 |

纤细不分枝草本。茎直立，高约 80 cm，四棱形，具 4 槽，被微柔毛。叶卵状心形，长 2 ~ 5 cm，宽 1.5 ~ 4.5 cm，叶面紫绿色，疏被小刺毛，背面深紫色，脉上被微柔毛，余部散布腺点，先端急尖，基部心形，边缘有具胼胝体的圆齿，侧脉 3 ~ 4 对，在两面隆起；具长柄，柄长 1 ~ 4.5 cm。小枝上通常具花，花序为顶生狭窄的开向一面的总状圆锥花序，由 1 ~ 5 花的具短总梗的密生小聚伞花序组成，有时上部叶腋小枝具间断轮伞花序；苞片与叶同形而小，向花序先端逐渐变小，最上者几无柄，卵圆形或长圆形，近全缘；花具柄，柄长约 1.5 mm，被微柔毛，在中部以下有一线形全缘小苞片；花萼管状，长约 4 mm，外被微柔毛，内面近喉部具毛环，15 脉，二唇形，上唇 3 齿，中齿大，卵状正圆形，下唇 2 齿钻状三角形；花冠深紫色，长约 6 mm，花冠筒长出萼外，自基部向上稍膨大，外面仅于唇片上具白色髯毛，内面无毛，上唇直立，深 2 裂，裂片卵圆形，平展，先端圆，下唇 3 裂，侧裂片较短，卵圆形，

先端钝，中裂片大，正圆形，全缘，微内凹，张开，外面近中央部分被白色髯毛；雄蕊 4，前对长，稍露出，而于花后极伸出，药 2 室，极叉开，后期于顶部汇合；花盘厚，后裂片膨大为与子房等长之腺体；花柱丝状，伸出与雄蕊等长，先端等 2 裂，裂片线形，稍卷曲。子房 4 裂。小坚果长圆形，长约 1.3 mm，光亮，无毛，先端圆形。

| 生境分布 | 生于海拔 1 500 ～ 2 700 m 的山地林下、林缘、草地。湖北有分布。

| 采收加工 | **全草**：夏、秋季割取，切段，晒干。

| 功能主治 | 理气和胃，清热解毒。用于胃热呕吐，疮肿，热淋涩痛，月经不调等。

粉红动蕊花

Kinostemon alborubrum (Hemsl.) C. Y. Wu et S. Chow

| 药 材 名 | 粉红动蕊花。

| 形态特征 | 多年生草本。具匍匐茎。茎上升，多分枝，基部近圆柱形，上部四棱形，无槽，具细条纹，长超过 1 m，密被长达 1.5 mm 平展白色长柔毛。叶具柄，柄长 0.4 ~ 1.2 cm，叶片卵圆形或卵圆状披针形，长 3 ~ 6 cm，宽 1 ~ 2 cm，先端短渐尖、渐尖至尾状渐尖，基部阔楔形或楔形下延，边缘具不整齐的粗牙齿，上面脉上被疏柔毛，下面脉上密生长柔毛，余部为疏柔毛，侧脉 3 ~ 5 对。总状花序生于腋出侧枝的上端，下部具 1 ~ 3 对不具花的叶，上部常分枝成 1 ~ 3 枝、长为 3 ~ 6 cm 的总状圆锥花序，此花序由具 2 花、远隔、开向一面的轮伞花序组成；苞片长仅及花梗之半，被疏柔毛；花梗细长，

长 3 ~ 4 mm，被短柔毛；花萼长、宽均为 4 mm，萼筒长 2 mm，外面被疏柔毛，内面喉部具毛环，萼齿 5，呈二唇式张开，上唇 3 齿，中齿特大，扁圆形，先端急尖，直径 1.7 mm，侧齿卵圆形，稍小于中齿，高及中齿之半，下唇 2 齿，三角状钻形，长 2 mm，稍超过上唇，弯缺深达喉部；花冠粉红色，长 11 mm，外面被白色绵状长柔毛及淡黄色腺点，内面无毛，花冠筒长达 7 mm，宽 1.7 mm，至喉部稍宽大，冠檐与花冠筒几成直角，二唇形，上唇 2 裂，裂片扁圆形，高 1 mm，宽 2 mm，弯缺极浅，下唇 3 裂，中裂片极发达，长圆形，内凹，先端圆形，长 4 mm，宽 2 mm，外侧被白色绵状长柔毛，侧裂片卵圆形，长 1.2 mm；雄蕊 4，细丝状，花药 2 室，室肾形；花柱长超出雄蕊，先端不相等 2 裂，裂片线状钻形，子房球形。成熟小坚果未见。花期 7 月。

| **生境分布** | 生于海拔 740 ~ 2 550 m 的山地林下。分布于湖北西部。

| **功能主治** | 辛凉解表，清热解毒。用于恶寒，头痛，体痛，咽痛等。

唇形科 Labiatae 动蕊花属 Kinostemon

动蕊花

Kinostemon ornatum (Hemsl.) Kudo

| 药 材 名 | 动蕊花。

| 形态特征 | 多年生草本。茎直立，基部分枝，并具早年残存的茎基，四棱形，无槽，高 50 ~ 80 cm，光滑无毛。叶具短柄，柄长 0.3 ~ 1 cm；叶片卵圆状披针形至长圆状线形，长 7 ~ 13 cm，宽 1.3 ~ 3.5 cm，先端直，尾状渐尖，基部楔状下延，边缘具疏牙齿，两面光滑无毛，侧脉 6 ~ 8 对。轮伞花序具 2 花，远隔，开向一面，多数组成顶生及腋生、无毛的疏松总状花序，腋生者稍短于叶；苞片长约 5 mm，宽不及 1 mm，早落；花梗长 3 mm，无毛；花萼长 4.7 mm，宽 4.5 mm，萼筒长 2 mm，外面无毛，内面喉部具毛环，萼齿 5，呈二唇式开张，上唇 3 齿，中齿特大，圆形，先端急尖，直径 3 mm，侧齿卵圆形，

小，附于中齿基部的两侧，下唇 2 齿，披针形，稍高于上唇，弯缺深达下唇的 1/2 但未达喉部；花冠紫红色，长 11 mm，外面极疏被微柔毛及淡黄色腺点，内面无毛，花冠筒长达 8 mm，下部狭细，宽 1.2 mm，中部以上宽展，冠檐二唇形，上唇 2 裂，裂片斜三角状卵形，长约 2 mm，裂片间弯缺达上唇的 1/2，下唇 3 裂，中裂片卵圆状匙形，长 4 mm，宽 2.8 mm，先端具短尖，侧裂片长圆形，长 2.5 mm，宽 1 mm；雄蕊 4，细丝状，花药 2 室，肾形；花柱长超出雄蕊，先端不相等 2 裂，裂片线状钻形，子房球形。小坚果长 1 mm。花期 6 ～ 8 月，果期 8 ～ 11 月。

| **生境分布** | 生于海拔 740 ～ 2 550 m 的山地林下。湖北有分布。

| **功能主治** | 辛温解表，清热解毒。用于外感风寒引起的发热、恶寒、头痛、咽痛、咳嗽、咳黄稠痰等。

| 唇形科 | Labiatae | 动蕊花属 | *Kinostemon* |

镰叶动蕊花

Kinostemon ornatum (Hemsl.) Kudo f. *falcatum* C. Y. Wu et S. Chow

| 药 材 名 | 镰叶动蕊花。

| 形态特征 | 本种与原变种动蕊花的区别在于叶长达 14 cm，先端尾状渐尖，且作镰状弯曲，花冠下唇中裂片具不明显的三钝尖。

| 生境分布 | 生于海拔约 1 200 m 的岩山林下。湖北有分布。

| 采收加工 | **全草**：夏季采收全草，鲜用或晒干。

| 功能主治 | 用于烫火伤。

唇形科 Labiatae 夏至草属 Lagopsis

夏至草

Lagopsis supina (Steph.) Ik.-Gal.

| 药 材 名 | 夏至草。

| 形态特征 | 多年生草本，高达 35 cm。茎带淡紫色，密被微柔毛。叶圆形，长、宽均为 1.5 ~ 2 cm，先端圆，基部心形，3 浅裂或深裂，裂片具圆齿或长圆状牙齿，基生裂片较大，上面疏被微柔毛，下面被腺点，沿脉被长柔毛，具缘毛；基生叶叶柄长 2 ~ 3 cm，茎上部叶叶柄长约 1 cm。轮伞花序疏花，直径约 1 cm；小苞片长约 4 mm，弯刺状，密被微柔毛；花萼长约 4 mm，密被微柔毛，萼齿三角形，长 1 ~ 1.5 mm；花冠白色，稀粉红色，稍伸出，长约 7 mm，被绵状长柔毛，花冠筒长约 5 mm，上唇长圆形，全缘，下唇中裂片扁圆形，侧裂片椭圆形。小坚果褐色，长约 1.5 mm，被鳞片。花期 3 ~ 4 月，

果期 5 ~ 6 月。

| **生境分布** | 生于路旁、旷地上。湖北各地均有分布。

| **资源状况** | 野生资源一般，栽培资源稀少。药材主要来源于栽培。

| **采收加工** | **全草**：夏至前盛花期采收，晒干或鲜用。

| **功能主治** | 养血活血，清热利湿。用于月经不调，产后瘀滞腹痛，血虚头昏，半身不遂，跌打损伤，水肿，小便不利，目赤肿痛，疮痈，冻疮，牙痛，皮疹瘙痒。

唇形科 Labiatae 独一味属 *Lamiophlomis*

独一味 *Lamiophlomis rotata* (Benth.) Kudo

| 药 材 名 | 独一味。

| 形态特征 | 草本。高 2.5 ~ 10 cm；根茎伸长，粗厚，直径达 1 cm。叶片常 4，辐状，两两相对，菱状圆形、菱形、扇形、横肾形以至三角形，长（4 ~ ）6 ~ 13 cm，宽（4.4 ~ ）7 ~ 12 cm，先端钝、圆形或急尖，基部浅心形或宽楔形，下延至叶柄，边缘具圆齿，上面绿色，密被白色疏柔毛，具褶皱，下面较淡，仅沿脉上疏被短柔毛，侧脉 3 ~ 5 对，在叶片中部以下生出，其上再一侧分枝，因而呈扇形，与中肋均两面凸起；下部叶柄伸长，长可达 8 cm，上部者变短，几至无柄，密被短柔毛。轮伞花序密集排列成有短葶的头状或短穗状花序，有时下部具分枝而呈短圆锥状，长 3.5 ~ 7 cm，序轴密被短柔毛；苞片披针形、倒

披针形或线形，长 1 ~ 4 cm，宽 1.5 ~ 6 mm，下部者最大，向上渐小，先端渐尖，基部下延，全缘，具缘毛，上面被疏柔毛，小苞片针刺状，长约 8 mm，宽约 0.5 mm；花萼管状，长约 10 mm，宽约 2.5 mm，干时带紫褐色，外面沿脉上被疏柔毛，萼齿 5，短三角形，先端具长约 2 mm 的刺尖，自内面被丛毛。花冠长约 1.2 cm，外被微柔毛，内面在花冠筒中部密被微柔毛，花冠筒管状，基部宽约 1.25 mm，向上近等宽，至喉部略增大，宽达 2 mm，冠檐二唇形，上唇近圆形，直径约 5 mm，边缘具牙齿，自内面密被柔毛，下唇外面除全缘外被微柔毛，内面在中裂片中部被髯毛，余部无毛，3 裂，裂片椭圆形，长约 4 mm，宽约 3 mm，侧裂片较小，长约 2.5 mm，宽约 2 mm。花期 6 ~ 7 月，果期 8 ~ 9 月。

| **生境分布** | 生于海拔 2 700 ~ 3 100 m 的河滩地。湖北有分布。

| **资源情况** | 野生资源一般，栽培资源一般。药材主要来源于栽培。

| **采收加工** | **根及根茎**：9 ~ 10 月采挖，截去叶及须根，晒干。
全草：9 ~ 10 月采挖，除去泥沙，晒干。

| **功能主治** | 活血化瘀，消肿止痛。用于跌打损伤，筋骨疼痛，关节肿痛，痛经，崩漏。

唇形科 Labiatae 野芝麻属 *Lamium*

宝盖草
Lamium amplexicaule L.

| 药 材 名 | 宝盖草。

| 形态特征 | 一年生或二年生草本。茎高 10 ~ 30 cm，基部多分枝，上升，四棱形，具浅槽，常为深蓝色，几无毛，中空。茎下部叶具长柄，柄与叶片等长或长于叶片，茎上部叶无柄；叶片均圆形或肾形，长 1 ~ 2 cm，宽 0.7 ~ 1.5 cm，先端圆，基部截形或截状阔楔形，半抱茎，边缘具极深的圆齿，顶部的齿通常较其余的齿大，上面暗榄绿色，下面色稍淡，两面均疏生小糙伏毛。轮伞花序具 6 ~ 10 花，其中常有闭花受精的花；苞片披针状钻形，长约 4 mm，宽约 0.3 mm，具缘毛；花萼管状钟形，长 4 ~ 5 mm，宽 1.7 ~ 2 mm，外面密被白色直伸的长柔毛，内面除萼上被白色直伸的长柔毛外，余部无毛，萼齿 5，

披针形锥状，长 1.5 ~ 2 mm，边缘具缘毛；花冠紫红色或粉红色，长 1.7 cm，外面除上唇被有较密、带紫红色的短柔毛外，余部均被微柔毛，内面无毛环，花冠筒细长，长约 1.3 cm，直径约 1 mm，筒口宽约 3 mm，冠檐二唇形，上唇直伸，长圆形，长约 4 mm，先端微弯，下唇稍长，3 裂，中裂片倒心形，先端深凹，基部收缩，侧裂片浅圆裂片状；雄蕊花丝无毛，花药被长硬毛；花柱丝状，先端不相等 2 浅裂；花盘杯状，具圆齿；子房无毛。小坚果倒卵圆形，具 3 棱，先端近截状，基部收缩，长约 2 mm，宽约 1 mm，淡灰黄色，表面有白色大疣状突起。花期 3 ~ 5 月，果期 7 ~ 8 月。

| **生境分布** | 生于海拔 3 100 m 以下的路旁、林缘、沼泽草地、宅旁。湖北有分布。

| **资源状况** | 野生资源一般，栽培资源一般。药材主要来源于栽培。

| **采收加工** | **全草**：6 ~ 8 月采收，晒干或鲜用。

| **功能主治** | 清热利湿，活血祛风，消肿解毒。用于黄疸性肝炎，淋巴结结核，高血压，面神经麻痹，半身不遂；外用于跌打伤痛，骨折，黄水疮。

野芝麻

Lamium barbatum Sieb. et Zucc.

| 药 材 名 |　野芝麻。

| 形态特征 |　多年生草本，高达 1 m。茎不分枝，近无毛或被平伏微硬毛。茎下部叶卵形或心形，长 4.5 ~ 8.5 cm，先端长尾尖，基部心形，具牙齿状锯齿；茎上部叶卵状披针形，叶两面均被平伏微硬毛或短柔毛；茎下部叶叶柄长达 7 cm，茎上部叶叶柄渐短。花萼钟形，长 1.1 ~ 1.5 cm，近无毛或疏被糙伏毛，萼齿披针状钻形，长 0.7 ~ 1 cm，具缘毛；花冠白色或淡黄色，长约 2 cm，花冠筒基部直径 2 mm，喉部直径达 6 mm，上部被毛，上唇倒卵形或长圆形，长约 1.2 cm，具长缘毛，下唇长约 6 mm，中裂片倒肾形，具 2 小裂片，基部缢缩，侧裂片半圆形，长约 0.5 mm，先端具针状小齿；花药深紫色。小坚

果淡褐色，倒卵球形，先端平截，基部渐窄，长约 3 mm。花期 4 ~ 6 月，果期 7 ~ 8 月。

| 生境分布 | 生于海拔 2 600 m 以下的路边、溪旁、田埂及荒坡上。湖北有分布。

| 资源状况 | 野生资源一般，栽培资源一般。药材主要来源于栽培。

| 采收加工 | **全草**：5 ~ 6 月采收，阴干或鲜用。

| 功能主治 | 凉血，活血，利湿，消积。用于肺热咯血，血淋，月经不调，崩漏，水肿，带下，跌打损伤，疳积。

益母草

Leonurus japonicus Houtt.

|药材名|

益母草。

|形态特征|

一年生或二年生草本。主根密生须根。茎直立，通常高 30 ~ 120 cm，钝四棱形，微具槽，有倒向糙伏毛，毛在节及棱上尤为密集，在基部有时近无毛，多分枝或仅于茎中部以上有能育的小枝条。叶形变化很大，茎下部叶为卵形，基部宽楔形，掌状3 裂，裂片呈长圆状菱形至卵圆形，通常长 2.5 ~ 6 cm，宽 1.5 ~ 4 cm，裂片上再分裂，上面绿色，有糙伏毛，叶脉稍下陷，下面淡绿色，被疏柔毛及腺点，叶脉凸出，叶柄纤细，长 2 ~ 3 cm，由于叶基下延而在上部略具翅，腹面具槽，背面圆形，被糙伏毛；茎中部叶为菱形，较小，通常分裂成 3 或多个长圆状线形的裂片，基部狭楔形，叶柄长 0.5 ~ 2 cm；花序最上部的苞叶近无柄，线形或线状披针形，长 3 ~ 12 cm，宽 2 ~ 8 mm，全缘或具稀少牙齿。轮伞花序腋生，具 8 ~ 15 花，圆球形，直径 2 ~ 2.5 cm，多数远离而组成长穗状花序；小苞片刺状，向上伸出，基部略弯曲，比萼筒短，长约 5 mm，有贴生的微柔毛；花梗无；花萼管状钟形，长 6 ~ 8 mm，外面贴生微柔毛，内面离基部 1/3 以上被微柔毛，脉 5，显著，齿 5，前 2 齿靠合，长约 3 mm，后 3 齿较短，等长，长约 2 mm，齿均为宽三角形，先端刺尖；花冠粉红色至淡紫红色，长 1 ~ 1.2 cm，外面伸出萼筒部分被柔毛，花冠筒长约 6 mm，等大，内面在离基部 1/3 处有近水平的不明显鳞毛毛环，毛环在背面间断，其上部多少有鳞状毛，冠檐二唇形，上唇直伸，内凹，长圆形，长约 7 mm，宽 4 mm，全缘，内面无毛，边缘具纤毛，下唇略短于上唇，内面在基部疏被鳞状毛，3 裂，中裂片倒心形，先端微缺，边缘薄膜质，基部收缩，侧裂片卵圆形，细小；雄蕊 4，均延伸至上唇片之下，平行，前对较长，花丝丝状，扁平，疏被鳞状毛，花药卵圆形，2 室；花柱丝状，略超出于雄蕊而与上唇片等长，无毛，先端相等 2 浅裂，裂片钻形，子房褐色，无毛；花盘平顶。小坚果长圆状三棱形，长 2.5 mm，先端平截而略宽大，基部楔形，淡褐色，光滑。花期通常在 6 ~ 9 月，果期 9 ~ 10 月。

| **生境分布** | 生于田埂、路旁、溪边或山坡草地，尤以向阳地带为多。分布于湖北孝感等。湖北孝感及枣阳等有栽培。

| **采收加工** | **地上部分：** 一般于枝叶生长旺盛、每株开花达 2/3 时收获。采收时割取地上部分，去除枯叶、杂质，洗净泥土，晒干或烘干。不可堆积，以免发酵叶片变黄。

| **功能主治** | 活血调经，利尿消肿。用于月经不调，痛经，闭经，恶露不尽，水肿尿少，急性肾炎性水肿。

唇形科 Labiatae 益母草属 Leonurus

大花益母草
Leonurus macranthus Maxim.

| 药 材 名 | 大花益母草。

| 形态特征 | 多年生草本。根茎木质，斜行，其上密生纤细须根。茎直立，高60 ~ 120 cm，单一，不分枝或间有上部分枝，茎、枝均钝四棱形，具槽，贴生短且硬的倒向糙伏毛。叶形变化很大；茎下部叶心状圆形，长7 ~ 12 cm，宽6 ~ 9 cm，3裂，裂片上常有深缺刻，先端锐尖，基部心形，草质或坚纸质，上面绿色，下面淡绿色，两面均疏被短硬毛，侧脉3 ~ 6对，在上面下陷，在下面明显凸出，叶柄长约2 cm；茎中部叶通常卵圆形，先端锐尖；花序上的苞叶变小，卵圆形或卵圆状披针形，先端长渐尖，具不等大的锯齿、深裂或近全缘。轮伞花序腋生，无梗，具8 ~ 12花，多数远离而组成长穗状；小苞片刺芒状，

长约 1 cm，被糙硬毛；花梗近无；花萼管状钟形，长 7 ～ 9 mm，外面被糙伏毛，近基部渐无毛，内面无毛，脉 5，明显凸出，齿 5，前 2 齿靠合，钻状三角形，具长刺状尖头，长达 1 cm，后 3 齿较短，长 5 mm，基部三角形，先端刺尖；花冠淡红色或淡红紫色，长 2.5 ～ 2.8 cm，花冠筒向上逐渐增大，长约达花冠之半，外面密被短柔毛，内面近基部 1/3 处具近水平向的鳞状毛环，近下唇片处具鳞状毛，冠檐二唇形，上唇直伸，长圆形，内凹，长约 1.2 cm，宽 0.5 cm，全缘，外面密被短柔毛，内面无毛，下唇长 0.8 cm，宽 0.5 cm，较上唇片短 1/3，外面被短柔毛，内面无毛，3 裂，中裂片大于侧裂片的 1 倍，倒心形，先端明显微缺，边缘薄膜质，基部收缩，侧裂片卵圆形，细小；雄蕊 4，均延伸至上唇片之下，平行，前对较长，花丝丝状，扁平，中部疏被微柔毛，花药卵圆形，2 室；花柱丝状，略超出雄蕊，先端相等 2 浅裂，裂片钻形；花盘平顶；子房褐色，无毛。小坚果长圆状三棱形，长 2.5 mm，黑褐色，先端平截，基部楔形。花期 7 ～ 9 月，果期 9 月。

| 生境分布 | 生于海拔 400 m 以下的草坡及灌丛中。湖北有分布。

| 资源状况 | 野生资源一般，栽培资源一般。药材主要来源于野生。

| 采收加工 | **全草**：夏季采收，晒干。

| 功能主治 | 活血行瘀。用于产后瘀血腹痛，月经不调，腰腹疼痛等。

錾菜

Leonurus pseudomacranthus Kitag.

| 药 材 名 | 錾菜。

| 形态特征 | 多年生草本，高达 1 m。上部分枝。茎密被平伏倒向柔毛。叶卵形，长 6 ~ 7 cm，先端尖，基部宽楔形，疏生锯齿，上面密被糙伏微硬毛，具皱纹，下面被平伏微硬毛及稀疏淡黄色腺点；基生叶叶柄长 1 ~ 2 cm，稍具窄翅；茎中部叶常不裂，长圆形，疏生锯齿状牙齿，叶柄长不及 1 cm。花无梗；花萼管形，长 7 ~ 8 mm，被微硬毛，沿脉被长硬毛及淡黄色腺点，前 2 齿钻形，后 3 齿三角状钻形；花冠白色，带紫纹，长约 1.8 cm，被柔毛，花冠筒内具鳞毛环，上唇长圆状卵形，下唇卵形，中裂片倒心形，先端 2 小裂，侧裂片卵形。小坚果黑褐色，长圆状三棱形。花期 8 ~ 9 月，果期 9 ~ 10 月。

| 生境分布 | 生于海拔 100 ~ 1 200 m 的山坡或丘陵。湖北有分布。

| 资源状况 | 野生资源一般,栽培资源一般。药材主要来源于栽培。

| 采收加工 | **全草:** 8 ~ 10 月采收,除去杂质,洗净,润透,切段,晒干。

| 功能主治 | 活血调经,解毒消肿。用于月经不调,闭经,痛经,产后瘀血腹痛,崩漏,跌打伤痛,疮痈。

唇形科 Labiatae 益母草属 *Leonurus*

细叶益母草 *Leonurus sibiricus* L.

| 药 材 名 | 细叶益母草。

| 形态特征 | 一年生或二年生草本，有圆锥形的主根。茎直立，高 20 ~ 80 cm，钝四棱形，微具槽，有短而贴生的糙伏毛，单一，或多数从植株基部发出，不分枝，或于茎上部稀在下部分枝。下部茎叶早落，叶卵形，长约 5 cm，基部宽楔形，掌状 3 深裂，裂片长圆状菱形，再 3 裂成线形小裂片，小裂片宽 1 ~ 3 mm，两面被糙伏毛，下面被腺点；中部茎叶叶柄长约 2 cm。花无梗花萼管状钟形，长 8 ~ 9 mm，中部密被柔毛，余部被平伏微柔毛，前 2 齿钻状三角形，后 3 齿三角形，具刺尖；花冠白色、粉红色或紫红色，长约 1.8 cm，冠筒内具鳞毛环，冠檐密被长毛，上唇长圆形，下唇长约 7 mm，中裂片倒心形，侧裂

片卵形；花丝疏被鳞片。小坚果褐色，长圆状三棱形，长约 2.5 mm，先端截平，基部楔形，褐色。花期 7 ~ 9 月，果期 9 月。

| 生境分布 | 生于海拔 1 500 m 以下的石质、砂质草地上或松林中。湖北有分布。

| 采收加工 | **地上部分：**每株开花 2/3 时采收，选晴天割下，随即摊放于地面，晒干后打成捆。

| 功能主治 | 活血调经，利尿消肿，清热解毒。用于月经不调，痛经经闭，恶露不尽，水肿尿少，疮疡肿毒。

唇形科 Labiatae 地笋属 *Lycopus*

小叶地笋

Lycopus coreanus H. Lév.

| 药 材 名 | 小叶地笋。

| 形态特征 | 多年生草本，高 15 ~ 60 cm。根茎横走。茎直立，四棱形，具槽，节间通常比叶长。叶小，无柄，长圆状卵圆形至卵圆形，长 1.5 ~

3 cm，宽 0.6 ～ 1.5 cm，先端锐尖，基部楔形，边缘在基部以上疏生浅波状牙齿；薄纸质。轮伞花序无梗，密生多花，圆球形；花萼钟形，萼齿 4 ～ 5，三角状披针形，先端具硬刺尖；花冠白色，钟状，略超出花萼；前对雄蕊能育，与花冠等长，几不超出花冠，花丝丝状，无毛，花药卵圆形，2 室，室略叉开。小坚果背腹扁平，倒卵状四边形，褐色，基部有 1 小白痕。花期 7 ～ 8 月，果期 8 ～ 9 月。

| 生境分布 | 生于海拔 1 700 m 以下的水边、路旁、山坡上。湖北有分布。

| 采收加工 | **全草**：夏季采收，鲜用或晒干。

| 功能主治 | 化瘀止血，益气利水。用于吐血，衄血，产后腹痛，带下。

唇形科 Labiatae 龙头草属 *Meehania*

华西龙头草 *Meehania fargesii* (H. Lév.) C. Y. Wu

| 药 材 名 | 华西龙头草。

| 形态特征 | 多年生草本，直立，高 10 ~ 20 cm，稀为 25 ~ 40 cm，具匍匐茎。茎细弱，不分枝。叶片纸质，心形至卵状心形或三角状心形，长 2.8 ~ 6.5 cm，宽 2 ~ 4.5 cm，通常着生于茎基部的叶片较大，先端短渐尖，基部心形，边缘具疏锯齿或钝锯齿。花通常成对着生于茎顶部 2 ~ 3 节叶腋，有时亦成轮伞花序；花萼花时管形，口部微开张，齿 5，呈二唇形；花冠淡红至紫红色，花冠筒直，管状，上半部逐渐扩大，冠檐二唇形；雄蕊 4，略二强，不伸出花冠外。花期 4 ~ 6 月，果期 6 月以后。

| **生境分布** | 生于针阔叶混交林或针叶林下树荫处。湖北有分布。

| **采收加工** | **全草**：春季采收，鲜用或晒干。

| **功能主治** | 解表散寒，宣肺止嗽。用于外感风寒，风寒束肺。

唇形科 Labiatae 龙头草属 *Meehania*

梗花龙头草 *Meehania fargesii* (H. Lév.) C. Y. Wu var. *pedunculata* (Hemsl.) C. Y. Wu

| 药 材 名 | 梗花龙头草。

| 形态特征 | 多年生草本，直立。茎较高大粗壮，多分枝。叶片纸质，叶通常为长三角状卵形，形状变异颇大。聚伞花序通常具 3 花以上，形成明显的具短梗或长梗的轮伞花序，在茎的上部常形成顶生假总状花序；苞片向上渐变小，具柄或几无柄，狭卵形或近披针形，边缘具齿；花梗被柔毛，近基部或中部具 1 对小苞片；小苞片钻形；花萼花时管形，口部微开张，萼齿 5，呈二唇形；花冠淡红色至紫红色，花冠筒直，管状，上半部逐渐扩大，冠檐二唇形；雄蕊 4，略二强，不伸出花冠外。花期 4 ~ 6 月，果期 6 月以后。

| **生境分布** | 生于海拔 1 400 ～ 1 800 m 的山地常绿林或针阔叶混交林内。湖北有分布。

| **采收加工** | 全草：春季采收，鲜用或晒干。

| **功能主治** | 清热燥湿，消肿毒。用于湿热泄泻，腹泻。

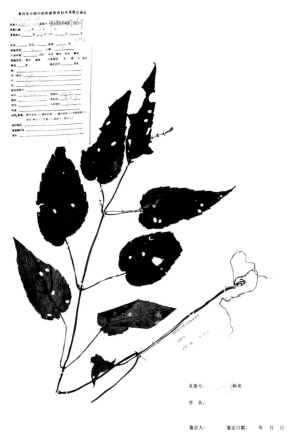

唇形科 Labiatae 龙头草属 *Meehania*

龙头草

Meehania henryi (Hemsl.) Sun ex C. Y. Wu

| 药 材 名 | 龙头草。

| 形态特征 | 多年生草本，直立，高 30 ～ 60 cm。叶具长柄，柄长 10 cm 以下，向上渐变短或几无柄；叶片纸质或近膜质，卵状心形，心形或卵形，长 4 ～ 13 cm，宽 1.8 ～ 4 cm，有时长达 17 cm，宽达 10 cm，以着生于茎中部的叶较大，先端渐尖，基部心形。花序腋生和顶生，为聚伞花序组成的假总状花序，有时有分枝或仅有 1 花腋生；花萼花时狭管形，口部微开张，果时萼筒基部膨大成囊状；花冠淡红紫色或淡紫色，花冠筒直立，管状，上半部渐扩大；雄蕊 4，二强，内藏；花柱细长，先端 2 裂。小坚果圆状长圆形，平滑。花期 9 月。

| 生境分布 | 生于低海拔地区的常绿林或混交林下。湖北有分布。

| 采收加工 | **全草：**全年均可采收，鲜用或晒干。

| 功能主治 | 补气血，祛风湿，消肿毒。用于劳伤气血亏虚，脘腹疼痛，风湿痛，咽喉肿痛，蛇咬伤。

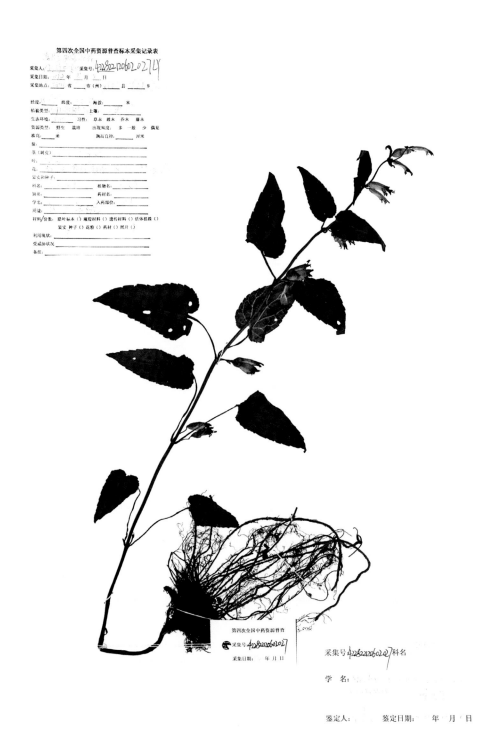

唇形科 Labiatae 蜜蜂花属 Melissa

蜜蜂花
Melissa axillaris (Benth.) Bakh. f.

| 药 材 名 | 蜜蜂花。

| 形态特征 | 多年生草本。具地下茎。地上茎近直立或直立，分枝，四棱形，具浅4槽，高0.6～1 m，被短柔毛。叶具柄，柄纤细，长0.2～2.5 cm，腹凹背凸，密被短柔毛；叶片卵圆形，长1.2～6 cm，宽0.9～3 cm，先端急尖或短渐尖，基部圆形、钝、近心形或急尖，边缘具锯齿状圆齿，草质，上面绿色，疏被短柔毛，下面淡绿色，靠中脉两侧带紫色或全为紫色，近无毛或仅沿脉被短柔毛，侧脉4～5对，与中脉在上面微下陷，在下面明显隆起，网脉在上面不明显，在下面显著。轮伞花序少花或多花，在茎、枝叶腋内腋生，疏离；苞片小，近线形，具缘毛；花梗长约2 mm，被短柔毛；花萼钟形，长6～8 mm，

常为水平伸出，外面沿肋上被具节长柔毛，内面无毛，具 13 脉，二唇形，上唇 3 齿，齿短，急尖，下唇与上唇近等长，具 2 齿，齿披针形；花冠白色或淡红色，长约 1 cm，外面被短柔毛，内面无毛，花冠筒稍伸出，至喉部扩大，冠檐二唇形，上唇直立，先端微缺，下唇开展，3 裂，中裂片较大；雄蕊 4，前对较长，不伸出，花药 2 室，室略叉开；花柱略超出雄蕊，先端相等 2 浅裂，裂片外卷；花盘浅盘状，4 裂。小坚果卵圆形，腹面具棱。花果期 6 ～ 11 月。

| 生境分布 | 生于海拔 600 ～ 2 800 m 的路旁、山地、山坡、谷地。分布于湖北西部。

| 采收加工 | **全草**：夏、秋季采收，晒干。

| 功能主治 | 清热，解毒。用于风湿麻木，麻风，吐血，鼻衄，皮肤瘙痒，疮疹，癫病，崩漏带下。

唇形科 Labiatae 薄荷属 *Mentha*

薄荷
Mentha haplocalyx Briq.

| 药 材 名 | 薄荷。

| 形态特征 | 多年生草本。茎直立，高 30 ~ 60 cm，下部数节具纤细的须根及水平匍匐根茎，锐四棱形，具四槽，上部被倒向微柔毛，下部仅沿棱上被微柔毛，多分枝。叶片长圆状披针形、披针形、椭圆形或卵状披针形，稀长圆形，长 3 ~ 5 cm，宽 0.8 ~ 3 cm，先端锐尖，基部楔形至近圆形，边缘在基部以上疏生粗大的牙齿状锯齿，侧脉 5 ~ 6 对，与中肋在上面微凹陷下面显著，上面绿色；沿脉上密生余部疏生微柔毛，或除脉外余部近无毛，上面淡绿色，通常沿脉上密生微柔毛；叶柄长 2 ~ 10 mm，腹凹背凸，被微柔毛。轮伞花序腋生，球形，开花时直径约 18 mm，具梗或无梗，具梗时梗可长达 3 mm，被微柔毛；花梗纤细，长 2.5 mm，被微柔毛或近无毛；花萼管状钟

形，长约 2.5 mm，外被微柔毛及腺点，内面无毛，脉 10，不明显，萼齿 5，狭三角状钻形，先端长锐尖，长 1 mm；花冠淡紫色，长 4 mm，外面略被微柔毛，内面在喉部以下被微柔毛，冠檐 4 裂，上裂片先端 2 裂，较大，其余 3 裂片近等大，长圆形，先端钝；雄蕊 4，前对较长，长约 5 mm，均伸出于花冠之外，花丝丝状，无毛，花药卵圆形，2 室，室平行；花柱略超出雄蕊，先端近相等 2 浅裂，裂片钻形。花盘平顶。小坚果卵珠形，黄褐色，具小腺窝。花期 7 ~ 9 月，果期 10 月。

| **生境分布** | 生于水旁潮湿地。分布于湖北兴山、长阳、五峰及武汉等。湖北各地均有栽培。

| **采收加工** | **地上部分：**夏、秋季茎叶茂盛或花开至 3 轮时，选晴天，分次采割，晒干或阴干。

| **功能主治** | 疏散风热，清利头目，利咽，透疹，疏肝行气。用于风热感冒，风温初起，头痛，目赤，喉痹，口疮，风疹，麻疹，胸胁胀闷。

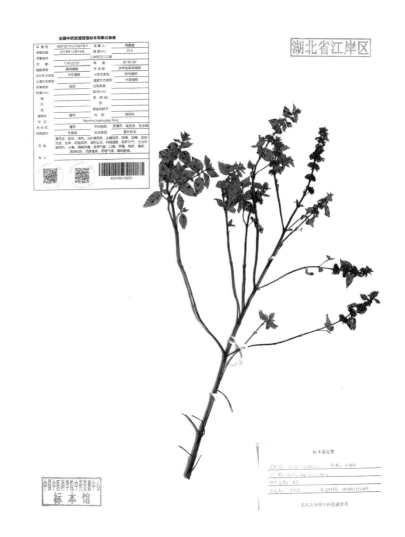

唇形科 Labiatae 薄荷属 Mentha

留兰香
Mentha spicata L.

| **药 材 名** | 留兰香。

| **形态特征** | 多年生草本。茎直立，高 40 ~ 130 cm，无毛或近无毛，绿色，钝四棱形，具槽及条纹，不育枝仅贴地生。叶无柄或近无柄，卵状长圆形或长圆状披针形，长 3 ~ 7 cm，宽 1 ~ 2 cm，先端锐尖，基部宽楔形至近圆形，边缘具尖锐而不规则的锯齿，草质，上面绿色，下面灰绿色，侧脉 6 ~ 7 对，与中脉在上面多少凹陷，在下面明显隆起且带白色。轮伞花序生于茎及分枝先端，呈长 4 ~ 10 cm、间断但向上密集的圆柱形穗状花序；小苞片线形，长于花萼，长 5 ~ 8 mm，无毛；花梗长约 2 mm，无毛；花萼钟形，花时连齿长约 2 mm，外面无毛，具腺点，内面无毛，5 脉，不显著，萼齿 5，

三角状披针形，长约 1 mm；花冠淡紫色，长约 4 mm，两面无毛，花冠筒长约 2 mm，冠檐具 4 裂片，裂片近等大，上裂片微凹；雄蕊 4，伸出，近等长，花丝丝状，无毛，花药卵圆形，2 室；花柱伸出花冠很多，先端相等 2 浅裂，裂片钻形，花盘平顶。子房褐色，无毛。花期 7～9 月。

| **生境分布** | 生于山野、山脚潮湿处。常为栽培。湖北有栽培。

| **采收加工** | 全草：7～9 月采收，鲜用。

| **功能主治** | 解表，和中，理气。用于感冒，咳嗽，头痛，咽痛，目赤，鼻衄，胃痛，腹胀，霍乱吐泻，痛经，肢麻，跌打肿痛，疮疖，皲裂。

唇形科 Labiatae 冠唇花属 Microtoena

冠唇花

Microtoena insuavis (Hance) Prain ex Dum

| 药 材 名 | 冠唇花。

| 形态特征 | 直立草本或半灌木。高 1 ~ 2 m，四棱形，被贴生的短柔毛。叶卵圆形或阔卵圆形，长 6 ~ 10 cm，宽 4.5 ~ 7.5 cm，先端急尖，基部截状阔楔形，下延至叶柄而成狭翅，薄纸质，上面榄绿色，下面略淡，两面均被微短柔毛，脉上较密，边缘具锯齿状圆齿，齿尖具不明显的小突尖，叶柄扁平，长 3 ~ 8.5 cm，被贴生的短柔毛。聚伞花序二歧，分枝蝎尾状，在主茎及侧枝上组成开展的顶生圆锥花序；花萼花时钟形，小，长约 2.5 mm，直径约 1.5 mm，外面被微柔毛，内面无毛，齿 5，三角状披针形，约占花萼长的一半，近等大，后面 1 齿略长，果时花萼增大；花冠红色，具紫色的盔，长约 14 mm，花冠筒基部

直径约 1 mm，向上渐宽，至喉部宽约 3 mm，冠檐二唇形，上唇长约 7 mm，盔状，先端微缺，基部截形，下唇较长，先端 3 裂，中裂片较长，舌状，侧裂片较小，三角状；雄蕊 4，近等长，包于盔内，花丝丝状，先端极不相等 2 浅裂；花盘厚环状，子房无毛。小坚果卵圆状，小，长约 1.2 mm，直径约 1 mm，腹部具棱，暗褐色，在扩大镜下微具皱纹。花期 10 ~ 12 月，果期 12 月至翌年 1 月。

| **生境分布** | 生于海拔 650 ~ 1 000 m 的林下或林缘。湖北有分布。

| **采收加工** | **全草**：夏、秋季采收，晒干或鲜用。

| **功能主治** | 祛风散寒，温中理气。用于风寒感冒，咳喘气急，脘腹胀痛，消化不良，泻痢腹痛，周身麻木，跌打损伤。

小花荠苎 *Mosla cavaleriei* H. Lév.

| 药 材 名 | 小花荠苎。

| 形态特征 | 一年生草本。茎高 25 ～ 100 cm，具分枝，具花的侧枝短，四棱形，具槽，被稀疏的具节长柔毛及混生的微柔毛。叶卵形或卵状披针形，长 2 ～ 5 cm，宽 1 ～ 2.5 cm，先端急尖，基部圆形至阔楔形，边缘具细锯齿，近基部全缘，纸质，上面橄榄绿色，被具节疏柔毛，下面较淡，除被具节疏柔毛外满布凹陷小腺点；叶柄纤细，长 1 ～ 2 cm，腹凹背凸，被具节疏柔毛。总状花序小，顶生于主茎及侧枝上，长 2.5 ～ 4.5 cm，果时达 8 cm；苞片极小，卵状披针形，与花梗近等长或略超出花梗，被疏柔毛；花梗细而短，长约 1 mm，与序轴被具节小疏柔毛；花萼长约 1.2 mm，宽约 1.2 mm，外面被疏柔毛，略

二唇形，上唇 3 齿极小，三角形，下唇 2 齿稍长于上唇，披针形，果时花萼增大；花冠紫色或粉红色，长约 2.5 mm，外被短柔毛，冠檐极短，上唇 2 圆裂，下唇较之略长，3 裂，中裂片较长；雄蕊 4；后对雌蕊能育，不超过上唇，前对雄蕊退化至极小；花柱先端 2 裂，微伸出花冠。小坚果灰褐色，球形，直径约 1.5 mm，具疏网纹，无毛。花期 9 ～ 11 月，果期 10 ～ 12 月。

| 生境分布 | 生于海拔 700 ～ 1 600 m 的疏林下、山坡草地上。湖北有分布。

| 采收加工 | 全草：9 ～ 11 月采收，洗净，鲜用或晒干。

| 功能主治 | 发汗解暑，利湿解毒。用于感冒，中暑，呕吐，泄泻，水肿，湿疹，疮疡肿毒，带状疱疹，痈疽瘰疬，跌打伤痛，毒蛇咬伤。

唇形科 Labiatae 石荠苎属 Mosla

石香薷
Mosla chinensis Maxim.

药材名

香薷。

形态特征

直立草本。茎高 9 ~ 40 cm，纤细，自基部多分枝或植株矮小不分枝，被白色疏柔毛。叶线状长圆形至线状披针形，长 1.3 ~ 2.8（~ 3.3）cm，宽 2 ~ 4（~ 7）mm，先端渐尖或急尖，基部渐狭或楔形，边缘具疏而不明显的浅锯齿，上面榄绿色，下面色较淡，两面均被疏短柔毛及棕色凹陷的腺点；叶柄长 3 ~ 5 mm，被疏短柔毛。总状花序头状，长 1 ~ 3 cm；苞片覆瓦状排列，偶见稀疏排列，圆倒卵形，长 4 ~ 7 mm，宽 3 ~ 5 mm，先端短尾尖，全缘，两面被疏柔毛，下面具凹陷的腺点，边缘具睫毛，脉 5，自基部掌状生出；花梗短，被疏短柔毛；花萼钟形，长约 3 mm，宽约 1.6 mm，外面被白色绵毛及腺体，内面在喉部以上被白色绵毛，下部无毛，萼齿 5，钻形，长约为花萼长之 2/3，果时花萼增大；花冠紫红色、淡红色至白色，长约 5 mm，略伸出苞片，外面被微柔毛，内面在下唇之下方花冠筒上略被微柔毛，余部无毛；雄蕊及雌蕊内藏；花盘前方呈指状膨大。小坚果球形，直径约 1.2 mm，灰褐色，具深雕纹，无毛。花期 6 ~ 9 月，果期 7 ~ 11 月。

| 生境分布 | 生于海拔 1 400 m 以下的草坡或林下。分布于湖北红安、秭归、黄梅、枣阳、英山、团风、蕲春、麻城、利川、咸丰、宣恩、建始、五峰等。

| 采收加工 | **全草：**花盛期时采收，置于通风干燥的干净场地上阴干，捆扎成小捆。

| 功能主治 | 发汗解表，和中利湿。用于暑湿感冒，恶寒发热，头痛无汗，胃痛呕吐，腹痛吐泻，小便不利，急性胃肠炎，痢疾，跌打瘀痛，下肢水肿，颜面浮肿，消化不良，湿疹瘙痒，多发性疖肿，毒蛇咬伤。

唇形科 Labiatae 石荠苎属 Mosla

小鱼仙草
Mosla dianthera (Buch.-Ham.) Maxim.

| 药 材 名 |

小鱼仙草。

| 形态特征 |

一年生草本。茎高至 1 m，四棱形，具浅槽，近无毛，多分枝。叶卵状披针形或菱状披针形，有时卵形，长 1.2 ~ 3.5 cm，宽 0.5 ~ 1.8 cm，先端渐尖或急尖，基部渐狭，边缘具锐尖的疏齿，近基部全缘，纸质，上面榄绿色，无毛或近无毛，下面灰白色，无毛，散布凹陷的腺点；叶柄长 3 ~ 18 mm，腹凹背凸，腹面被微柔毛。总状花序生于主茎及分枝的顶部，通常多数，长 3 ~ 15 cm，密花或疏花；苞片针状或线状披针形，先端渐尖，基部阔楔形，具肋，近无毛，与花梗等长或较之略超过，果时则较之短，稀与之等长；花梗长 1 mm，果时伸长至 4 mm，被极细的微柔毛，花序轴近无毛；花萼钟形，长约 2 mm，宽 2 ~ 2.6 mm，外面脉上被短硬毛，二唇形，上唇 3 齿，卵状三角形，中齿较短，下唇 2 齿，披针形，与上唇近等长或较之微超过，果时花萼增大，长约 3.5 mm，宽约 4 mm，上唇反向上，下唇直伸；花冠淡紫色，长 4 ~ 5 mm，外面被微柔毛，内面具不明显的毛环或无毛环，冠檐二唇形，上唇微缺，下唇 3 裂，中裂片较大；雄蕊 4，后对雄蕊能育，药室 2，又开，前对雄蕊退化，药室极不明显；花柱先端相等 2 浅裂。小坚果灰褐色，近球形，直径 1 ～ 1.6 mm，具疏网纹。花果期 5 ～ 11 月。

| 生境分布 | 生于海拔 175 ～ 2 300 m 的山坡、路旁或水边。分布于湖北丹江口、红安、宜都、黄梅、枣阳、神农架、麻城、恩施、咸丰、五峰、长阳、竹溪、房县、巴东。

| 采收加工 | 全草：夏、秋季采收，晒干或鲜用。

| 功能主治 | 发表祛暑，利湿和中，消肿止血，散风止痒。用于风寒感冒，阴暑头痛，恶心，胃痛，白痢，水肿，痔血，疮疖，阴痒，痱毒，外伤出血，蛇虫咬伤。

唇形科 Labiatae 石荠苎属 Mosla

石荠苎

Mosla scabra (Thunb.) C. Y. Wu et H. W. Li

| 药 材 名 |

石荠苎。

| 形态特征 |

一年生草本。茎高 20 ~ 100 cm，多分枝，分枝纤细，茎、枝均四棱形，具细条纹，密被短柔毛。叶卵形或卵状披针形，长 1.5 ~ 3.5 cm，宽 0.9 ~ 1.7 cm，先端急尖或钝，基部圆形或宽楔形，近基部全缘，自基部以上为锯齿状，纸质，上面榄绿色，被灰色微柔毛，下面灰白色，密布凹陷的腺点，近无毛或被极疏短柔毛；叶柄长 3 ~ 16（~ 20）mm，被短柔毛。总状花序生于主茎及侧枝上，长 2.5 ~ 15 cm；苞片卵形，长 2.7 ~ 3.5 mm，先端尾状渐尖，花时及果时均超过花梗；花梗花时长约 1 mm，果时长至 3 mm，与花序轴密被灰白色小疏柔毛；花萼钟形，长约 2.5 mm，宽约 2 mm，外面被疏柔毛，二唇形，上唇 3 齿，卵状披针形，先端渐尖，中齿略小，下唇 2 齿，线形，先端锐尖，果时花萼长至 4 mm，宽至 3 mm，脉纹显著；花冠粉红色，长 4 ~ 5 mm，外面被微柔毛，内面基部具毛环，花冠筒向上渐扩大，冠檐二唇形，上唇直立，扁平，先端微凹，下唇 3 裂，中裂片较大，边缘具齿；

雄蕊 4，后对雄蕊能育，药室 2，叉开，前对雄蕊退化，药室不明显；花柱先端相等 2 浅裂；花盘前方呈指状膨大。小坚果黄褐色，球形，直径约 1 mm，具深雕纹。花期 5 ~ 11 月，果期 9 ~ 11 月。

| 生境分布 | 生于海拔 50 ~ 1 150 m 的山坡、路旁、灌丛或沟边潮湿地。分布于湖北郧西、宣恩、房县，以及随州。

| 采收加工 | 全草：7 ~ 8 月采收，晒干或鲜用。

| 功能主治 | 疏风解表，清暑除湿，解毒止痒。用于感冒头痛，咳嗽，中暑，风疹，肠炎，痢疾，痔血，血崩，热痱，湿疹，足癣，蛇虫咬伤。

唇形科 Labiatae 荆芥属 Nepeta

荆芥

Nepeta cataria L.

| 药材名 |

荆芥。

| 形态特征 |

多年生草本。茎坚强，基部木质化，多分枝，高 40 ~ 150 cm，基部近四棱形，上部钝四棱形，具浅槽，被白色短柔毛。叶卵状至三角状心形，长 2.5 ~ 7 cm，宽 2.1 ~ 4.7 cm，先端钝至锐尖，基部心形至截形，边缘具粗圆齿或牙齿，草质，上面黄绿色，被极短硬毛，下面略发白，被短柔毛，毛在脉上较密，侧脉 3 ~ 4 对，斜上升，在上面微凹陷，在下面隆起；叶柄长 0.7 ~ 3 cm，细弱。花序为聚伞状，聚伞花序二叉分枝，下部的花序腋生，上部的花序组成连续或间断的、较疏松或极密集的顶生分枝圆锥花序；苞叶叶状，或上部的变小成披针状，苞片、小苞片钻形，细小；花萼花时管状，长约 6 mm，直径 1.2 mm，外面被白色短柔毛，内面仅萼齿被疏硬毛，齿锥形，长 1.5 ~ 2 mm，后齿较长，花后花萼增大成瓮状，纵肋十分清晰；花冠白色，下唇有紫点，外面被白色柔毛，内面在喉部被短柔毛，长约 7.5 mm，花冠筒极细，直径约 0.3 mm，自萼筒内骤然扩展成宽喉，冠檐二唇形，上唇短，长约2 mm，宽约3 mm，先端具浅凹，下唇3裂，中裂片近圆形，长约3 mm，宽约4 mm，基部心形，边缘具粗牙齿，侧裂片呈圆裂片状；雄蕊内藏，花丝扁平，无毛；花柱线形，先端2等裂；花盘杯状，裂片明显；子房无毛。小坚果卵形，几三棱状，灰褐色，长约1.7 mm，直径约1 mm。花期7～9月，果期9～10月。

| 生境分布 | 生于海拔2 500 m以下的宅旁或灌丛中。湖北有分布。

| 功能主治 | 祛风发汗，解热，透疹，止血。用于咽喉肿痛，结膜炎，麻疹不透。

心叶荆芥 *Nepeta fordii* Hemsl.

| 药 材 名 | 心叶荆芥。

| 形态特征 | 多年生草本。茎纤弱，高 30 ~ 60 cm，钝四棱形，有深槽，基部几无槽，被微短柔毛。叶三角状卵形，长 1.5 ~ 6.4 cm，宽 1 ~ 5.2 cm，先端急尖或尾状短尖，基部心形，边缘有粗圆齿或牙齿，近膜质，上面橄绿色，下面色略淡，两面均被短硬毛或近无毛。小聚伞花序（有时在主茎上小聚伞花序尾状）组成复合聚伞花序，在基部的复合聚伞花序腋生，在先端的复合聚伞花序组成顶生圆锥花序，松散；苞片钻形，微小，长约 2.5 mm；花萼瓶状，被微刚毛，花时长约 4 mm，直径 0.5 ~ 1 mm，纵肋十分隆起，萼齿披针形，5 萼齿近相等，其长约为花萼全长的 1/4。花冠紫色，长约为花萼的 2 倍，外被短柔毛，

内面无毛，花冠筒基部直径约 0.8 mm，其狭窄部分超出花萼长 1/2，急骤扩展成长、宽约 3 mm 的喉，冠檐二唇形，上唇短，长仅约 1.2 mm，2 浅裂，下唇较长，中裂片近圆形，长约 2.5 mm，宽约 3.2 mm，边缘波状；雄蕊 4，后对在上唇片下；花柱伸出上唇外，花盘极小，子房无毛。小坚果卵状三棱形，长约 0.8 mm，直径约 0.6 mm，深紫褐色，无毛。花果期 4 ~ 10 月。

| 生境分布 | 生于海拔 130 ~ 650 m 的亚热带灌丛中。湖北有分布。

| 采收加工 | 地上部分：7 ~ 9 月割取，阴干或鲜用。

| 功能主治 | 疏风清热，活血止血。用于外感风热，头痛咽痛，麻疹透发不畅，吐血，衄血，外伤出血，跌打肿痛，疮痈肿痛，毒蛇咬伤。

唇形科 Labiatae 罗勒属 Ocimum

罗勒
Ocimum basilicum L.

药材名

罗勒。

形态特征

一年生草本，高 20 ～ 80 cm。全株芳香。茎直立，四棱形，上部被倒向微柔毛，常带红色或紫色。叶对生；叶柄长 0.7 ～ 1.5 cm，被微柔毛；叶片卵形或卵状披针形，长 2.5 ～ 6 cm，宽 1 ～ 3.5 cm，全缘或具疏锯齿，两面近无毛，下面具腺点。轮伞花序有 6，组成有间断的顶生总状花序，通常长 10 ～ 20 cm，各部均被微柔毛；苞片细小，倒披针形，长 5 ～ 8 mm，边缘有缘毛，早落；花萼钟形，长 4 mm，外面被短柔毛，萼齿 5，上唇 3 齿，中齿最大，近圆形，具短尖头，侧齿卵圆形，先端锐尖，下唇 2 齿，三角形，具刺尖，萼齿边缘具缘毛，果时花萼增大，宿存；花冠淡紫色或白色，长约 6 mm，伸出花萼，唇片外面被微柔毛，上唇宽大，4 裂，裂片近圆形，下唇长圆形，下倾；雄蕊 4，二强，均伸出花冠外，后对雄蕊花丝基部具齿状附属物，被微柔毛；子房 4 裂，花柱与雄蕊近等长，柱头 2 裂；花盘具 4 浅齿。小坚果长圆状卵形，褐色。花期 6 ～ 9 月，果期 7 ～ 10 月。

| **生境分布** | 生于阴湿处。湖北有分布。

| **采收加工** | **全草**：夏、秋季采收，除去细根和杂质，切细，晒干或阴干。

| **功能主治** | 疏风解表，化湿和中，行气活血，解毒消肿。用于感冒之头痛、发热、咳嗽，中暑，食积不化，不思饮食，脘腹胀满疼痛，呕吐泻痢，风湿痹痛，遗精，月经不调，牙痛口臭，胬肉攀睛，皮肤湿疮，瘾疹瘙痒，跌打损伤，蛇虫咬伤。

唇形科 Labiatae 牛至属 Origanum

牛至
Origanum vulgare L.

| 药 材 名 | 牛至。

| 形 态 特 征 | 多年生草本或半灌木，芳香。根茎斜生，其节上具纤细的须根，多少木质。茎直立或近基部伏地，通常高 25 ~ 60 cm，多少带紫色，四棱形，具倒向或微蜷曲的短柔毛；多数，从根茎发出，中上部各节有具花的分枝，下部各节有不育的短枝，近基部常无叶。叶具柄，柄长 2 ~ 7 mm，腹面具槽，背面近圆形，被柔毛；叶片卵圆形或长圆状卵圆形，长 1 ~ 4 cm，宽 0.4 ~ 1.5 cm，先端钝或稍钝，基部宽楔形至近圆形或微心形，全缘或有远离的小锯齿，上面亮绿色，常带紫晕，具不明显的柔毛及凹陷的腺点，下面淡绿色，明显被柔毛及凹陷的腺点，侧脉 3 ~ 5 对，与中脉在上面不显著，在下面多

少凸出；苞叶大多无柄，常带紫色。花序呈伞房状圆锥花序，开张，多花密集，由多数长圆状、在果时多少伸长的小穗状花序组成；苞片长圆状倒卵形至倒卵形或倒披针形，锐尖，绿色或带紫晕，长约 5 mm，具平行脉，全缘；花萼钟状，连齿长 3 mm，外面被小硬毛或近无毛，内面在喉部有白色柔毛环，脉 13，多少显著，萼齿 5，三角形，等大，长 0.5 mm；花冠紫红色、淡红色至白色，管状钟形，长 7 mm，两性花花冠筒长 5 mm，显著超出花萼，而雌性花花冠筒短于花萼，长约 3 mm，外面疏被短柔毛，内面在喉部被疏短柔毛，冠檐明显二唇形，上唇直立，卵圆形，长 1.5 mm，先端 2 浅裂，下唇开张，长 2 mm，3 裂，中裂片较大，侧裂片较小，均长圆状卵圆形；雄蕊 4，在两性花中，后对雄蕊短于上唇，前对雄蕊略伸出花冠，在雌性花中，前后 2 对雄蕊近相等，内藏，花丝丝状，扁平，无毛，花药卵圆形，2 室，两性花由三角状楔形的药隔分隔，室叉开，雌性花中药隔退化雄蕊的药室近平行；花盘平顶；花柱略超出雄蕊，先端不相等 2 浅裂，裂片钻形。小坚果卵圆形，长约 0.6 mm，先端圆，基部骤狭，微具棱，褐色，无毛。花期 7 ~ 9 月，果期 10 ~ 12 月。

| 生境分布 | 生于海拔 500 ~ 3 100 m 的山坡、林下、草地或路旁。分布于湖北红安、保康、秭归、郧西、大悟、枣阳、南漳、英山、罗田、蕲春、麻城、建始、长阳、竹溪、房县。

| 采收加工 | 全草：7 ~ 8 月花开前采收，抖净泥沙，鲜用或扎把晒干。

| 功能主治 | 解表，理气，清暑，利湿。用于感冒发热，中暑，胸膈胀满，腹痛吐泻，痢疾，黄疸，水肿，带下，疳积，麻疹，皮肤瘙痒，疮疡肿痛，跌打损伤。

湖北省大悟县

唇形科 Labiatae 假糙苏属 *Paraphlomis*

白花假糙苏

Paraphlomis albiflora (Hemsl.) Hand.-Mazz.

| 药 材 名 |　白花假糙苏。

| 形态特征 |　多年生草本，从纤细须根生出，直立或曲折上升，高 30 ～ 60 cm。茎钝四棱形，具槽，密被具节长柔毛并杂有短柔毛，基部带紫色，向基部无叶，上部具叶，不分枝。叶卵圆形，有时下部茎生叶为圆形，通常长 6 ～ 8 cm，宽 3.5 ～ 4 cm，边缘为具胼胝尖、有时不规则的粗大圆齿状锯齿，坚纸质，上面绿色，下面灰绿色，在两面被具节长柔毛并杂有短柔毛，但下面长柔毛较多且多沿脉上散布，侧脉 5 ～ 6，在两面均不显著；叶柄细弱，通常长 3 ～ 4 cm，常与叶片等长，腹平背凸，微具翅。轮伞花序约由 20 花组成，近圆球形，直径达 3 cm，有时近 4 cm，其下承以稀少的苞片；苞片长约 2 mm，

线形，边缘被缘毛；花梗极短或近无；花萼管状，稍弯曲，上部稍膨大，外面被有长柔毛及短柔毛，内面在喉部及萼齿处被糙伏毛，具 10 脉，齿间 5 脉不明显，齿 5，短三角形，具胼胝尖小尖头，近相等；花冠白色，或于喉部有紫斑，长 1.2 ~ 1.5 cm，花冠筒长 0.8 ~ 1 cm，直伸，圆柱形，喉部微扩大，超出萼筒很多，外面无毛，内面在中部稍下方具柔毛环，冠檐二唇形，上唇长圆形，直伸，内凹，全缘，外面被白色柔毛，内面无毛，下唇外面被白色柔毛，内面无毛，3 裂，裂片近圆形，中裂片稍大；雄蕊 4，前对稍长，花丝丝状，具髯毛，插生于花冠喉部，花药椭圆形，2 室，室叉开；花柱丝状，先端近相等 2 浅裂；子房先端截形，无毛；花盘平顶。小坚果三棱形，无毛，先端截形。花期 6 月。

| 生境分布 | 生于海拔 100 ~ 800 m 的谷地林下潮湿处。分布于湖北神农架。

| 功能主治 | 茎叶：散寒止咳。用于风寒咳嗽。

根：祛风胜湿，活血止痛。用于风湿疼痛，劳伤身痛，跌打青肿，外伤出血。

唇形科 Labiatae 假糙苏属 Paraphlomis

小叶假糙苏

Paraphlomis javanica (Bl.) Prain var. *coronate* (Vaniot) C. Y. Wu et H. W. Li

| 药 材 名 |　金槐。

| 形态特征 |　多年生草本。茎单生，高约 50 cm，有时可达 1.5 m。钝四棱形，被

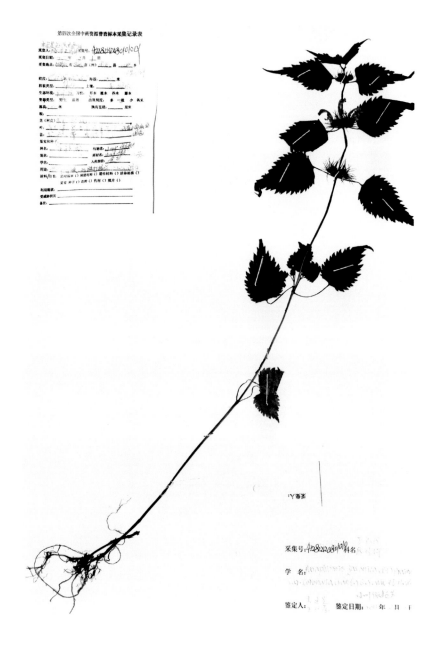

倒向平伏毛，常曲折，基部无叶。叶薄革质至纸质，卵形、椭圆形或长圆状卵形，通常长 7 ~ 15 cm，宽 3 ~ 8.5 cm，有时长达 30 cm，宽达 14 cm，先端急尖或渐尖，基部圆形至楔形，边缘有具小尖突的圆齿状锯齿，有时锯齿不明显，上面多少被刚毛，下面脉上密生、余部疏生平伏毛；叶柄长约 8 cm，被平伏毛。轮伞花序含多花，圆球形，花时直径约 3 cm，其下承以少数苞片；苞片钻形，长约 6 mm，被小硬毛；花无梗；花萼管状，草质，口部骤然开张，果时膨大，连齿长约 7 mm，幼时密被小硬毛，绿色，果时毛被常脱落，变红色，萼齿钻形或三角状钻形，长 3 ~ 4 mm；花冠通常黄色、淡黄色，稀近白色，长约 1.7 cm，外面在冠管上部及冠檐上多少被小硬毛，内面在冠管中部稍上方具柔毛环，冠檐上唇全缘，下唇中裂片较大；子房紫黑色，先端平截，中央稍凹陷，无毛。小坚果倒卵珠状三棱形，先端钝圆，黑色，无毛。花期 6 ~ 8 月，果期 11 ~ 12 月。

| **生境分布** | 生于海拔 320 ~ 1 350 m 的亚热带常绿林或混交林下及路边、灌丛中。分布于湖北建始。

| **采收加工** | **全草**：夏、秋季采收，洗净，晒干。

| **功能主治** | 滋阴润燥，止咳，调经补血。用于虚劳咳嗽，痰中带血，月经不调。

紫苏

Perilla frutescens (L.) Britt.

药材名

紫苏子。

形态特征

一年生直立草本植物。茎高 0.3 ~ 2 m，绿色或紫色，钝四棱形，具 4 槽，密被长柔毛。叶阔卵形或圆形，长 7 ~ 13 cm，宽 4.5 ~ 10 cm，先端短尖或突尖，基部圆形或阔楔形，边缘在基部以上有粗锯齿，膜质或草质，两面绿色或紫色，或仅下面紫色，上面被疏柔毛，下面被贴生柔毛，侧脉 7 ~ 8 对，下部者稍靠近，斜上升，与中脉在上面微凸起，在下面明显凸起，色稍淡；叶柄长 3 ~ 5 cm，背腹扁平，密被长柔毛。轮伞花序具 2 花，组成长 1.5 ~ 15 cm、密被长柔毛、偏向一侧的顶生及腋生总状花序；苞片宽卵圆形或近圆形，长、宽均约 4 mm，先端具短尖，外面被红褐色腺点，无毛，边缘膜质；花梗长 1.5 mm，密被柔毛；花萼钟形，具 10 脉，长约 3 mm，直伸，下部被长柔毛，夹有黄色腺点，内面喉部有疏柔毛环，果时增大，长至 1.1 cm，平伸或下垂，基部一边肿胀，萼檐二唇形，上唇宽大，具 3 齿，中齿较小，下唇比上唇稍长，具 2 齿，齿披针形；花冠白色至紫红色，长 3 ~ 4 mm，外面略被微柔毛，内面在下唇片基部略被微柔毛，花冠筒短，长 2 ～ 2.5 mm，喉部斜钟形，冠檐近二唇形，上唇微缺，下唇 3 裂，中裂片较大，侧裂片与上唇相近似；雄蕊 4，几不伸出，前对雄蕊稍长，离生，插生喉部，花丝扁平，花药 2 室，室平行，其后略叉开或极叉开；花柱先端相等 2 浅裂；花盘前方呈指状膨大。小坚果近球形，灰褐色，直径约 1.5 mm，具网纹。花期 8 ～ 11 月，果期 8 ～ 12 月。

| **生境分布** | 生于山地、路旁、村边、荒地。分布于湖北丹江口、当阳、红安、谷城、保康、秭归、宜都、郧西、大悟、公安、黄梅、兴山、枣阳、南漳、通城、通山、远安、郧阳、英山、罗田、团风、蕲春、麻城、恩施、利川、来凤、宣恩、建始、巴东、五峰、长阳、竹溪、房县，以及随州。

| **采收加工** | **叶：** 枝叶茂盛时收割，摊在地上或悬于通风处阴干，干后将叶摘下。
果实： 秋季果实成熟时采收，除去杂质，晒干。
梗： 9 ～ 11 月采收，除去小枝、叶片、果实，晒干。

| **功能主治** | **叶：** 散寒解表，宣肺化痰，行气和中，安胎，解鱼蟹毒。用于风寒表证，咳嗽多痰，胸脘胀满，恶心呕吐，胎气不和，妊娠恶阻，食鱼蟹中毒。
果实： 降气，消痰，平喘，润肠。用于痰壅气逆，咳嗽气喘，肠燥便秘。
梗： 理气宽中，安胎，和血。用于脾胃气滞，脘腹痞满，胎气不和，水肿脚气，咯血吐衄。

回回苏

Perilla frutescens (L.) Britt. var. *crispa* (Thunb.) Hand.-Mazz.

| 药 材 名 | 回回苏。

| 形态特征 | 一年生草本。茎直立，植株较矮小，常在1 m以下，绿色或紫色，密被长柔毛。叶较小，具狭而深的锯齿，常为紫色，上面皱曲，常呈缝状或条裂状。轮伞花序具2花，组成顶生及腋生的总状花序，偏向一侧；苞片近圆形、无毛，有红褐色腺点；果萼较小，花冠紫色，上唇微凹，下唇中裂片较大。花期8～10月。

| 生境分布 | 分布于湖北保康、秭归、南漳、神农架、通山、利川、宣恩、建始、长阳等。

| **采收加工** | 叶：枝叶茂盛时收割，摊在地上或悬于通风处阴干，干后将叶摘下。

| **功能主治** | 叶：同"紫苏"。

| 唇形科 | Labiatae | 紫苏属 | Perilla

野生紫苏

Perilla frutescens (L.) Britt. var. *purpurascens* (Hayata) H. W. Li

| **药 材 名** | 野紫苏叶、野紫苏梗、野紫苏子。

| **形态特征** | 一年生直立草本。茎高 0.3 ~ 2 m，绿色或紫色，钝四棱形，具 4 槽，被短柔毛。叶较小，卵形，长 4.5 ~ 7.5 cm，宽 2.8 ~ 5 cm，先端短尖或突尖，基部圆形或阔楔形，边缘在基部以上有粗锯齿，膜质或草质，两面绿色或紫色，或仅下面紫色，两面被疏柔毛，侧脉 7 ~ 8 对，位于下部者稍靠近，斜上升，与中脉在上面微凸起，在下面明显凸起，色稍淡；叶柄长 3 ~ 5 cm，背腹扁平，密被长柔毛。轮伞花序 2 花，组成长 1.5 ~ 15 cm、密被长柔毛、偏向一侧的顶生及腋生总状花序；苞片宽卵圆形或近圆形，长宽约 4 mm，先端具短尖，外被红褐色腺点，无毛，边缘膜质；花梗长约 1.5 mm，密被柔毛；

花萼钟形，10 脉，长约 3 mm，直伸，下部被长柔毛，夹有黄色腺点，内面喉部有疏柔毛环，结果时增大，长至 1.1 cm，平伸或下垂，基部一边肿胀，萼檐二唇形，上唇宽大，3 齿，中齿较小，下唇比上唇稍长，2 齿，齿披针形；花冠白色至紫红色，长 3 ~ 4 mm，外面略被微柔毛，内面在下唇片基部略被微柔毛，花冠筒短，长 2 ~ 2.5 mm，喉部斜钟形，冠檐近二唇形，上唇微缺，下唇 3 裂，中裂片较大，侧裂片与上唇相近似；雄蕊 4，几不伸出，前对稍长，离生，插生喉部，花丝扁平，花药 2 室，室平行，其后略叉开或极叉开；花柱先端相等 2 浅裂，花盘前方呈指状膨大。小坚果较小，土黄色，直径 1 ~ 1.5 mm。花期 6 ~ 8 月，果期 7 ~ 9 月。

| 生境分布 | 生于山地、路旁、村边或荒地。分布于湖北保康、郧西、公安、南漳、通山、麻城、来凤、宣恩、建始。

| 采收加工 | **野紫苏叶**：南方 7 ~ 8 月，北方 8 ~ 9 月，植物茂盛时收割，摊在地上或悬于通风处阴干，干后将叶摘下。
野紫苏梗：9 ~ 11 月采收，割取地上部分，除去小枝、叶片、果实，晒干。

| 功能主治 | **野紫苏叶**：发汗，镇咳，镇痛，镇静，解毒。用于感冒，鱼蟹中毒之腹痛呕吐。
野紫苏梗：安胎。
野紫苏子：镇咳，祛痰，平喘。

| 附　　注 | 本种与紫苏 *Perilla frutescens* (L.) Britt. 的区别在于本种果萼小，长 4 ~ 5.5 mm，下面被疏柔毛，具腺点；茎被短柔毛；叶较小，卵形，长 4.5 ~ 7.5 cm，宽 2.8 ~ 5 cm，两面被疏柔毛；小坚果较小，土黄色，直径 1 ~ 1.5 mm；花期 6 ~ 8 月，果期 7 ~ 9 月。

唇形科 Labiatae 糙苏属 *Phlomis*

大花糙苏
Phlomis megalantha Diels

| 药 材 名 | 大花糙苏。

| 形态特征 | 多年生草本，高 15 ～ 45 cm。茎直立，四棱形，疏被倒向短硬毛。茎生叶对生；叶柄长 1.5 ～ 10 cm；叶片卵圆形、卵形或卵状长圆形，长 5 ～ 17.5 cm，宽 4.2 ～ 11 cm，先端急尖或钝，基部心形或浅心形，边缘具深圆齿，上面被短纤毛，下面沿脉上被具节疏柔毛；苞叶卵形至卵状披针形，超过花序；叶柄长不及 1 cm。轮伞花序多花，1 ～ 2 花生于主茎顶部；苞片线状钻形，较花萼短，边缘密被具节缘毛；花萼管状钟形，长 1.8 ～ 2.8 cm，外面被具节疏柔毛，具 5 齿，萼齿先端微凹，具小刺尖，齿间小齿先端微凹，边缘被微柔毛；花冠淡黄色，长 3.7 ～ 5 cm，唇形，外面疏被短柔毛，内面无毛环，

上唇边缘具小齿，下唇较大，外面被短柔毛，具 3 圆齿，中裂片较大，圆卵形，边缘为不整齐的波状，侧裂片三角形；雄蕊 4，二强，前对雄蕊较长，花丝具长毛，无附属物；雌蕊子房 2，合生，花柱单一，柱头 2 裂。小坚果无毛。花期 6 ～ 7 月，果期 8 ～ 11 月。

| 生境分布 | 生于海拔 2 500 ～ 3 100 m 的灌丛草坡或冷杉林下。分布于湖北神农架。

| 采收加工 | **全草**：夏、秋季采收，洗净，鲜用或切段晒干。

| 功能主治 | 祛风，清热，解毒。用于麻风病，痈肿。

唇形科 Labiatae 糙苏属 Phlomis

柴续断

Phlomis szechuanensis C. Y. Wu

| 药 材 名 |

柴续断。

| 形态特征 |

多年生草本。茎多分枝，四棱形，具深槽及细条纹，密被污黄色星状短柔毛。上部茎生叶卵形，长 6.5 ~ 11 cm，宽 3 ~ 8 cm，先端急尖，基部截状阔楔形，边缘为锯齿状，上面榄绿色，脉上密被星状短柔毛，余部被极疏的中枝较长的星状糙伏毛，下面色较淡，密被星状疏柔毛，叶柄长 2 ~ 5 cm，腹平背凸，密被星状疏柔毛；苞叶卵状长圆形，向上渐变小，顶部的苞叶几与花序等长，毛被同茎叶，叶柄长 3 ~ 10 mm。轮伞花序多花，2 ~ 5 花生于主茎及分枝上，明显具总梗；苞片线形，长 3 ~ 7（~ 9）mm，草质；花萼管状，长约 11 mm，宽约 3 mm，外面密被星状短柔毛，萼齿先端具长约 1.2 mm 的小刺尖，萼齿间形成先端具丛毛的 2 小齿；花冠白色，长约 2 cm，花冠筒长约 1.3 cm，外面在上部被绢状柔毛，内面近基部 1/3 处具近平展的小疏柔毛环，冠檐二唇形，上唇长约 6.5 mm，外面极密被绢状长柔毛，边缘流苏状，自内面被髯毛，下唇外面除边缘外，被绢状柔毛，

长、宽均约 6 mm，3 圆裂，中裂片倒卵形，较大，侧裂片卵形；雄蕊花丝被毛，基部无附属器；花柱先端极不等 2 裂。小坚果无毛。花期 8 月。

| 生境分布 | 生于海拔 700 ~ 2 000 m 的山坡、山谷林下或草地上。分布于湖北郧阳、竹溪。

| 功能主治 | 行血破瘀，敛营补损，接骨续筋。用于崩漏，癥瘕，痈疽，瘰疬，痔瘘，跌打，金疮诸血。

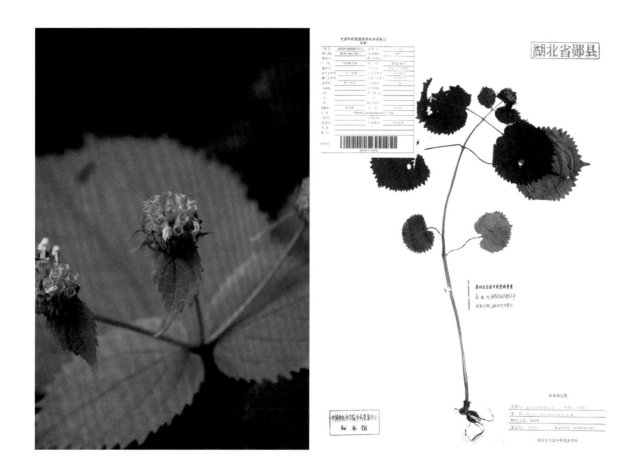

唇形科 Labiatae 糙苏属 Phlomis

糙苏
Phlomis umbrosa Turcz.

| 药 材 名 | 糙苏。

| 形态特征 | 多年生草本。根粗厚，须根肉质，长至 30 cm，直径至 1 cm。茎高
50 ~ 150 cm，多分枝，四棱形，具浅槽，疏被向下短硬毛，有时上
部被星状短柔毛，常带紫红色。叶近圆形、圆卵形至卵状长圆形，
长 5.2 ~ 12 cm，宽 2.5 ~ 12 cm，先端急尖，稀渐尖，基部浅心形
或圆形，边缘为具胼胝尖的锯齿状牙齿，或为不整齐的圆齿，上面
榄绿色，疏被疏柔毛及星状疏柔毛，下面色较淡，毛被同叶上面，
但有时较密，叶柄长 1 ~ 12 cm，腹凹背凸，密被短硬毛；苞叶通
常为卵形，长 1 ~ 3.5 cm，宽 0.6 ~ 2 cm，边缘为粗锯齿状牙齿，
毛被同茎叶，叶柄长 2 ~ 3 mm。轮伞花序通常具 4 ~ 8 花，多数，

生于主茎及分枝上；苞片线状钻形，较坚硬，长 8 ～ 14 mm，宽 1 ～ 2 mm，常呈紫红色，被星状微柔毛、近无毛或边缘被具节缘毛；花萼管状，长约 10 mm，宽约 3.5 mm，外面被星状微柔毛，有时脉上疏被具节刚毛，齿先端具长约 1.5 mm 的小刺尖，齿间形成 2 不十分明显的小齿，边缘被丛毛；花冠通常粉红色，下唇较深色，常具红色斑点，长约 1.7 cm，花冠筒长约 1 cm，外面除背部上方被短柔毛外，余部无毛，内面近基部 1/3 处具斜向间断的小疏柔毛环，冠檐二唇形，上唇长约 7 mm，外面被绢状柔毛，边缘具不整齐的小齿，自内面被髯毛，下唇长约 5 mm，宽约 6 mm，外面除边缘无毛外密被绢状柔毛，内面无毛，3 圆裂，裂片卵形或近圆形，中裂片较大；雄蕊内藏，花丝无毛，无附属器。小坚果无毛。花期 6 ～ 9 月，果期 9 月。

| 生境分布 | 生于海拔 200 ～ 3 100 m 的疏林下或草坡上。分布于湖北咸丰、利川、巴东、兴山、神农架、保康。

| 采收加工 | **全草**：夏季采收，洗净，晒干。

| 功能主治 | 祛风化痰，利湿除痹，祛痰，解毒消肿。用于感冒，咳嗽痰多，风湿痹痛，跌打损伤，疮痈肿毒。

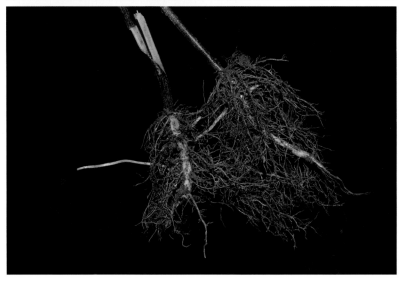

唇形科 Labiatae 糙苏属 *Phlomis*

南方糙苏 *Phlomis umbrosa* Turcz. var. *australis* Hemsl.

| 药 材 名 | 牛王肺筋草。

| 形态特征 | 多年生草本。高达 150 cm。根增厚，须根肉质。茎多分枝，四棱形，具浅槽，疏被向下短硬毛，常带紫红色。叶对生，具长柄；叶片质薄，近圆形、圆卵形至卵状长圆形，边缘具圆齿状锯齿，先端的齿有时长许多。轮伞花序，多数，生于主茎及分枝上；苞片草质，线状披针形，稍比萼短；花萼管状，长约 10 mm，外面被星状微柔毛，齿端具小尖刺，边缘被丛毛；花冠通常粉红色，下唇常具红色斑点，冠檐二唇形，上唇自内面被髯毛，下唇内面无毛，3 圆裂，中裂片较大；雄蕊 4，内藏，花丝无毛，无附属物。小坚果无毛。花期 6 ~ 9 月，果期 8 ~ 9 月。

| 生境分布 | 生于 1 600 ～ 3 100 的山坡、灌丛、草地及沟边等处。分布于湖北竹溪。

| 采收加工 | **全草**：夏、秋季采收，洗净，鲜用或晒干。

| 功能主治 | 祛风止咳,活血通络,解毒消肿。用于感冒,咳嗽,风湿痹痛,腰膝无力,跌打瘀肿,骨折，疮痈肿毒。

唇形科 Labiatae 刺蕊草属 Pogostemon

珍珠菜
Pogostemon auricularius (L.) Hassk.

| 药 材 名 |

珍珠菜。

| 形 态 特 征 |

一年生草本。茎高 0.4 ~ 2 m，基部平卧，节上生根，上部上升，多分枝，具槽，密被黄色平展长硬毛。叶长圆形或卵状长圆形，长 2.5 ~ 7 cm，宽 1.5 ~ 2.5 cm，先端钝或急尖，基部圆形或浅心形，稀楔形，边缘具整齐的锯齿，草质，上面榄绿色，下面色较淡，两面被黄色糙硬毛，下面满布凹陷的腺点，侧脉 5 ~ 6 对，与中脉在上面平坦，在下面明显；叶柄短，稀长至 1.2 cm，密被黄色糙硬毛，上部叶近无柄。穗状花序长 6 ~ 18 cm，花期先端尾状渐尖，直径约 1 cm，连续，有时基部间断；苞片卵状披针形，常与花冠等长，边缘具糙硬毛；花萼钟形，小，长、宽均约 1 mm，仅萼齿边缘具疏柔毛，其余部分无毛，但具黄色小腺点，萼齿 5，短三角形，长约为萼筒的 1/4；花冠淡紫色至白色，长约为花萼的 2.5 倍，无毛；雄蕊 4，伸出，伸出部分具髯毛；花柱不超出雄蕊，先端相等 2 浅裂；花盘环状。小坚果近球形，直径约 0.5 mm，褐色，无毛。花果期 4 ~ 11 月。

| 生境分布 | 生于海拔 300 ～ 1 700 m 的疏林下湿润处或溪边近水潮湿处。分布于湖北大悟、神农架、罗田、咸丰、五峰、房县、巴东，以及随州。

| 采收加工 | **全草**：夏、秋季采收，洗净，鲜用或晒干。

| 功能主治 | 散风清热，祛湿解毒，消肿止痛。用于感冒发热，惊风，风湿关节痛，疝气，疮肿湿烂，湿疹，小儿胎毒，毒蛇咬伤。

唇形科 Labiatae 刺蕊草属 Pogostemon

广藿香
Pogostemon cablin (Blanco) Benth.

药材名

广藿香。

形态特征

多年生芳香草本或半灌木。茎直立,高 0.3 ~ 1 m,四棱形,分枝,被绒毛。叶圆形或宽卵圆形,长 2 ~ 10.5 cm,宽 1 ~ 8.5 cm,先端钝或急尖,基部楔状渐狭,边缘具不规则的齿裂,草质,上面深绿色,被绒毛,老时渐稀疏,下面淡绿色,被绒毛,侧脉约 5 对,与中肋在上面稍凹陷或近平坦,在下面凸起;叶柄长 1 ~ 6 cm,被绒毛。轮伞花序具 10 至多花,下部的花序稍疏离,向上密集,排成长 4 ~ 6.5 cm、宽 1.5 ~ 1.8 cm 的穗状花序,穗状花序顶生及腋生,密被长绒毛,具总梗,梗长 0.5 ~ 2 cm,密被绒毛;苞片及小苞片线状披针形,比花萼稍短或等长,密被绒毛;花萼筒状,长 7 ~ 9 mm,外面被长绒毛,内面被较短的绒毛,齿钻状披针形,长约为萼筒的 1/3;花冠紫色,长约 1 cm,裂片外面均被长毛;雄蕊外伸,具髯毛;花柱先端近相等 2 浅裂;花盘环状。花期 4 月。

| **生境分布** | 生于山坡或路旁。分布于湖北五峰、巴东。

| **采收加工** | 5～6月或9～10月枝叶繁茂时采收全株，去根，晒至半干，捆成束，再晒至全干。

| **功能主治** | 芳香化湿，和胃止呕，祛暑解表。用于脘腹痞闷，食欲不振，呕吐，泄泻，寒热头痛，发热身困，胸闷恶心，鼻渊，手足癣。

唇形科 Labiatae 夏枯草属 Prunella

夏枯草
Prunella vulgaris L.

| 药 材 名 | 夏枯草。

| 形态特征 | 多年生草本。茎高 15 ~ 30 cm。有匍匐地上的根茎，在节上生须根。茎上升，下部伏地，自基部多分枝，钝四棱形，具浅槽，紫红色，被稀疏的糙毛或近无毛。叶对生，具柄；叶柄长 0.7 ~ 2.5 cm，自下部向上逐渐变短；叶片卵状长圆形或圆形，大小不等，长 1.5 ~ 6 cm，宽 0.7 ~ 2.5 cm，先端钝，基部圆形、截形至宽楔形，下延至叶柄成狭翅，边缘具不明显的波状齿，或几近全缘。轮伞花序密集排列成顶生、长 2 ~ 4 cm 的假穗状花序，花期时较短，随后逐渐伸长；苞片肾形或横椭圆形，具骤尖头；花萼钟状，长达 10 mm，二唇形，上唇扁平，先端平截，有 3 不明显的短齿，中齿宽大，下唇 2 裂，

裂片披针形，果时花萼由于下唇2齿斜伸而闭合；花冠紫色、蓝紫色或红紫色，长约13 mm，略超出于花萼，下唇中裂片宽大，边缘具流苏状小裂片；雄蕊4，二强，花丝先端2裂，1裂片能育、具花药，花药2室，室极叉开；子房无毛。小坚果黄褐色，长圆状卵形，长1.8 mm，微具沟纹。花期4～6月，果期6～8月。

| 生境分布 | 生于海拔3 000 m以下的荒坡、草地、溪边及路旁等湿润土地上。分布于湖北蕲春、郧西、通山、丹江口、钟祥、远安、铁山、梁子湖、汉川、东宝、枣阳、利川等。湖北蕲春有栽培。

| 采收加工 | **果穗：**夏季果穗呈棕红色时采收，除去杂质，晒干。

| 功能主治 | 清肝泻火，明目，散结消肿。用于目赤肿痛，目珠夜痛，头痛眩晕，瘰疬，瘿瘤，乳痈，乳癖，乳房胀痛。

唇形科 Labiatae 香茶菜属 Rabdosia

香茶菜

Rabdosia amethystoides (Benth.) Hara

| 药 材 名 |

香茶菜、香茶菜根。

| 形态特征 |

多年生直立草本。根茎肥大，疙瘩状，向下密生纤维状须根。茎高 30 ～ 150 cm，四棱形，具槽，密被向下贴生疏柔毛或短柔毛，在叶腋内常有不育的短枝，其上具较小型的叶。叶卵状圆形、卵形至披针形，大小不一，长 0.8 ～ 11 cm，宽 0.7 ～ 3.5 cm，先端渐尖、急尖或钝，基部骤然收缩后长渐狭或阔楔状渐狭而成具狭翅的柄，边缘除基部全缘外具圆齿，草质，上面橄绿色，被疏或密的短刚毛，有些近无毛，下面色较淡，被疏柔毛至短绒毛，有时近无毛，但均密被白色或黄色小腺点；叶柄长 0.2 ～ 2.5 cm 不等。聚伞花序组成顶生圆锥花序，疏散，聚伞花序多花，长 2 ～ 9 cm，直径 1.5 ～ 8 cm，分枝纤细且极叉开；苞片卵形或针状，小，但较显著；花梗长 3 ～ 8 mm，总梗长 1 ～ 4 cm；花萼钟形，长与宽均约 2.5 mm，外面疏生极短硬毛或近无毛，满布白色或黄色腺点，萼齿近相等，三角状，果萼直立，阔钟形，长 4 ～ 5 mm，基部圆形；花冠白色、蓝白色或紫色，上唇带紫蓝色，长约 7 mm，外疏被短柔毛，内面无毛，花冠筒在基部上方明显浅囊状突起，略弯曲，冠檐二唇形，上唇先端具4圆裂，下唇阔圆形；雄蕊及花柱与花冠等长，均内藏；花盘环状。成熟小坚果卵形，长约2 mm，宽约1.5 mm，黄栗色，被黄色及白色腺点。花期6～10月，果期9～11月。

| 生境分布 | 生于海拔200～920 m的林下或草丛中的湿润处。分布于湖北建始、房县、保康、通城。

| 资源情况 | 栽培资源较少。

| 采收加工 | **全草**：8～9月地上植株孕蕾开花时采收，扎把，晒干。

根：10～11月采挖，稍晒，用火燎去须根。

| 功能主治 | **全草**：清热利湿，活血散瘀，解毒消肿。用于湿热黄疸，淋证，水肿，咽喉肿痛，关节痹痛，闭经，乳痈，痔疮，发背，跌打损伤，毒蛇咬伤。

根：清热解毒，祛瘀止痛。用于毒蛇咬伤，疮疡肿毒，筋骨酸痛，跌打损伤，烫火伤。

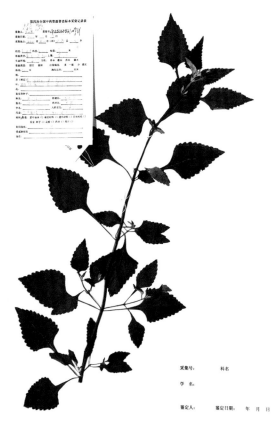

唇形科 Labiatae 香茶菜属 *Rabdosia*

尾叶香茶菜 *Rabdosia excisa* (Maxim.) Hara

| 药 材 名 | 尾叶香茶菜。

| 形态特征 | 多年生草本。根茎粗大，木质，疙瘩状，横走，直径达 2.5 cm，其下密生纤维状须根。茎直立，多数，高 0.6 ~ 1 m，下部半木质，上部草质，四棱形，具 4 槽，有细条纹，黄褐色，有时带紫色，疏被微柔毛，不分枝间或有分枝，分枝短小而能育。茎生叶对生，圆形或圆状卵圆形，长（4 ~）6 ~ 13 cm，宽（3 ~）4 ~ 10 cm，先端具深凹，凹缺中有一尾状长尖的顶齿，顶齿长 4 ~ 6 cm，基部渐狭至中肋，全缘或下部有 1 ~ 2 对粗锯齿，叶片基部宽楔形或近截形，骤然渐狭下延至叶柄，边缘在基部以上具粗大的牙齿状锯齿，齿尖具胼胝体，上面暗绿色，沿脉上密被微柔毛，余部散布糙伏毛状小

硬毛，下面淡绿色，沿脉上疏被微柔毛，余部无毛，散布淡黄色腺点，侧脉 3 ~ 4 对，在两面隆起，平行细脉明显；叶柄长 0.6 ~ 6 cm，向茎顶变短，腹凹背凸，疏被微柔毛，上部具翅。圆锥花序顶生或腋生于上部叶腋内，长 6 ~ 15 cm，顶生者长大，由（1 ~ ）3 ~ 5 花的聚伞花序组成，聚伞花序具短梗，总梗长约 3 mm，花梗长 1 ~ 2 mm，与总梗及花序轴均被微柔毛；苞叶与茎叶同形，较小，具短柄或近无柄，苞片卵状披针形至披针形或线形，长达 5 mm，小苞片线形，微小，长约 1 mm；花萼钟形，长约 3 mm，外被微柔毛及腺点，内面无毛，萼齿 5，稍呈 3/2 式二唇形，裂至 1/2 ~ 2/3，上唇较短，具 3 齿，齿长三角形，锐尖，下唇稍长，长达 1.8 mm，具 2 齿，齿长三角形，锐尖，果时花萼稍增大，长约 4 mm，向上伸，萼齿近等大。花冠淡紫色、紫色或蓝色，长达 9 mm，外被短柔毛及腺点，内面无毛，花冠筒长约 4 mm，基部上方浅囊状，伸出花萼外，至喉部略收缩，直径约 2.5 mm，冠檐二唇形，上唇外反，长达 4 mm，先端具 4 圆裂，中央 2 裂片较小，靠合，下唇宽卵形，长达 5 mm，内凹；雄蕊 4，内藏，花丝丝状，中部以上具髯毛；花柱丝状，内藏或微伸出，先端相等 2 浅裂，花盘环状。成熟小坚果倒卵形，长约 1.5 mm，褐色，先端圆，有毛和腺点。花期 7 ~ 8 月，果期 8 ~ 9 月。

| 生境分布 |　生于海拔 550 ~ 1 100 m 的林缘、林荫下、路边、草地上。湖北有分布。

| 资源情况 |　栽培资源较少。药材主要来源于野生。

| 功能主治 |　清热解毒，抗肿瘤，消炎，健脾，活血，抗菌，抗氧化，免疫调节，心血管保护。

拟缺香茶菜 *Rabdosia excisoides* (Sun ex C. H. Hu) C. Y. Wu et H. W. Li

| 药 材 名 |

拟缺香茶菜。

| 形态特征 |

多年生草本。高 0.5 ~ 1.5 m。根茎横走，木质，有须根略增粗或呈疙瘩状，直径可达 2 cm。茎直立，四棱形，具 4 槽，上部有时分枝，被短柔毛。茎生叶对生，宽椭圆形或卵椭圆形，长 5 ~ 7 cm，宽 2.5 ~ 3.5 cm，上部具宽翅，先端锐尖尾尖，基部宽楔形或平截，骤然渐狭下延，上面暗绿色，下面淡绿色，仅沿脉上疏被短柔毛，余部无毛，边缘具不整齐的锯齿状牙齿，侧脉约 3 对，在上面下陷，在下面明显凸起，平行细脉两面多少明显，叶柄长 1 ~ 5 cm，上部具宽翅。总状圆锥花序顶生或于上部茎生叶腋生，长 6 ~ 15 cm，由 3 ~ 5 花的聚伞花序组成，聚伞花序具梗，总梗长 2 ~ 5 mm，花梗长 2 ~ 6 mm，与总梗及花序轴均密被微柔毛；苞叶叶状，向上渐变小，近无柄，苞片及小苞片线形，长 1 ~ 3 mm；花萼花时钟形，长达 3.5 mm，外被短柔毛，内面无毛，萼齿 5，明显 3/2 式二唇形，齿裂至中部或以下，上唇 3 齿，齿三角形，具刺尖，下唇 2 齿，齿靠近，长三角形，具刺尖，果时花萼明显增大，长达 7 mm，肋及边缘脉明显凸起，上唇 3 齿外反，下唇 2 齿平伸；花冠白色、淡红色、淡紫色至紫蓝色，长约 1 cm，外疏被短柔毛及腺点，内面无毛，花冠筒长约 6 mm，基部上方浅囊状，至喉部宽达 3 mm，冠檐二唇形，上唇外反，长约 3 mm，宽达 5 mm，先端具相等的 4 圆裂，下唇近圆形，长、宽均约 4 mm，内凹；雄蕊 4，下倾，内藏，花丝扁平，中部以下具髯毛；花柱丝状，内藏或微露出，先端相等 2 浅裂，花盘环状。成熟小坚果近球形，直径约 1.5 mm，褐色，无毛。花期 7 ~ 9 月，果期 8 ~ 10 月。

| 生境分布 | 生于海拔 700 ~ 3 000 m 的草坡、路边、沟边、荒地、疏林下。分布于湖北巴东、神农架、房县、竹溪等。

| 资源情况 | 野生资源丰富，栽培资源较少。

| 采收加工 | **全草：** 夏、秋季采收，晒干。

| 功能主治 | 祛风活血，解毒消肿。用于感冒头痛，风湿痹痛，跌打瘀肿，骨折，外伤出血，毒蛇咬伤。

唇形科 Labiatae 香茶菜属 *Rabdosia*

鄂西香茶菜
Rabdosia henryi (Hemsl.) Hara

| 药 材 名 |

鄂西香茶菜。

| 形 态 特 征 |

多年生草本。根茎木质,增大,有时呈疙瘩状,向下密生纤维状须根。茎直立,高(30~)50~100(~150)cm,下部半木质,上部草质,钝四棱形,具4浅槽,沿棱上略被微柔毛,下部变无毛,上部多分枝,分枝纤弱,节间比叶短。茎生叶对生,菱状卵圆形或披针形,中部者长约6 cm,宽约4 cm,向两端渐变小,先端渐尖,先端1齿伸长,基部在中部以下骤然收缩或近截形,下延成具渐狭长翅的假柄,边缘具圆齿状锯齿,齿尖具胼胝体,坚纸质,上面榄绿色,沿脉上密生、余部散布小糙伏毛,下面淡绿色,仅沿脉上疏被小糙伏毛,余部无毛,侧脉每侧3~4,与横向的细脉在两面隆起;叶柄长达4 cm,但向茎枝上部者具短柄或近无柄,具柄时均腹平背凸,略被小糙伏毛。圆锥花序顶生于侧生小枝上,长6~10(~15)cm,由聚伞花序组成,聚伞花序具3~5花,具短梗;总梗长1~2 mm,与长达5 mm的花梗及花序轴均被具腺微柔毛;苞叶叶状,具短柄或近无柄,苞片及小苞片线形或线状

披针形，微小，长 1 ~ 3 mm；花萼花时宽钟形，长约 3 mm，外被短柔毛，内面无毛，常染紫色，萼齿 5，呈 3/2 式二唇形，近相等，上唇 3 齿略小，裂至花萼的 1/2 处，果时花萼长约 6 mm，脉纹明显，外面近无毛，具腺点，略弯曲；花冠白或淡紫色，具紫斑，长约 7 mm，外被短柔毛及腺点，内面无毛，花冠筒长约 3.5 mm，基部上方浅囊状，至喉部宽约 2 mm，冠檐二唇形，上唇外反，长约 3 mm，先端具相等的圆裂，下唇宽卵圆形，长约 3.5 mm，内凹，舟形；雄蕊 4，内藏，花丝扁平，中部以下具髯毛；花盘环状。成熟小坚果扁长圆形，长约 1.3 mm，褐色，无毛，有小疣点。花期 8 ~ 9 月，果期 9 ~ 10 月。

| 生境分布 | 生于海拔（260 ~）800 ~ 2 600 m 的谷地、山坡、林缘、溪边、路旁。分布于湖北神农架、房县、鹤峰、巴东，以及宜昌等。

| 功能主治 | 抗菌，消炎等。用于急性腹泻，肠炎，急性黄疸性肝炎，急性胆囊炎，跌打损伤，毒蛇咬伤，脓疱疹等。

唇形科 Labiatae 香茶菜属 *Rabdosia*

大萼香茶菜 *Rabdosia macrocalyx* (Dunn) H. Hara

| 药 材 名 |

大萼香茶菜。

| 形态特征 |

多年生草本。根茎木质，疙瘩状，直径2.5 cm以上，向下密生纤维状须根。茎直立，高0.4～1（～1.5）m，多数自根茎生出，下部近圆柱形，近木质，上部钝四棱形，被贴生微柔毛，髓部大，白色。茎叶对生，卵圆形，长（5～）7～10（～15）cm，宽（2～）2.5～5（～8.5）cm，先端长渐尖，基部宽楔形，骤然渐狭下延，边缘在基部以上有整齐的圆齿状锯齿，齿尖具硬尖，坚纸质，上面榄绿色，沿脉上被贴生微柔毛，余部近无毛，下面淡绿色，仅沿脉上被贴生微柔毛，余部近无毛，但散布淡黄色腺点，侧脉约4对，与中肋在上面微凸起，在下面十分凸起，平行细脉明显；叶柄长（0.5～）2～3（～6.5）cm，上部具狭翅，腹凹背凸，密被贴生微柔毛。总状圆锥花序长6～10（～15）cm，宽约2.5 cm，顶生及在茎上部叶腋内腋生，整体排列成尖塔形的复合圆锥花序，由（1～）3～5花的聚伞花序组成，聚伞花序具梗，总梗长2～4 mm，与近等长的花梗及花序轴密被贴生微柔毛；苞

叶卵圆形，向上渐变小，近无柄，苞片及小苞片线形，微小，长约 1 mm；花萼花时宽钟形，长 2.7 mm，宽达 3 mm，外面被微柔毛，内面无毛，萼齿 5，明显呈 3/2 式二唇形，裂至中部或以下，上唇 3 齿，齿三角形，锐尖，靠合，下唇 2 齿，齿高度靠合，果时花萼明显增大，长达 6 mm，具 10 脉，细脉明显，十分二唇形，上唇 3 齿常外反，下唇 2 齿平伸；花冠浅紫色、紫色或紫红色，长约 8 mm，外疏被短柔毛及腺点，内面无毛，花冠筒长约 4 mm，基部上方浅囊状，至喉部近等大，宽约 2 mm，冠檐二唇形，上唇外反，长约 2 mm，宽约 4 mm，先端具相等 4 圆裂，下唇阔卵圆形，长 4 mm，宽 3 mm，内凹，舟形。雄蕊 4，稍露出，花丝扁平，中部以下具髯毛；花柱稍伸出，先端相等 2 浅裂；花盘环状。成熟小坚果卵球形，长约 1.5 mm，褐色，无毛。花期 7 ~ 8 月，果期 9 ~ 10 月。

| 生境分布 | 生于海拔 600 ~ 1 700 m 的林下、灌丛中、山坡或路旁。分布于湖北竹溪。

| 功能主治 | **茎叶**：清热，除湿，解毒。用于急性病毒性肝炎，疮毒，湿疹等。

唇形科 Labiatae 香茶菜属 Rabdosia

显脉香茶菜 *Rabdosia nervosus* (Hemsl.) Kudo

| 药 材 名 | 显脉香茶菜。

| 形 态 特 征 | 多年生草本，高达 1 m。根茎稍增大成结节块状，其上生出直径 1 ~ 3 mm 的细根和多数纤细须根。茎自根茎生出，直立，不分枝或少分枝，四棱形，明显具槽，幼时被微柔毛，老时毛脱落或变无毛。叶交互对生，披针形至狭披针形，长 3.5 ~ 13 cm，宽 1 ~ 2 cm，先端长渐尖，基部楔形至狭楔形，边缘有具胼胝尖的粗浅齿，侧脉 4 ~ 5 对，在两面隆起，细脉多少明显，薄纸质，上面绿色，沿脉被微柔毛，余部近无毛，下面色较淡，近无毛，脉白绿色；下部叶柄长 0.2 ~ 1 cm，被微柔毛，上部叶无柄。聚伞花序（3 ~）5 ~ 9（~ 15）花，具长 5 ~ 8 mm 的总梗，于茎顶组成疏散的圆锥花序，

花梗、总梗及花序轴均密被微柔毛；苞片狭披针形，叶状，长 1 ~ 1.5 cm，密被微柔毛，小苞片线形，长 1 ~ 2 mm，密被微柔毛；花萼紫色，钟形，长约 1.5 mm，外密被微柔毛，萼齿 5，近相等，披针形，锐尖，与萼筒等长，果时花萼增大成阔钟形，长 2.5 mm，宽达 3 mm，萼齿直伸，三角状披针形，与萼筒等长，齿间具宽圆凹；花冠蓝色，长 6 ~ 8 mm，外疏被微柔毛，花冠筒长 3 ~ 4 mm，近基部上方成浅囊状，冠檐二唇形，上唇 4 等裂，裂片长圆形或椭圆形，下唇舟形，较上唇稍长，长约 4 mm，椭圆形；雄蕊 4，二强，伸出于花冠外，花丝下部疏被微柔毛；花柱丝状，伸出于花冠外，先端相等 2 浅裂；花盘盘状。小坚果卵圆形，长 1 ~ 1.5 mm，宽约 1 mm，先端被微柔毛。花期 7 ~ 10 月，果期 8 ~ 11 月。

| **生境分布** | 生于林下或草丛中。分布于湖北红安、竹溪、南漳、枣阳、大悟、咸丰、鹤峰、巴东、长阳，以及宜昌。

| **采收加工** | **全草：** 7 ~ 9 月采收，鲜用或切段晒干。

| **功能主治** | 利湿和胃，解毒敛疮。用于急性肝炎，消化不良，脓疱疮，湿疹，皮肤瘙痒，烫火伤，毒蛇咬伤。

唇形科 Labiatae 香茶菜属 *Rabdosia*

总序香茶菜
Rabdosia racemosus (Hemsl.) H. W. Li

| 药 材 名 | 总序香茶菜。

| 形态特征 | 多年生草本。根茎木质，粗大，向下密生纤维状须根。茎直立，高
0.6 ~ 1 m，单一或分枝，钝四棱形，具 4 槽，常带紫红色，具细条纹，
略被微柔毛，节间常短于叶。茎生叶对生，菱状卵圆形，长 3 ~ 11 cm，
宽 1.2 ~ 4（~ 4.5）cm，先端长渐尖，基部楔形，长渐狭下延，边
缘具粗大牙齿或锯齿状牙齿，坚纸质或近膜质，上面深绿色，沿脉
上被短柔毛，余部散布小硬毛或变无毛，下面淡绿色，除脉上间或
极疏被短柔毛外，余部无毛，散布淡黄色腺点，侧脉约 3 对，两面
微凸起，平行细脉明显可见；叶柄本身长 2 ~ 10 mm，腹凹背凸，
被短柔毛。花序总状或假总状，假总状花序在花序下部为具短梗的

3 花聚伞花序，顶生及腋生，伸长，长 8 ~ 20 cm；花梗长 2 ~ 3 mm，与花序轴或总梗均被微柔毛；小苞片微小，线形，长约 1 mm；花萼花时钟形，长达 2.5 mm，外面被微柔毛及腺点，内面无毛，萼齿 5，明显 3/2 式二唇形，齿裂至萼长的 1/2，上唇 3 齿，齿卵圆状三角形，先端刺尖，下唇 2 齿，齿较大，长三角形，先端刺尖，果时花萼增大，长达 7 mm，略弯曲，脉纹明显；花冠白色或微红色，长达 1 cm，外疏被短柔毛及腺点，内面无毛，花冠筒长达 5.5 mm，基部上方骤然浅囊状且伸出花萼外，宽达 3 mm，至喉部渐收缩，宽达 2 mm，冠檐二唇形，上唇外反，长达 3.5 mm，先端具 4 圆裂，下唇宽卵圆形，长 4.5 mm，内凹，舟形；雄蕊 4，微露出，花丝丝状，中部以下具髯毛；花柱丝状，略伸出，先端具相等 2 浅裂；花盘环状。成熟小坚果倒卵珠形，长约 1.5 mm，淡黄褐色，无毛。花期 8 ~ 9 月，果期 9 ~ 10 月。

| **生境分布** | 生于海拔 700 ~ 1 500 m 的山坡草地、林下、灌丛中。分布于湖北鹤峰、利川、恩施、巴东、郧阳、枣阳。

| **功能主治** | 清热解毒。用于无名肿痛。

唇形科 Labiatae   香茶菜属 *Rabdosia*

碎米桠

Rabdosia rubescens (Hemsl.) Hara

药材名

冬凌草。

形态特征

小灌木，高（0.3 ~）0.5 ~ 1（~ 1.2）m。根茎木质，有长纤维状须根。茎直立，多数，基部近圆柱形，灰褐色或褐色，无毛，皮层纵向剥落，上部多分枝，分枝具花序，茎上部及分枝均四棱形，具条纹，褐色或带紫红色，密被小疏柔毛，幼枝极密被绒毛，带紫红色。茎生叶对生，卵圆形或菱状卵圆形，长 2 ~ 6 cm，宽 1.3 ~ 3 cm，先端锐尖或渐尖，先端渐尖者先端一齿较长，基部宽楔形，骤然渐狭下延成假翅，边缘具粗圆齿状锯齿，齿尖具胼胝体，膜质至坚纸质，上面榄绿色，疏被小疏柔毛及腺点，有时近无毛，下面淡绿色，密被灰白色短绒毛至近无毛，侧脉 3 ~ 4 对，两面十分明显，脉纹常带紫红色；叶柄连具翅假柄在内长 1 ~ 3.5 cm，向茎、枝顶部渐变短。聚伞花序 3 ~ 5 花，最下部者有时多至 7 花，具长 2 ~ 5 mm 的总梗，在茎及分枝顶上排列成长 6 ~ 15 cm 的狭圆锥花序，总梗与长 2 ~ 5 mm 的花梗及花序轴密被微柔毛，但常带紫红色；苞叶菱形或菱状卵圆形至披针形，向上渐变小，在圆锥花序下部者十分超出聚伞花序，在圆锥花序上部者往往短于聚伞花序很多，先端急尖，基部宽楔形，边缘具疏齿至近全缘，具短柄至近无柄，小苞片钻状线形或线形，长达 1.5 mm，被微柔毛；花萼钟形，长 2.5 ~ 3 mm，外密被灰色微柔毛及腺点，明显带紫红色，内面无毛，具 10 脉，萼齿 5，微呈 3/2 式二唇形，齿均卵圆状三角形，近钝尖，约占花萼长之半，上唇 3 齿，中齿略小，下唇 2 齿稍大而平伸，果时花萼增大，管状钟形，略弯曲，长 4 ~ 5 mm，脉纹明显；花冠长约 7 mm，有时达 12 mm，雄蕊退化的花冠会变小，长仅 5 mm，外疏被微柔毛及腺点，内面无毛，花冠筒长 3.5 ~ 5 mm，基部上方浅囊状突起，至喉部直径 2 ~ 2.5 mm，冠檐二唇形，上唇长 2.5 ~ 4 mm，外反，先端具 4 圆齿，下唇宽卵圆形，长 3.5 ~ 7 mm，内凹；雄蕊 4，略伸出，或有时雄蕊退化而内藏，花丝扁平，中部以下具髯毛；花柱丝状，伸出，先端相等 2 浅裂；花盘环状。小坚果倒卵状三棱形，长 1.3 mm，淡褐色，无毛。花期 7 ~ 10 月，果期 8 ~ 11 月。

| 生境分布 | 生于海拔 300 ~ 1 200 m 的沟边、路旁、山坡、草地等向阳处。分布于湖北鹤峰、巴东、神农架、兴山、秭归、五峰、罗田、郧西、竹溪，以及宜昌。

| 采收加工 | 全株：秋季采收，洗净，晒干。

| 功能主治 | 清热解毒，活血止痛。用于咽喉肿痛，感冒头痛，气管炎，慢性肝炎，风湿关节痛，蛇虫咬伤。

唇形科 Labiatae 香茶菜属 *Rabdosia*

黄花香茶菜
Rabdosia sculponeata (Vant.) H. Hara

| 药 材 名 |

黄花香茶菜。

| 形 态 特 征 |

直立草本。根粗厚，木质。高 0.5 ~ 2 m。茎丛生，四棱形，上部具槽，具分枝，被稀疏的白色糙硬毛及密的短柔毛。茎生叶对生，阔卵状心形或卵状心形，长 3.5 ~ 10.5（~ 19）cm，宽 3 ~ 9（~ 15）cm，先端尖锐或渐尖，基部深心形或浅心形，边缘具圆齿或牙齿，草质，上面橄绿色，被白色卷曲疏柔毛，基部较密，网脉上被白色平展长柔毛，近基部尤密，全面被黄色小腺点；叶柄长 1.5 ~ 7（~ 11.5）cm，被毛与茎相同。夏、秋季开黄色花，聚伞花序具 9 ~ 11 花，通常在主茎及分枝端组成宽 2 ~ 5 cm 的圆锥花序，稀生于叶腋，具梗；总梗长 0.6 ~ 1.2（~ 3）cm，花梗纤细，常长于花萼；苞叶与叶同形，向上渐变小，以至苞片状，近无柄；花萼花时钟形，长约 3 mm，直径约 2.5 mm，外面疏被白色糙硬毛，萼齿 5，近等大，三角状卵形，与萼筒近等长，果时花萼管状钟形，下部囊状增大，稍弯曲，长约 5 mm，直径 3 ~ 3.5 mm，萼齿呈 3/2 式二唇形，长仅及果萼全长的 1/3；花冠黄色，上唇内面

具紫斑，长约 6 mm，外被短柔毛及腺点，内面无毛，花冠筒长约 3 mm，几不超出花萼，基部上方浅囊状，冠檐二唇形，上唇微外反，长约 3 mm，宽约 4 mm，下唇近圆形，宽约 3.5 mm，内凹，舟形；雄蕊 4，内藏，花丝扁平，中部以下具髯毛；花柱丝状，先端相等 2 浅裂，内藏。小坚果卵三棱形，长约 1.8 mm，宽约 1.2 mm，栗色，具不明显的锈色小疣。花期 8 ～ 10 月，果期 10 ～ 11 月。

| 生境分布 | 生于海拔 500 ～ 2 800 m 的空旷草地上或灌丛中。分布于湖北郧西及十堰。

| 资源情况 | 野生资源丰富，栽培资源较少。

| 采收加工 | **全草**：夏、秋季采收，洗净，鲜用或晒干。

| 功能主治 | 理气，利湿，解毒。用于痢疾腹痛，足癣。

唇形科 Labiatae 香茶菜属 Rabdosia

溪黄草 *Rabdosia serra* (Maxim.) Kudo

| 药 材 名 | 溪黄草。

| 形态特征 | 多年生草本。根茎肥大，粗壮，有时呈疙瘩状，向下密生纤细的须根。茎直立，高 1.5 ~ 2 m，钝四棱形，具 4 浅槽，有细条纹，带紫色，基部木质，近无毛，向上密被倒向微柔毛；上部多分枝。茎生叶对生，卵圆形、卵圆状披针形或披针形，长 3.4 ~ 10 cm，宽 1.5 ~ 4.5 cm，先端近渐尖，基部楔形，边缘具粗大内弯的锯齿，草质，上面暗绿色，下面淡绿色，两面仅脉上密被微柔毛，余部无毛，散布淡黄色腺点，侧脉每侧 4 ~ 5 与中脉在两面微隆起，在边缘之内网结，其间平行细脉多少明显；叶柄长 0.5 ~ 3.5 cm，上部具渐宽大的翅，腹凹背凸，密被微柔毛。圆锥花序生于茎及分枝顶上，长 10 ~ 20 cm，下

部常分枝，植株上部全体组成庞大疏松的圆锥花序，圆锥花序由具 5 至多花的聚伞花序组成，聚伞花序具梗，总梗长 0.5 ~ 1.5 cm，花梗长 1 ~ 3 mm，总梗、花梗与花序轴均密被微柔毛；苞叶在下部者叶状，具短柄，长超过聚伞花序，向上渐变小成苞片状，披针形至线状披针形，长约与总梗相等，苞片及小苞片细小，长 1 ~ 3 mm，被微柔毛；花萼钟形，长约 1.5 mm，外密被灰白微柔毛，其间夹有腺点，内面无毛，萼齿 5，长三角形，近等大，长约为萼长之半，果时花萼增大，呈阔钟形，基部多少呈壶状，长约 3 mm，脉纹明显；花冠紫色，长达 6 mm，外面被短柔毛，内面无毛，花冠筒长约 3 mm，基部上方浅囊状，至喉部宽约 1.2 mm，冠檐二唇形，上唇外反，长约 2 mm，先端具相等 4 圆裂，下唇阔卵圆形，长约 3 mm，内凹；雄蕊 4，内藏；花柱丝状，内藏，先端相等 2 浅裂；花盘环状。成熟小坚果阔卵圆形，长 1.5 mm，先端圆，具腺点及白色髯毛。花果期 8 ~ 9 月。

| 生境分布 | 丛生于海拔 120 ~ 1 250 m 的山坡、路旁、田边、溪旁、河岸、草丛、灌丛、林下砂壤土上。分布于湖北英山、五峰。

| 采收加工 | **全草：**每年可采收 2 ~ 3 次，第 1 次约在栽后 3 个月收割，第 2 次在第 1 次收割后约 75 天进行，第 3 次在冬季前收割，割后晒干。

| 功能主治 | 清热解毒，利湿退黄，散瘀消肿。用于湿热黄疸，胆囊炎，泄泻，痢疾，疮肿，跌打伤痛。

唇形科 Labiatae 鼠尾草属 Salvia

南丹参

Salvia bowleyana Dunn

| 药 材 名 | 南丹参。

| 形态特征 | 多年生草本。根肥厚，外表红赤色，切面淡黄色。茎粗大，高
60 ~ 100 cm，被倒向长柔毛。叶为羽状复叶，长 10 ~ 20 cm，小
叶 5 ~ 7，卵状披针形，顶生小叶长 4 ~ 7.5 cm，宽 2 ~ 4.5 cm，
先端渐尖或尾尖，基部圆形或浅心形，侧生小叶较小，基部偏斜，
边缘均具圆锯齿，两面除脉上被疏柔毛外，余部均无毛，叶柄长
4 ~ 6 cm，被柔毛。轮伞花序具 8 至多花，组成顶生的总状花序或
总状圆锥花序；苞片披针形；花萼筒形，外面被腺状柔毛及短柔毛，
内面被白色长刚毛，上唇宽三角形，先端有靠合的 3 小齿，下唇浅
裂成 2 齿，齿锐尖；花冠紫色至蓝紫色，长 1.9 ~ 2.4 cm，上唇略

呈镰形,两侧折合,先端凹,下唇中裂片倒心形,先端微缺;雄蕊 2,略伸出。小坚果椭圆形。花期 4 ~ 6 月。

| **生境分布** | 生于海拔 30 ~ 960 m 的山地、林下、水边。分布于湖北郧西、通城、通山、保康、枣阳、竹溪。

| **采收加工** | **根:**秋季采挖,除去茎叶及须根,洗净,晒干。

| **功能主治** | 活血化瘀,调经止痛。用于胸痹绞痛,心烦,心悸,脘腹疼痛,月经不调,痛经,闭经,产后瘀滞腹痛,崩漏,肝脾肿大,关节痛,疝气痛,疮肿。

唇形科 Labiatae 鼠尾草属 Salvia

贵州鼠尾草 *Salvia cavaleriei* H. Levl.

| 药 材 名 |

血盆草。

| 形态特征 |

一年生草本。主根粗短，纤维状须根细长，多分枝。茎单一或基部多分枝，高 12 ~ 32 cm，细瘦，四棱形，青紫色，下部无毛，上部略被微柔毛。叶形状不一，下部的叶为羽状复叶，较大，顶生小叶长卵圆形或披针形，长 2.5 ~ 7.5 cm，宽 1 ~ 3.2 cm，先端钝或钝圆，基部楔形或圆形而偏斜，边缘有稀疏的钝锯齿，草质，上面绿色，被微柔毛或无毛，下面紫色，无毛，侧生小叶 1 ~ 3 对，常较小，全缘或有钝锯齿，上部的叶为单叶，或裂为 3 裂片，或于叶的基部裂出 1 对小的裂片；叶柄长 1 ~ 7 cm，下部的叶柄较长，无毛。轮伞花序具 2 ~ 6 花，疏离，组成顶生的总状花序，或总状花序基部分枝而成总状圆锥花序；苞片披针形，长约 2 mm，先端锐尖，基部楔形，无柄，全缘，带紫色，近无毛；花梗长约 2 mm，与花序轴略被微柔毛；花萼筒状，长 4.5 mm，外面无毛，内面上部被微硬伏毛；二唇形，唇裂至花萼长的 1/4，上唇半圆状三角形，全缘，先端锐尖，下唇比上唇长，半裂成 2 齿，齿三角形，锐尖；花冠蓝紫色或紫色，长约 8 mm，外面被微柔毛，内面在花冠筒中部有疏柔毛环，花冠筒长 5.5 mm，略伸出，自基部向上渐宽大，基部宽 1 mm，至喉部宽约 2 mm，冠檐二唇形，上唇长圆形，长约 3.5 mm，宽约 2 mm，先端微缺，下唇与上唇近等长，宽达 4 mm，3 裂，中裂片倒心形，先端微缺，侧裂片卵圆状三角形；能育雄蕊 2，伸出花冠上唇之外，花丝长 2 mm，药隔长 4.5 mm，上臂长 3 mm，下臂长 1.5 mm，药室退化，增大成足形，先端相互联合；退化雄蕊短小；花柱微伸出花冠，先端不相等 2 裂，后裂片较短；花盘前方略膨大。小坚果长椭圆形，长 0.8 mm，黑色，无毛。花期 7 ~ 9 月，果期 8 月。

| 生境分布 |　生于海拔 530 ~ 1 300 m 的多岩石的山坡、林下、灌丛、水沟旁。分布于湖北巴东、来凤。

| 采收加工 |　根：全年均可采收，洗净，鲜用或晒干。

| 功能主治 |　凉血解毒，散瘀止血。用于肺结核咯血，衄血，刀伤出血，月经过多，胃痛；外用于跌打损伤，疖肿等。

▨唇形科▨ Labiatae ▨鼠尾草属▨ *Salvia*

血盆草
Salvia cavaleriei H. Levl. var. *simplicifolia* Stib.

| **药 材 名** | 血盆草。

| **形态特征** | 一年生草本。主根粗短，纤维状须根细长，多分枝。茎单一或基部

多分枝，高 12 ~ 32 cm，细瘦，四棱形，青紫色，下部无毛，上部略被微柔毛。叶全部基生或稀在茎最下部着生，通常为单叶，心状卵圆形或心状三角形，稀三出叶，侧生小叶小，长 3.5 ~ 10.5 cm，宽约为长的 1/2，先端锐尖或钝，具圆齿，无毛或被疏柔毛；叶柄常比叶片长，无毛或被开展疏柔毛。2 ~ 6 花，疏离，组成顶生总状花序，或总状花序基部分枝而成总状圆锥花序，花序被极细贴生疏柔毛，无腺毛；苞片披针形，长约 2 mm，先端锐尖，基部楔形，无柄，带紫色，近无毛；花梗长约 2 mm，与花序轴略被微柔毛；花萼筒状，长 4.5 mm，外面无毛，内面上部被微硬伏毛；二唇形，唇裂至花萼长的 1/4，上唇半圆状三角形，全缘，先端锐尖，下唇比上唇长，半裂成 2 齿，齿三角形，锐尖；花冠紫色或紫红色，长约 8 mm，外面被微柔毛，内面在花冠筒中部有疏柔毛环，花冠筒长 5.5 mm，略伸出，自基部向上渐宽大，基部宽 1 mm，至喉部宽约 2 mm，冠檐二唇形，上唇长圆形，长约 3.5 mm，宽约 2 mm，先端微缺，下唇与上唇近等长，宽达 4 mm，3 裂，中裂片倒心形，先端微缺，侧裂片卵圆状三角形；能育雄蕊 2，伸出花冠上唇之外，花丝长 2 mm，药隔长 4.5 mm，上臂长 3 mm，下臂长 1.5 mm，药室退化，增大成足形，先端相互联合；退化雄蕊短小；花柱微伸出花冠，先端不相等 2 裂，后裂片较短；花盘前方略膨大。小坚果长椭圆形，长 0.8 mm，黑色，无毛。花期 7 ~ 9 月。

| **生境分布** | 生于海拔 530 ~ 1 300 m 的多岩石的山坡、林间或沟渠边。分布于湖北巴东、来凤、公安、五峰。

| **采收加工** | **全草**：全年均可采收，洗净，鲜用或晒干。

| **功能主治** | 凉血止血，活血消肿，清热利湿。用于咯血，吐血，鼻衄，崩漏，创伤出血，跌打损伤，疮痈疖肿，湿热泻痢，带下。

唇形科 Labiatae 鼠尾草属 Salvia

华鼠尾草

Salvia chinensis Benth.

| 药 材 名 | 石见穿。

| 形态特征 | 一年生草本，高 20 ~ 70 cm。根略肥厚，多分枝，直根不明显，紫褐色。茎直立或基部倾卧，高 20 ~ 60 cm，单一或分枝，钝四棱形，具槽，被短柔毛或长柔毛。叶全为单叶或下部具 3 小叶的复叶，叶柄长 0.1 ~ 7 cm，疏被长柔毛，叶片卵圆形或卵圆状椭圆形，先端钝或锐尖，基部心形或圆形，边缘有圆齿或钝锯齿，两面除叶脉被短柔毛外，余部近无毛，单叶叶片长 1.3 ~ 7 cm，宽 0.8 ~ 4.5 cm，复叶时顶生小叶片较大，长 2.5 ~ 7.5 cm，小叶柄长 0.5 ~ 1.7 cm，侧生小叶较小，长 1.5 ~ 3.9 cm，宽 0.7 ~ 2.5 cm，有极短的小叶柄。轮伞花序 6 花，在下部的疏离，在上部的较密集，组成长 5 ~ 24 cm 顶生的总状花

序或总状圆锥花序；苞片披针形，长 2 ~ 8 mm，宽 0.8 ~ 2.3 mm，先端渐尖，基部宽楔形或近圆形，在边缘及脉上被短柔毛，比花梗稍长；花梗长 1.5 ~ 2 mm，与花序轴被短柔毛；花萼钟形，长 4.5 ~ 6 mm，紫色，外面沿脉上被长柔毛，内面喉部密被长硬毛环，萼筒长 4 ~ 4.5 mm，萼檐二唇形，上唇近半圆形，长 1.5 mm，宽 3 mm，全缘，先端有 3 聚合的短尖头，具 3 脉，两边侧脉有狭翅，下唇略长于上唇，长约 2 mm，宽 3 mm，半裂成 2 齿，齿长三角形，先端渐尖；花冠蓝紫色或紫色，长约 1 cm，伸出花萼外，外面被短柔毛，内面离花冠筒基部 1.8 ~ 2.5 mm 有斜向的不完全疏柔毛环，花冠筒长约 6.5 mm，基部宽不及 1 mm，向上渐宽大，至喉部宽达 3 mm，冠檐二唇形，上唇长圆形，长 3.5 mm，宽 3.3 mm，平展，先端微凹，下唇长约 5 mm，宽 7 mm，3 裂，中裂片倒心形，向下弯，长约 4 mm，宽约 7 mm，先端微凹，边缘具小圆齿，基部收缩，侧裂片半圆形，直立，宽 1.25 mm；能育雄蕊 2，近外伸，花丝短，长 1.75 mm，药隔长约 4.5 mm，关节处有毛，上臂长约 3.5 mm，具药室，下臂瘦小，无药室，分离；花柱长 1.1 cm，稍外伸，先端不相等 2 裂，前裂片较长；花盘前方略膨大。小坚果椭圆状卵圆形，长约 1.5 mm，直径 0.8 mm，褐色，光滑。花期 8 ~ 10 月。

| 生境分布 | 生于海拔 120 ~ 500 m 的山坡或平地的林荫、路旁及田野草丛中。分布于湖北建始、红安、罗田、麻城、团风、英山、丹江口、竹溪、通城、谷城、南漳、枣阳、大悟、当阳、秭归，以及随州。

| 采收加工 | **全草：** 开花期采割，鲜用或晒干。

| 功能主治 | 活血化瘀，清热利湿，散结消肿。用于月经不调，痛经，闭经，崩漏，便血，湿热黄疸，热毒血痢，淋痛，带下，风湿骨痛，瘰疬，疮肿，乳痈，带状疱疹，麻风，跌打伤肿。

唇形科 Labiatae 鼠尾草属 Salvia

河南鼠尾草 *Salvia honania* Bailey

| 药材名 | 河南鼠尾草。

| 形态特征 | 一年生或二年生草本。根纤维状,簇生,纤细。茎直立,高 40 ~ 55 cm,钝四棱形,具 4 沟,不分枝或少分枝,密被具腺长柔毛。叶为单叶或由 3 小叶组成的复叶,具柄;叶柄长 3 ~ 11 cm,腹凹背凸,基部略宽大成鞘状;单叶叶片卵圆形,长 5 ~ 7 cm,宽 4 ~ 5.5 cm,先端渐尖或钝,基部心形,边缘具粗锯齿或圆齿状锯齿,草质,两面被长柔毛或疏柔毛,边缘具缘毛;复叶的顶生小叶较侧小叶大数倍,长 5 ~ 10.5 cm,宽 4.5 ~ 8 cm,其余与单叶相同;小叶柄长 1 ~ 4.3 cm,被毛同叶柄。轮伞花序 5 ~ 9 花,疏离,组成顶生总状或总状圆锥花序;苞片小,披针形或匙形,先端渐尖或圆

形，基部渐狭，全缘，边缘被长柔毛及腺毛；花梗长 2 ~ 6 mm，不等长，与花序轴密被具腺长柔毛；花萼筒状，长 7 ~ 8 mm，外沿脉上被具腺长柔毛，内面在喉部有一白色长柔毛毛环，二唇形，上唇三角形，长约 1.7 mm，宽约 3.4 mm，全缘或近全缘，具缘毛，下唇较大，2 齿裂，齿三角形，先端渐尖；花冠伸出，外面在花冠筒中部以上被短柔毛，内面近花冠筒中部有毛环，其上散生疏柔毛或微柔毛，花冠筒长 6 ~ 7 mm，近等大，冠檐二唇形，开展，上唇长圆形，长约 4.7 mm，先端微缺，下唇 3 裂，中裂片最大，基部狭小，先端宽大，微凹，分成 2 小裂片，小裂片边缘流苏状，侧裂片较小，卵圆形；能育雄蕊 2，外伸，花丝长约 1 mm，伸出花冠筒，药隔线形，长约 14 mm，上臂长约 10 mm，下臂短而扁，药室不发育，药室先端联合，退化雄蕊短小；花柱伸出，先端不相等 2 裂，后裂片较短。花盘前方略膨大。小坚果长圆状椭圆形，光滑。花期 5 月。

| 生境分布 | 生于低海拔地区的平原向阳水田中或潮湿地。分布于湖北红安、麻城、英山、兴山。

| 功能主治 | 活血调经，祛瘀止痛。

唇形科 Labiatae 鼠尾草属 Salvia

鼠尾草
Salvia japonica Thunb.

| 药 材 名 | 鼠尾草。

| 形态特征 | 一年生草本。须根密集。茎直立，高 40 ~ 60 cm，钝四棱形，具沟，沿棱上被疏长柔毛或近无毛。茎下部叶为二回羽状复叶，叶柄长 7 ~ 9 cm，腹凹背凸，被疏长柔毛或无毛，叶片长 6 ~ 10 cm，宽 5 ~ 9 cm；茎上部叶为一回羽状复叶，具短柄，顶生小叶披针形或菱形，长可达 10 cm，宽 3.5 cm，先端渐尖或尾状渐尖，基部长楔形，边缘具钝锯齿，被疏柔毛或两面无毛，草质，侧生小叶卵圆状披针形，长 1.5 ~ 5 cm，宽 0.8 ~ 2.5 cm，先端锐尖或短渐尖，基部偏斜近圆形，其余与顶生小叶同，近无柄。轮伞花序具 2 ~ 6 花，组成伸长的总状花序，或分枝组成总状圆锥花序，花序顶生；苞片

及小苞片披针形，长 2 ～ 5 mm，宽 0.5 ～ 1 mm，全缘，先端渐尖，基部楔形，两面无毛；花梗长 1 ～ 1.5 mm，被短柔毛；花序轴密被具腺或无腺疏柔毛；花萼筒形，长 4 ～ 6 mm，外面疏被具腺疏柔毛，内面在喉部有白色的长硬毛环，二唇形，唇裂达花萼长的 1/3，上唇三角形或近半圆形，长约 2 mm，宽 3 mm，全缘，先端具 3 小尖头，下唇与上唇近等长，宽约 3 mm，半裂成 2 齿，齿长三角形，长渐尖；花冠淡红色、淡紫色、淡蓝色至白色，长约 12 mm，外面密被长柔毛，内面离基部 2.5 ～ 4 mm，有斜生的疏柔毛环，花冠筒直伸，筒状，长约 9 mm，外伸，基部宽 2 mm，向上渐宽，至喉部宽达 3.5 mm，冠檐二唇形，上唇椭圆形或卵圆形，长 2.5 mm，宽 2 mm，先端微缺，下唇长 3 mm，宽 4 mm，3 裂，中裂片较大，倒心形，边缘有小圆齿，侧裂片卵圆形，较小；能育雄蕊 2，外伸，花丝长约 1 mm，药隔长约 6 mm，直伸或稍弯曲，上臂长，2 下臂瘦小，不育，分离；花柱外伸，先端不相等 2 裂，前裂片较长；花盘前方略膨大。小坚果椭圆形，长约 1.7 mm，直径 0.5 mm，褐色，光滑。花期 6 ～ 9 月。

| 生境分布 | 生于海拔 220 ～ 1 100 m 的山坡、路旁、荫蔽草丛、水边及林荫下。分布于湖北蕲春、保康、谷城。

| 采收加工 | 根：夏季采收，洗净，晒干。

| 功能主治 | 活血调经，清热利湿，消肿解毒。用于黄疸，月经不调，痛经，湿热带下，赤白下痢。

鄂西鼠尾草 *Salvia maximowicziana* Hemsl.

| **药材名** | 鄂西鼠尾草。

| **形态特征** | 多年生草本。根茎横生，稍粗厚，直径不及 1 cm，先端密被宿存的叶鞘。茎直立，高达 90 cm，不分枝，四棱形，被具腺的疏柔毛。叶有基生叶及茎生叶，叶片均圆心形或卵圆状心形，长与宽均为 6 ~ 8 cm 或 11 ~ 12 cm，先端圆形或骤然渐尖，基部心形或近戟形，边缘有粗大的圆齿状牙齿，齿锐尖或稍钝，有时具重牙齿及小裂片，膜质，上面深绿色，近无毛或略被短硬毛，下面色较淡，有明显的脉纹；叶柄扁平，基生叶叶柄最长，长约为叶片的 2 ~ 2.5 倍，茎生叶叶柄渐短，被具腺疏柔毛。轮伞花序通常具 2 花，疏离，排列成疏松庞大的总状圆锥花序；苞叶与茎生叶同形，但较小而无柄，

苞片披针形或卵圆状披针形，长 3 ~ 7 mm，先端长渐尖，基部宽楔形或近圆形，边缘被具腺疏柔毛；花梗长 1 ~ 2 mm，与花序轴被具腺疏柔毛；花萼钟形，长约 6 mm，外面略被疏柔毛，内面密被微硬伏毛，二唇形，上唇宽三角形，长 2.5 mm，宽 5 mm，先端具小突尖，下唇与上唇近等长，半裂成 2 齿，齿三角形，先端具小突尖；果萼增大，长约 8 mm，宽 1.2 cm，口部十分开张，上唇具 3 肋，2 侧肋具狭翅，先端骤然渐尖而略反折，下唇 2 齿，齿端刺状，其后略弯曲；花冠黄色，唇片上具紫晕，长约 2.2 cm，外面略被微柔毛，内面极疏生小疏柔毛，离基部 2.5 mm 处有水平向的小疏柔毛环，花冠筒直伸，微腹状膨大，至喉部宽达 8 mm，冠檐二唇形，上唇微盔状，卵圆形，长 5 mm，宽 4 mm，先端微凹，下唇与上唇近等长，3 裂，中裂片心形，长 3 mm，宽 4 mm，先端微凹，基部收缩，全缘，侧裂片小，半圆形或近平截；能育雄蕊伸出花冠，花丝近平伸，扁平，长约 5 mm，药隔长 5.5 mm，弯成弧形，上臂长 3 mm，下臂长 2.5 mm，2 下臂先端具横生的药室，药室互相联合；花柱伸出花冠，先端极不相等 2 浅裂，后裂片不明显；花盘前方稍膨大。小坚果倒卵圆形，两侧略扁，长 2.5 mm，宽 1.5 mm，黄褐色，顶部圆形，基部略尖。花期 7 ~ 8 月。

| 生境分布 | 生于海拔 220 ~ 1 100 m 的山坡、路旁、荫蔽草丛、水边及林荫下。分布于湖北蕲春、保康、谷城。

| 采收加工 | 根：夏季采收，洗净，晒干。

| 功能主治 | 活血调经，清热利湿，消肿解毒。用于黄疸，月经不调，痛经，湿热带下，赤白下痢。

| 附　注 | 本种的主要变种为多花鄂西鼠尾草 *Salvia maximowicziana* var. *floribunda*，与本种的区别在于多花鄂西鼠尾草茎单一或多数，上升，高 10 ~ 40 cm；叶较小，长 3 ~ 5（~ 8）cm。花序顶生，不分枝，与茎等长或长为茎长的 2 倍，间或有 2 ~ 4 侧生花序，其长与中央花序近等长；苞片卵圆状披针形，先端渐尖，下部苞片长 8 ~ 10 mm；大多不育或具不发育的花，彼此相隔 2 cm，花冠紫色。

唇形科 Labiatae 鼠尾草属 Salvia

丹参
Salvia miltiorrhiza Bunge

| 药 材 名 | 丹参。

| 形态特征 | 多年生直立草本。根肥厚，肉质，外面朱红色，内面白色，长 5 ~ 15 cm，直径 4 ~ 14 mm，疏生支根。茎直立，高 40 ~ 80 cm，四棱形，具槽，密被长柔毛，多分枝。叶为奇数羽状复叶，叶柄长 1.3 ~ 7.5 cm，密被向下长柔毛；小叶 3 ~ 5（~ 7），长 1.5 ~ 8 cm，宽 1 ~ 4 cm，卵圆形、椭圆状卵圆形或宽披针形，先端锐尖或渐尖，基部圆形或偏斜，边缘具圆齿，草质，两面被疏柔毛，下面较密，小叶柄长 2 ~ 14 mm，小叶柄与叶轴均密被长柔毛。轮伞花序 6 花或多花，下部者疏离，上部者密集，组成长 4.5 ~ 17 cm、具长梗的顶生或腋生总状花序；苞片披针形，先端渐尖，基部楔形，全缘，上面无毛，下面略被疏柔毛；花梗长 3 ~ 4 mm；花序轴密被长柔毛或具腺

长柔毛；花萼钟形，带紫色，长约 1.1 cm，花后稍增大，外面被疏长柔毛，具缘毛，内面中部密被白色长硬毛，具 11 脉，二唇形，上唇全缘，三角形，长约 4 mm，宽约 8 mm，先端具 3 小尖头，侧脉外缘具狭翅，下唇与上唇近等长，深裂成 2 齿，齿呈三角形，先端渐尖；花冠紫蓝色，长 2 ~ 2.7 cm，外被具腺短柔毛，内面离花冠筒基部 2 ~ 3 mm 处有斜生不完全疏柔毛毛环，花冠筒外伸，比冠檐短，基部宽 2 mm，向上渐宽，至喉部宽达 8 mm，冠檐二唇形，上唇长 12 ~ 15 mm，镰状，向上竖立，先端微缺，下唇短于上唇，3 裂，中裂片长 5 mm，宽达 10 mm，先端 2 裂，裂片顶端具不整齐的尖齿，侧裂片短，先端圆形，宽约 3 mm；能育雄蕊 2，伸至上唇片，花丝长 3.5 ~ 4 mm，药隔长 17 ~ 20 mm，中部关节处略被小疏柔毛，上臂长 14 ~ 17 mm，下臂短而增粗，

药室不育，顶端联合；退化雄蕊线形，长约 4 mm；花柱远外伸，长达 40 mm，先端不相等 2 裂，后裂片极短，前裂片线形；花盘前方稍膨大。小坚果黑色，椭圆形，长约 3.2 cm，直径 1.5 mm。花期 4 ~ 8 月。

| 生境分布 | 生于海拔 1 800 m 以下的向阳坡地、平地、道旁。分布于湖北远安、宜都、蕲春、武穴、麻城及随州等。湖北多地有栽培。

| 采收加工 | **根及根茎：**春、秋季采挖，除去泥沙，干燥。

| 功能主治 | 活血祛瘀，通经止痛，清心除烦，凉血消痈。用于胸痹心痛，脘腹胁痛，癥瘕积聚，热痹疼痛，心烦不眠，月经不调，痛经，闭经，疮疡肿痛。

唇形科 Labiatae 鼠尾草属 Salvia

丹参白花变型

Salvia miltiorrhiza Bunge f. *alba* C. Y. Wu & H. W. Li

| 药 材 名 | 白花丹参。

| 形态特征 | 多年生草本。根肥厚，外面红色。茎高 40 ~ 80 cm，有长柔毛。叶常为单数羽状复叶；小叶 1 ~ 3 对，卵形或椭圆状卵形，两面有毛。花为白花，轮伞花序组成顶生或腋生的假总状花序，密生腺毛或长柔毛；苞片披针形；花萼白色，有 11 脉纹，长约 11 mm，外有腺毛，二唇形，上唇阔三角形，先端有 3 聚合小尖头，下唇有 2 齿，三角形或近半圆形；花冠白色，长 2 ~ 2.7 cm，花冠筒内有毛环，上唇镰形，下唇短于上唇，3 裂，中间裂片最大；雄蕊着生于下唇基部。小坚果黑色，椭圆形。花期 4 ~ 6 月，果期 7 ~ 8 月。

| 生境分布 | 生于山地丘陵、山坡、林下灌丛。分布于湖北麻城、蕲春。

| 采收加工 | 根：春、秋季均可采挖，除去泥土，晒干。
叶：茎叶茂盛时采收，晒干。
花：4 ~ 6 月采摘，晒干。

| 功能主治 | 根：活血祛瘀，通经止痛，清心除烦，凉血消痈。用于胸痹心痛，脘腹胁痛，癥瘕积聚，热痹疼痛，心烦不眠，月经不调，痛经，经闭，疮疡肿痛。
叶：活血祛瘀，清心除烦。用于胸痹心痛，心烦不眠，头晕目眩。
花：清心除烦，活血除瘀。

| 附　　注 | 白花丹参为唇形科植物丹参的白花变型，花冠为白色或淡黄色，不同于丹参的紫色或紫红色花冠，多以根入药，味苦，微寒，对治疗血栓性脉管炎具有独特疗效。

唇形科 Labiatae 鼠尾草属 Salvia

南川鼠尾草
Salvia nanchuanensis Sun

| 药 材 名 |　南川鼠尾草。

| 形态特征 |　一年生或二年生草本。根肥厚，狭锥形，长 2 ~ 6 (~ 15) cm，
直径 3 ~ 4 mm，须根多数，丝状延长。茎直立，高 20 ~ 65 cm，
单生或少数丛生，不分枝，钝四棱形，具沟，密被平展白色长绵
毛。叶茎生，大都为一回奇数羽状复叶，间有 2 回裂片，叶柄长
1.5 ~ 5.5 cm，腹凹背凸，密被白色绵毛，小叶卵圆形或披针形，长
2 ~ 6.5 cm，宽 0.7 ~ 2.3 cm，先端钝或渐尖，基部偏斜，圆形或心
形，边缘有圆齿或锯齿，薄纸质，上面绿色，无毛，下面青紫色，
脉上有长柔毛，小叶柄长 2 ~ 7 mm，毛被同叶柄。轮伞花序具 2 ~ 6
花，组成顶生或腋生长 6 ~ 15 cm 的总状花序，植株上部组成长达

25 cm 的总状圆锥花序；苞片披针形，长 1 ~ 3 mm，先端渐尖，基部渐狭，两面略被短柔毛，边缘具缘毛；花梗长约 3 mm，与花序轴被具腺疏柔毛；花萼筒形，长 5 ~ 7 mm，深紫色，外面脉上被具腺白色疏柔毛，内面喉部被白色长硬毛，二唇形，上唇三角形，长约 1 mm，宽 4.5 mm，全缘，先端具 1 或 3 短尖头，下唇比上唇长，长约 2 mm，宽 3 mm，半裂成 2 齿，齿长三角形，先端渐尖，果时花萼长 6 ~ 8 mm；花冠紫红色，长 0.9 ~ 3 cm，长筒形，外面被疏柔毛，内面在花冠筒中部有稀疏分散的疏柔毛，花冠筒长达 2.5 cm，直伸，基部宽 2 mm，至喉部稍宽大，冠檐二唇形，上唇长圆形，长约 5 mm，宽 3 mm，先端微缺，下唇长约 5 mm，宽达 7 mm，3 裂，中裂片宽倒心形，先端微缺，边缘波状，侧裂片半圆形，不反折，无毛；能育雄蕊 2，略伸出花冠外，花丝长约 2 mm，药隔长 3.5 mm，上臂略长，具能育的药室，2 下臂不育，先端略膨大，并互相联合；花柱伸出，先端不相等 2 裂，前裂片较长而大；花盘等大。小坚果椭圆形，长 2 mm，褐色，无毛。花期 7 ~ 8 月。

| 生境分布 | 生于海拔 200 ~ 2 000 m 的山坡、林缘、灌丛中。分布于湖北恩施、神农架、丹江口、房县、郧西、郧阳、竹溪、南漳。

| 功能主治 | 根：用于月经不调。

| 附　　注 | 本种的主要变种为蕨叶南川鼠尾草 *Salvia nanchuanensis* Sun var. *pteridifolia* Sun。

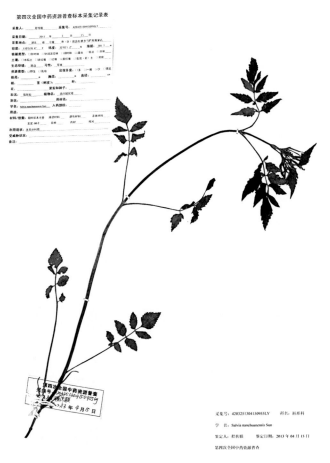

唇形科 Labiatae 鼠尾草属 *Salvia*

荔枝草
Salvia plebeian R. Br.

| **药 材 名** | 荔枝草。

| **形态特征** | 一年生或二年生草本。主根肥厚，向下直伸，有多数须根。茎直立，高 15 ~ 90 cm，粗壮，多分枝，被向下的灰白色疏柔毛。叶椭圆状卵圆形或椭圆状披针形，长 2 ~ 6 cm，宽 0.8 ~ 2.5 cm，先端钝或急尖，基部圆形或楔形，边缘具圆齿、牙齿或尖锯齿，草质，上面被稀疏的微硬毛，下面被短疏柔毛，余部散布黄褐色腺点；叶柄长 4 ~ 15 mm，腹凹背凸，密被疏柔毛。轮伞花序具 6 花，多数，在茎、枝先端密集，组成总状或总状圆锥花序，花序长 10 ~ 25 cm，结果时延长；苞片披针形，长于或短于花萼；先端渐尖，基部渐狭，全缘，两面被疏柔毛，下面较密，边缘具缘毛；花梗长约 1 mm，与花序轴

密被疏柔毛；花萼钟形，长约 2.7 mm，外面被疏柔毛，散布黄褐色腺点，内面喉部有微柔毛，二唇形，唇裂约至花萼长的 1/3，上唇全缘，先端具 3 小尖头，下唇深裂成 2 齿，齿三角形，锐尖；花冠淡红色、淡紫色、紫色、蓝紫色至蓝色，稀白色，长 4.5 mm，花冠筒外面无毛，内面中部有毛环，冠檐二唇形，上唇长圆形，长约 1.8 mm，宽 1 mm，先端微凹，外面密被微柔毛，两侧折合，下唇长约 1.7 mm，宽 3 mm，外面被微柔毛，3 裂，中裂片最大，阔倒心形，先端微凹或呈浅波状，侧裂片近半圆形；能育雄蕊 2，着生于下唇基部，略伸出花冠外，花丝长 1.5 mm，药隔长约 1.5 mm，弯成弧形，上臂和下臂等长，上臂具药室，2 下臂不育，膨大，互相联合；花柱和花冠等长，先端不相等 2 裂，前裂片较长；花盘前方微隆起。小坚果倒卵圆形，直径 0.4 mm，成熟时干燥，光滑。花期 4 ~ 5 月，果期 6 ~ 7 月。

| **生境分布** | 生于海拔 2 000 m 以下的山坡、路旁、荒地、河边湿地上。分布于湖北建始、宣恩、神农架、红安、麻城、英山、公安、丹江口、郧西、竹溪、通城、通山、保康、谷城、南漳、枣阳、当阳、秭归。

| **采收加工** | 全草：6 ~ 7 月穗绿时采收，除去泥土，扎成小把，晒干或鲜用。

| **功能主治** | 清热解毒，凉血散瘀，利水消肿。用于感冒发热，咽喉肿痛，肺热咳嗽，咯血，吐血，尿血，崩漏，痔疮出血，肾炎性水肿，痢疾，痈痛疮毒，湿疹瘙痒，跌打损伤，蛇虫咬伤。

| **附　注** | 荔枝草是唇形科鼠尾草属植物，全草含有黄酮类、萜类、挥发油类化合物，在临床和民间多用于急性扁桃体炎、慢性支气管炎等疾病。其在保健品方面也具有较高的研发价值，如以荔枝草和百合粉为主要原料，通过酒精和醋酸发酵研制出荔枝草百合复合保健醋饮料；以不同采收期的荔枝草为原料，研发出荔枝草保健茶；以荔枝草、金银花为主要原料，加入白砂糖、柠檬酸和羧甲基纤维素钠，研发出荔枝草金银花复合饮料等，均有较好的保健效果。

唇形科 Labiatae 鼠尾草属 Salvia

长冠鼠尾草 *Salvia plectranthoides* Griff.

药材名

红骨参。

形态特征

一年生或二年生草本。根茎匍匐或斜上升，短，近木质，根常增大成块根状，梭形，长1.5～3（～5）cm，直径3～5mm，外皮朱红色，侧根丝状，多数。茎直立或从基部上升，单生或少数丛生，钝四棱形，具槽，密被短柔毛，其间有开展的疏柔毛，或仅被开展疏柔毛。叶基出及茎生，为三出叶至5～7小叶的奇数羽状复叶或二回羽状复叶，小叶卵形、近圆形至披针形，长0.5～5cm，宽与长相等或较狭，先端急尖至渐尖，或钝至近圆形，基部偏斜，宽楔形或圆形，边缘具圆齿或圆齿状牙齿，草质，常下面带紫色，两面无毛或上面略被，下面沿脉上被疏柔毛，下面具腺点，叶柄比叶片长或稍短，腹凹背凸，基部略宽大；被开展长柔毛或变无毛。轮伞花序（2～）5～7花，疏离，组成伸长的顶生总状或总状圆锥花序；苞片小，披针形，与花梗等长或短于花梗，先端渐尖，基部楔形，全缘，具长纤毛；花梗长1～2mm，与花序轴密被具腺疏柔毛；花萼钟状筒形或筒形，开花时长5～8mm，外面在脉上被具腺短柔毛，疏生浅黄色腺点，内面无硬毛环，在上半部被微硬伏毛，二唇形，唇裂约为花萼长的 1/4，上唇半圆形，长约 1.5 mm，宽约 2.5 mm，全缘，先端具 3 靠合小齿，下唇与上唇近等长，宽达 3 mm，深 2 裂，齿三角形，先端渐尖，果时花萼增大，长 7 ~ 11 mm，外面变无毛；花冠红色、淡紫色、紫红色、紫色至紫蓝色，稀白色，长 1.1 ~ 2 cm，外面被疏短柔毛，内面近无毛，花冠筒管状，长为花萼的 2 ~ 3 倍，在上部稍增大，冠檐二唇形，上唇直伸，长约 3 mm，宽 1.75 mm，先端微缺，下唇宽大，稍长于上唇，3 裂，中裂片最大，倒心形，先端微缺，边缘浅波状，侧裂片近半圆形，较小；能育雄蕊 2，稍外伸，花丝长 2 ~ 3 mm，药隔近伸直，长 3 ~ 4 mm，上臂稍长，下臂先端稍膨大，且彼此联合；花柱外伸，先端不相等 2 裂，后裂片较短；花盘前方略膨大。小坚果长圆形，长约 2.5 mm，腹面具棱，先端圆，淡褐色，棱棕褐色。花期 5 ~ 8 月。

| **生境分布** | 生于海拔 800 ~ 2 500 m 的山坡或疏林下。分布于湖北丹江口、郧西、竹溪、远安。

| **采收加工** | **根**：秋季采挖，除去杂质，晒干。

| **功能主治** | 补虚，调经，祛风止咳。用于劳伤虚弱，月经不调，崩漏，伤风咳嗽。

唇形科 Labiatae 鼠尾草属 *Salvia*

甘西鼠尾草

Salvia przewalskii Maxim.

| 药 材 名 | 甘西鼠尾草。

| 形态特征 | 多年生草本。根木质，直伸，圆柱锥状，外皮红褐色，长10 ~ 15 cm，直径3 ~ 7 mm。茎高达60 cm，自基部分枝，上升，丛生，上部间有分枝，密被短柔毛。叶有基生叶、茎生叶2种，均具柄，叶片三角状或椭圆状戟形，稀心状卵圆形，有时具圆的侧裂片，长5 ~ 11 cm，宽3 ~ 7 cm，先端锐尖，基部心形或戟形，边缘具近整齐的圆齿状牙齿，草质，上面绿色，被微硬毛，下面灰白色，密被灰白绒毛；基生叶的叶柄长6 ~ 21 cm，茎生叶的叶柄长1 ~ 4 cm，密被微柔毛。轮伞花序2 ~ 4花，疏离，组成顶生长8 ~ 20 cm的总状花序，有时具腋生的总状花序而形成圆锥花序；苞片卵圆形或

椭圆形，长 3 ～ 8 mm，宽 2.5 ～ 3.5 mm，先端锐尖，基部楔形，全缘，两面被长柔毛；花梗长 1 ～ 5 mm，与花序轴密被疏柔毛；花萼钟形，长约 11 mm，外面密被具腺长柔毛，其间杂有红褐色腺点，内面散布微硬伏毛，二唇形，上唇三角状半圆形，长约 4 mm，宽约 5 mm，先端有 3 短尖，下唇较上唇短，长约 3 mm，宽约 6 mm，半裂为 2 齿，齿三角形，先端锐尖；花冠紫红色，长 21 ～ 35(～ 40) mm，外被疏柔毛，在上唇散布红褐色腺点，内面离基部 3 ～ 5 mm 有斜向的疏柔毛毛环，花冠筒长约 17 mm，在毛环下方呈狭筒形，宽约 2 mm，自毛环向上逐渐膨大，直伸花萼外，至喉部宽约 8 mm，冠檐二唇形，上唇长圆形，长约 5 mm，全缘，先端微缺，稍内凹，边缘具缘毛，下唇长约 7 mm，宽约 11 mm，3 裂，中裂片倒卵圆形，先端近平截，侧裂片半圆形；能育雄蕊伸于上唇下面，花丝扁平，长约 4.5 mm，水平伸展，无毛，药隔长约 3.5 mm，弧形，上臂和下臂近等长，二下臂先端各横生药室，并互相连合；花柱略伸出花冠，先端 2 浅裂，后裂片极短，花盘前方稍膨大。小坚果倒卵圆形，长约 3 mm，宽约 2 mm，灰褐色，无毛。花期 5 ～ 8 月。

| **生境分布** | 生于海拔 2 100 ～ 3 100 m 的林缘、路旁、沟边灌丛中。分布于湖北郧西。

| **资源情况** | 野生资源丰富，栽培资源较少。

| **功能主治** | 活血祛瘀，止痛消肿，养血安神。用于月经不调，产后瘀阻疼痛，痈疮肿毒，心烦失眠，心悸，肝脾肿大，关节疼痛。

唇形科 Labiatae 鼠尾草属 Salvia

地埂鼠尾草 *Salvia scapiformis* Hance

| 药 材 名 | 地埂鼠尾草。

| 形态特征 | 一年生草本。须根密集，纤细，自下部茎节生出。茎细长，高20 ~ 26 cm，在基部分枝或不分枝，略被倒伏的微柔毛或近无毛。叶常为根出叶或近根出叶，稀有茎生叶，根出叶多为单叶，间或有分出 1 片或 1 对小叶成复叶，叶柄长 2.5 ~ 9 cm，扁平，无毛或略被微柔毛，叶片心状卵圆形，长 2 ~ 4.3 cm，宽 1.3 ~ 3.6 cm，尖端钝或急尖，基部心形，边缘具浅波状圆齿，薄纸质，上面深绿色，无毛，下面青紫色，除脉上被短柔毛外，其余均无毛，复叶的顶生小叶较大，侧生小叶小或成狭片或近减退；茎生叶很少，间有 1 ~ 2 对，叶柄短或近无柄，叶片与根出叶者相同，但较小。轮伞花序具

6 ~ 10 花，疏离，组成长 10 ~ 20 cm 的顶生总状或总状圆锥花序；苞片卵圆状披针形，长 2 ~ 5 mm，先端锐尖或短渐尖，基部楔形，全缘，两面绿色；花梗长 1.5 mm，与花序轴被短柔毛；花萼筒形，长 4.5 mm，外面近无毛，稀生浅黄色腺点，背部常染红色，内面上部被微伏毛，二唇形，上唇半圆状三角形，全缘，先端有小尖突，下唇浅裂成 2 齿，齿三角形，锐尖；花冠紫色或白色，长约 7 mm，外面被短柔毛，内面在花冠筒中部略上方有小疏柔毛环，花冠筒略伸出花萼外，近等大，宽 0.75 mm，至喉部略宽大，冠檐二唇形，上唇直伸，两侧褶合，先端深凹，下唇比上唇长，3 裂，中裂片最大，阔倒心形，向两侧伸展，侧裂片卵圆形；能育雄蕊 2，伸出花冠外，花丝长 1 mm，颇粗大，药隔长 2.4 mm，上臂长 1.5 mm，向前直伸，无毛，2 下臂瘦小而弯曲，长 0.9 mm，先端不具药室，互相分离；花柱与花冠等长，先端 2 裂，前裂片较长；花盘前方微膨大。小坚果长卵圆形，长约 1.5 mm，先端急尖，褐色，无毛。花期 4 ~ 5 月。

| 生境分布 | 生于山谷、林下、山顶。分布于湖北恩施、利川、神农架。

| 功能主治 | 用于咳嗽，咯血，外伤，创伤性出血，痢疾，疳病。

| 附　　注 | 地埂鼠尾草 *Salvia scapiformis* Hance 有 3 个主要变种，原变种 *Salvia scapiformis* Hance var. *scapiformis*、硬毛变种 *Salvia scapiformis* Hance var. *hirsuta* Stib. 及钟萼变种 *Salvia scapiformis* Hance var. *carphocalyx* Stib.。硬毛变种与原变种的区别在于硬毛变种根出叶多数及茎生叶 2 ~ 4，单叶或具 1 ~ 2 对小叶的复叶，心形或卵圆形状披针形，先端圆或近锐尖，两面近无毛，叶柄被疏而纤细、长 2 ~ 3 mm 极开展的多节硬毛；钟萼变种与原变种的区别在于钟萼变种叶在茎下部簇生或茎平卧因而叶在整个茎上着生，轮状花序密集，果萼长 6 ~ 7 mm，钟形，膜质，干时带黄色。硬毛变种在《中华本草》中的中药名称是"白补药"，具有补虚益损、强筋壮骨的功能，用于肺病，虚弱干瘦，头目眩晕，劳伤筋骨。

唇形科 Labiatae 鼠尾草属 Salvia

一串红
Salvia splendens Ker-Gawl.

| 药 材 名 | 一串红。

| 形态特征 | 亚灌木状草本，高可达 90 cm。茎钝四棱形，具浅槽，无毛。叶卵圆形或三角状卵圆形，长 2.5 ~ 7 cm，宽 2 ~ 4.5 cm，先端渐尖，基部截形或圆形，稀钝，边缘具锯齿，上面绿色，下面色较淡，两面无毛，下面具腺点；茎生叶叶柄长 3 ~ 4.5 cm，无毛。轮伞花序具 2 ~ 6 花，组成顶生的总状花序，花序长 20 cm 或以上；苞片卵圆形，红色，大，在开花前包裹着花蕾，先端尾状渐尖；花梗长 4 ~ 7 mm，密被染红的具腺柔毛，花序轴被微柔毛；花萼钟形，红色，开花时长约 1.6 cm，开花后增大至 2 cm，外面沿脉上被染红的具腺柔毛，内面在上半部被微硬伏毛，二唇形，唇裂达花萼长的 1/3，上

唇三角状卵圆形，长 5 ~ 6 mm，宽 10 mm，先端具小尖头，下唇比上唇略长，2 深裂，裂片三角形，先端渐尖。花冠红色，长 4 ~ 4.2 cm，外面被微柔毛，内面无毛，花冠筒筒状，直伸，在喉部略增大，冠檐二唇形，上唇直伸，略内弯，长圆形，长 8 ~ 9 mm，宽约 4 mm，先端微缺，下唇比上唇短，3 裂，中裂片半圆形，侧裂片长卵圆形，比中裂片长；能育雄蕊 2，近外伸，花丝长约 5 mm，药隔长约 1.3 cm，近伸直，上、下臂近等长，上臂药室发育，下臂药室不育，下臂粗大，不联合；退化雄蕊短小；花柱与花冠近相等，先端不相等 2 裂，前裂片较长；花盘等大。小坚果椭圆形，长约 3.5 mm，暗褐色，先端具极少数不规则的折皱，边缘或棱具狭翅，光滑。花期 3 ~ 10 月。

| 生境分布 | 分布于湖北恩施、利川、黄梅、英山、郧西、南漳、五峰、兴山、秭归。

| 功能主治 | 清热凉血，消肿散结，解毒。用于蛇咬伤。

唇形科 Labiatae 鼠尾草属 Salvia

佛光草

Salvia substolonifera Stib.

| 药 材 名 |

佛光草。

| 形态特征 |

一年生草本。根须状，簇生。茎少数，丛生，基部上升或匍匐，高 10 ~ 40 cm，不分枝或少分枝，四棱形，具浅槽，被短柔毛或微柔毛。叶有根出叶及茎生叶，根出叶大多数为单叶，茎生叶为单叶或三出叶或 3 裂，单叶叶片卵圆形，长 1 ~ 3 cm，宽 0.8 ~ 2 cm，先端圆形，基部截形或圆形，边缘具圆齿，膜质，两面近无毛或仅沿脉上被微硬毛，三出叶或 3 裂时，小叶卵圆形，顶生小叶较大，卵圆形至近圆形，侧生小叶比顶生小叶小，小叶柄长 1 ~ 4 mm 或至无柄，被微柔毛；叶柄长 0.6 ~ 6 cm，扁平，被微柔毛。轮伞花序具 2 ~ 8 花，在下部疏离，在上部稍密集，组成长 7 ~ 15 cm 的顶生或腋生总状花序，有时顶生总状花序基部具 2 短分枝，因而组成三叉状的总状圆锥花序；苞片长卵圆形，长 3 ~ 5 mm，先端渐尖或锐尖，基部楔形，全缘，两面近无毛；花梗长约 2 mm，与花序轴密被微硬毛及具腺疏柔毛；花萼钟形，花时长 3 ~ 4 mm，果时增大，长达 7 mm，外面被微柔毛及腺点，内面近无毛，二唇形，上唇梯形，先端截形，全缘或具不明显 2 齿，下唇比上唇稍长，深裂成 2 齿，齿卵状三角形，先端锐尖；花冠淡红色或淡紫色，细小，长 5 ～ 7 mm，外面略被微柔毛，内面无毛环或具毛环，花冠筒近外伸或稍外伸，钟形，长 3 ～ 4 mm，基部筒状，宽约 1 mm，至子房部分稍缢缩，其上渐扩大，至喉部宽约 2 mm，冠檐二唇形，上唇近长圆形或倒卵圆形，直伸，先端微凹，下唇 3 裂，中裂片较大，近倒心形，边缘浅波状，侧裂片圆形；能育雄蕊 2，上弯，不外伸，花丝长 1 mm，药隔短小，长不及 1 mm，弯成弧形，上、下臂等长，下臂发育，较上臂小，分离；花柱内藏，先端 2 裂，前裂片伸长；花盘前方微膨大。小坚果卵圆形，长 1.5 mm，直径 0.7 mm，淡褐色，先端圆形，腹面具棱，无毛。花期 3 ～ 5 月。

| 生境分布 | 生于海拔 40 ～ 950 m 的林内、沟边、石隙等潮湿地。分布于湖北恩施、枣阳。

| 采收加工 | **全草**：夏、秋季采收，晒干或鲜用。

| 功能主治 | 清肺化痰，益肾，调经，止血。用于肺热咳嗽，痰多气喘，吐血，肾虚腰酸，小便频数，带下，月经过多。

| 附　注 | 佛光草作为浙南地区补肾名方"七肾汤"的组成药物之一，治疗肾虚腰痛、月经不调等病证效果显著。此外，经研究，佛光草具有显著的抗肿瘤作用，值得进一步研究。

唇形科 Labiatae 鼠尾草属 *Salvia*

荫生鼠尾草 *Salvia umbratica* Hance

| 药 材 名 | 荫生鼠尾草。

| 形态特征 | 一年生或二年生草本。根粗大，锥形，木质，褐色。茎直立，高可达 1.2 m，钝四棱形，被长柔毛，间有腺毛，分枝，枝锐四棱形。叶片三角形或卵圆状三角形，长 3 ~ 16 cm，宽 2.3 ~ 16 cm，先端渐尖或尾状渐尖，基部心形或戟形，间有近截形，基片卵圆形，先端锐尖或钝，边缘具重圆齿或牙齿，上面绿色，被长柔毛或短硬毛，下面淡绿色，沿脉被长柔毛，余部散布黄褐色腺点；叶柄长 1 ~ 9 cm，被疏或密的长柔毛。轮伞花序具 2 花，疏离，组成顶生及腋生的总状花序；下部苞片叶状，具齿，较上部苞片披针形，长 3 ~ 6 mm，宽 1 ~ 3 mm，先端渐尖，基部楔形，全缘，两面被短柔毛；花梗长

约 2 mm，与花序轴被长柔毛及腺短柔毛；花萼钟形，长 7 ~ 10 mm，花后稍增大，外面被长柔毛，内面被微硬伏毛，二唇形，唇裂至萼长的 1/3，上唇宽卵状三角形，长约 3 mm，宽 6 mm，先端有 3 聚合的短尖头，下唇比上唇略长，半裂成 2 齿，齿斜三角形，先端锐尖；花冠蓝紫色或紫色，长 2.3 ~ 2.8 cm，外面略被短柔毛，内面离基部 3 ~ 3.5 mm 处有斜向不完全的疏柔毛环，花冠筒基部狭长，圆筒形，伸出花萼外，向上突然膨大，并向上弯曲，呈喇叭状，宽达 7 mm，冠檐二唇形，上唇长圆状倒心形，长 8 mm，宽 6 ~ 7 mm，先端微缺，下唇较上唇短而宽，长 7 mm，宽达 12 mm，3 裂，中裂片阔扇形，长 4 mm，宽 8 mm，侧裂片新月形，宽 3 mm；能育雄蕊 2，伸至上唇片，不伸出，花丝长 5 mm，扁平，无毛，药隔长 7.5 mm，弧形，上臂长 4 mm，下臂长 3.5 mm，顶生横向的药室，药室先端联合；退化雄蕊短小，长约 1 mm；花柱外伸或与花冠上唇等长，先端不相等 2 浅裂，后裂片较短；花盘前方稍膨大。小坚果椭圆形。花期 8 ~ 10 月，果期 10 月。

| 生境分布 | 生于海拔 600 ~ 2 000 m 的山坡、谷地或路旁。分布于湖北保康。

| 功能主治 | **全草：** 凉血，止血，活血。
种子： 调经活血。

| 附　　注 | 研究发现，五环三萜类化合物是荫生鼠尾草的主要成分，二萜类化合物在其中含量很少，三萜类化合物具有抗炎、护肝、抗肿瘤等药理作用。

多裂叶荆芥 *Schizonepeta multifida* Briq.

药材名

多裂叶荆芥。

形态特征

多年生草本。根茎木质，由其上发出多数萌株。茎高可达 40 cm，半木质化，上部四棱形，基部带圆柱形，被白色长柔毛，侧枝通常极短，极似数枚叶片丛生，有时上部的侧枝发育，并有花序。叶卵形，羽状深裂或分裂，有时浅裂至近全缘，长 2.1 ～ 3.4 cm，宽 1.5 ～ 2.1 cm，先端锐尖，基部截形至心形，裂片线状披针形至卵形，全缘或具疏齿，坚纸质，上面橄绿色，被微柔毛，下面白黄色，被白色短硬毛，脉上及边缘被睫毛，有腺点；叶柄通常长约 1.5 cm。花序为由多数轮伞花序组成的顶生穗状花序，长 6 ～ 12 cm，连续，很少间断；苞片叶状，深裂或全缘，下部苞片较大，长约 10 mm，上部苞片渐变小，卵形，先端骤尖，变紫色，较花长，长约 5 mm，小苞片卵状披针形或披针形，带紫色，与花等长或略长于花；花萼紫色，基部带黄色，长约 5 mm，直径 2 mm，具 15 脉，外面被稀疏的短柔毛，内面无毛，齿 5，三角形，长约 1 mm，先端急尖；花冠蓝紫色，干后变淡黄色，长约 8 mm，外面被交错的柔毛，内面在喉部被极少柔毛，花冠筒向喉部渐宽，冠檐二唇形，上唇 2 裂，下唇 3 裂，中裂片最大；雄蕊 4，前对较上唇短，后对略超出上唇，花药浅紫色；花柱与前对雄蕊等长，先端近相等的 2 裂，柱头略粗，带紫色。小坚果扁长圆形，腹部略具棱，长约 1.6 mm，宽 0.6 mm，褐色，平滑，基部渐狭。花期 7 ~ 9 月。

| 生境分布 | 生于海拔 1 300 ~ 2 000 m 的松林林缘、山坡草丛中或湿润的草原上。分布于湖北保康。

| 采收加工 | 茎叶：秋季开花穗绿时采收，晒干。也有先摘下花穗，再割取茎枝，分别晒干。
根：夏、秋季采挖，洗净，晒干或鲜用。

| 功能主治 | 茎叶：疏风，解表，透疹。用于感冒，头痛，麻疹不透，荨麻疹，皮肤瘙痒等。
根：止血，止痛。用于吐血，崩漏，牙痛，瘰疬。

唇形科 Labiatae 裂叶荆芥属 Schizonepeta

裂叶荆芥 Schizonepeta tenuifolia Benth.

| 药 材 名 | 荆芥。

| 形态特征 | 一年生草本。高 60 ~ 100 cm，具强烈香气。茎直立，四棱形，上部多分枝，基部棕紫色。全株被灰白色短柔毛。叶对生；茎基部的叶片无柄或近无柄，羽状深裂，裂片 5；茎中部及上部叶无柄，羽状深裂，裂片 3 ~ 5，长 1 ~ 3.5 cm，宽 1.5 ~ 2.5 m，先端锐尖，基部楔状渐狭并下延至叶柄，裂片披针形，全缘，上面暗绿色，下面灰绿色，两面均无毛，脉上及边缘较密，有腺点。花为轮伞花序，多轮密集于枝端，形成穗状，长 3 ~ 13 cm；苞片叶状，长 4 ~ 17 mm；小苞片线形，较小；花小，花萼漏斗状倒圆锥形，长约 3 mm，直径约 1.2 mm，被灰色柔毛及黄绿色腺点，先端 5 齿裂，裂片卵状三角

形；花冠浅红紫色，二唇形，长约 4 mm，上唇先端 2 浅裂，下唇 3 裂，中裂片最大；雄蕊 4，二强；子房 4 纵裂，花柱基生，柱头 2 裂。小坚果 4，长圆状三棱形，长约 1.5 m，直径约 0.7 m，棕褐色，表面光滑。花期 7 ～ 9 月，果期 9 ～ 11 月。

| 生境分布 | 生于海拔 540 ～ 2 700 m 的山坡路旁或山谷、林缘。湖北有分布。

| 采收加工 | 秋季花开穗绿时割取地上部分，晒干。

| 功能主治 | 祛风，解表，透疹，止血。用于感冒发热，头痛，目痒，咳嗽，咽喉肿痛，麻疹，风疹，痈肿，疮疥，衄血，吐血，便血，崩漏，产后血晕。

四棱草

Schnabelia oligophylla Hand.-Mazz.

| **药 材 名** | 四棱筋骨草。

| **形态特征** | 多年生草本。根茎短且膨大，逐节生根，根细长，纤维状。茎高
60 ~ 100（~ 120）cm，直立或上升，上部的茎几成丛缠绕，被微柔
毛，节间长 0.5 ~ 8（~ 12）cm，以中部的茎最长；分枝幼时多少
被短柔毛。叶对生，具柄，叶柄长 3 ~ 9 mm，纤细，被糙伏毛；叶
片纸质，卵形或三角状卵形，稀掌状 3 裂，长 1 ~ 3 cm，宽 8 ~ 17 mm，
先端锐尖或短渐尖，基部近圆形或楔形，有时呈浅心形，边缘具锯
齿，上面绿色，下面色较浅，中脉在上面不甚明显，在下面略凸起，
两面被疏糙伏毛，上部的变小且狭。总梗着生于茎上部叶腋，仅有
花 1，连同花梗长 7 ~ 18 mm，被疏短柔毛，花梗长 5 ~ 7 mm，通

常扭曲，开花时上部成膝曲；苞片钻形或刺状钻形，开展，被微柔毛；花萼钟状，长 6 ~ 9 mm，外面被微柔毛，内面无毛，具 10 脉，网脉明显，萼筒极短，萼齿 5，线状披针形，几相等，长 5 ~ 8 mm，宽约 1 mm，全缘，具缘毛，先端渐尖；花冠大，长 14 ~ 18 mm，淡紫蓝色或紫红色，外面被短柔毛，花冠筒细长，长约 12 mm，直径约 2 mm，直立，内面被短柔毛，冠檐二唇形，内面无毛，上唇直立，2 裂，裂片宽椭圆形，长约 4 mm，宽约 3 mm，下唇前伸，3 裂，裂片倒三角形或倒卵状三角形，先端多少平截，中裂片长约 8 mm，宽约 5.5 mm，侧裂片长约 5 mm，宽约 3 mm；雄蕊 4，插生于花冠筒中部稍上处，前对较长，着生略高，花丝纤细，无毛，花药肾形，直径 3/4 ~ 1 mm，成熟时为淡紫蓝色；子房被短柔毛，长约 0.5 mm；花柱细长，无毛，先端相等 2 裂，裂片钻形，平展；花盘环状。闭花授粉的花：花萼、子房、花盘与开花授粉的花形状相同，但较小，花萼长约 3 mm，萼片几线形；花冠极小，长 1.5 mm，圆锥形，从不开放，内藏，早落，外面除冠檐被具腺短柔毛外，其余连同内面均无毛，冠檐闭合，二唇形，上唇直立，2 裂，裂片卵形或近圆形，长约 0.2 mm，下唇较长，3 裂，中裂片盔状，长约 0.5 mm，先端近圆形，侧裂片小，与上唇裂片相似，长约 0.2 mm；雄蕊 4，二强，内藏，着生于花冠筒喉部，直立，长约 0.5 mm，花丝极短，与花药等长，花药肾形，叉开，2 室，花粉少；花柱极短，内藏，与子房等长，无毛。小坚果倒卵珠形，被短柔毛，橄榄色，长 5 mm，直径 2.8 mm，背面具不甚明显的网纹，侧面相接，腹面的果脐凹入，中间隆起。花期 4 ~ 5 月，果期 5 ~ 6 月。

| **生境分布** | 生于海拔约 700 m 的山谷溪边、石灰岩山、河边林下、疏林中、石边。分布于湖北利川、五峰。

| **采收加工** | **全草：** 5 月采收，洗净，鲜用或晒干。

| **功能主治** | 祛风除湿，活血通络。用于风湿痹痛，四肢麻木，腰膝酸痛，跌打损伤，闭经。

唇形科 Labiatae 四棱草属 *Schnabelia*

四齿四棱草

Schnabelia tetrodonta (Y. Z. Sun) C. Y. Wu & C. Chen

| 药 材 名 |

四齿四棱草。

| 形态特征 |

多年生草本。根茎短且膨大，逐节生根，根细长，纤维状。茎高 30 ~ 70（~ 95）cm，直立或上升，被微柔毛，节间长 0.5 ~ 6 cm，以中部的最长；分枝幼时多少被短柔毛，以后变无毛。叶对生，具柄；叶柄长 3 ~ 8 mm，纤细，被糙伏毛；叶片纸质，茎中部以下叶卵形，长 1 ~ 1.4 cm，宽 7 ~ 9 mm，先端锐尖，基部楔形，边缘具粗锯齿，上面绿色，下面色较淡，中脉不甚明显，两面疏被糙伏毛，茎上部叶渐小而狭。总梗极短，着生于茎上部叶腋，有花 1 或 2 ~ 3，连同花梗长 2 ~ 2.5 mm，疏被短柔毛，中部具 2 苞片，苞片钻形，被微柔毛，花梗极短，长约 1.5 mm，上部不弯曲。闭花授粉的花：花萼钟状，花时长 2 ~ 3 mm，外面被短柔毛，内面无毛，具 8 脉，网脉不甚明显，萼筒极短，萼齿 4，线状披针形，相等，长约 2.5 mm，宽约 0.8 mm，全缘，具缘毛，先端渐尖；果时花萼增大，长 4 ~ 5 mm，萼齿宽披针形，长 3.5 ~ 4 mm，宽约 1.3 mm。花冠极小，长约 1.5 mm，圆锥形，从不开放，内藏，早落，

外面除檐部被具腺短柔毛外，其余连同内面均无毛；花冠筒长约为檐部的 3 倍，冠檐闭合，二唇形，上唇直立，2 裂，裂片卵形，长约 0.2 mm，下唇较长，3 裂，中裂片盔状，长约 0.5 mm，先端锐尖，侧裂片较小，与上唇裂片相似，长约 0.2 mm。雄蕊 4，二强，内藏，插生于花冠筒喉部，直立，长约 0.5 mm，前对略长，花丝极短，与花药等长，花药肾形，叉开，2 室，花粉少。子房被短柔毛，长约 0.5 mm；花柱极短，内藏，与子房等长，无毛；花盘环状。小坚果倒卵珠形，长约 3 mm，直径约 2 mm，被短柔毛，榄绿色，背部具不甚明显的网状条纹，侧面相接，腹面具凹陷的果脐，中间隆起。花期 5 月，果期 6 ~ 7 月。

| 生境分布 | 生于山坡上、灌丛中。分布于湖北神农架。

| 功能主治 | 祛风逐湿，舒筋活络。用于风湿筋骨痛，腰痛，四肢麻木。跌打肿痛等。

| 附　注 | 本种是我国特有的四棱草属植物，与四棱草 *Schnabelia oligophylla* Hand.-Mazz 的主要区别在于本种茎中部以下叶卵形，长 1 ~ 1.4 cm，宽 7 ~ 9 mm，茎上部叶小而窄；聚伞花序具 1 ~ 3 花，花萼 4 齿。

黄芩
Scutellaria baicalensis Georgi

| 药 材 名 | 黄芩。

| 形态特征 | 多年生草本。根短小，棕红色。茎具四棱，多分枝，棱边具膜质翅，节处较细，呈断裂状，表面枯绿色或绿褐色。叶长 1.5 ~ 4.5 cm，宽 3 ~ 12 mm，先端钝，基部近圆形，全缘，上面深绿色，无毛或微有毛，下面淡绿色，沿中脉被柔毛，密被黑色下陷的腺点。总状花序顶生或腋生，偏向一侧，长 7 ~ 15 cm；苞片叶状，卵圆状披针形至披针形，长 4 ~ 11 mm，近无毛；花萼二唇形，紫绿色，上唇背部有盾状附属物，果时增大，膜质；花冠二唇形，蓝紫色或紫红色，上唇盔状，先端微缺，下唇宽，中裂片三角状卵圆形，宽 7.5 mm，两侧裂片向上唇靠合，花冠管细，基部骤曲；雄蕊 4，稍露出，药

室裂口有白色茸毛；子房褐色，无毛，4 深裂，生于环状花盘上，花柱细长，先端微裂。小坚果 4，卵球形，长 1.5 mm，直径 1 mm，黑褐色，有瘤。花期 6 ～ 9 月，果期 8 ～ 10 月。

| **生境分布** | 生于海拔 60 ～ 2 000 m 的向阳干燥山坡、荒地上，常见于路边。湖北有分布。

| **采收加工** | **根**：栽培 2 ～ 3 年收获，于秋后茎叶枯黄时，选晴天挖取。采挖时将根部附着的茎叶去掉，抖落泥土，晒至半干，撞去外皮，晒干或烘干。

| **功能主治** | 清热燥湿，泻火解毒，止血，安胎。用于湿温，暑湿，胸闷呕恶，湿热痞满，泻痢，黄疸，肺热咳嗽，高热烦渴，血热吐衄，痈肿疮毒，胎动不安。

唇形科 Labiatae 黄芩属 Scutellaria

半枝莲
Scutellaria barbata D. Don

| 药 材 名 | 半枝莲。

| 形态特征 | 多年生草本。根茎短粗，生出簇生的须状根。茎直立，高
12 ～ 35 cm，四棱形，无毛或在序轴上部疏被紧贴的小毛。叶具短
柄或近无柄，柄长 1 ～ 3 mm，腹凹背凸，疏被小毛；叶片三角状
卵圆形或卵圆状披针形，长 1.3 ～ 3.2 cm，宽 0.5 ～ 1 cm，边缘生
有疏而钝的浅牙齿，上面榄绿色，下面淡绿色，有时带紫色，两面
沿脉上疏被紧贴的小毛或几无毛，侧脉 2 ～ 3 对。花单生于茎或
分枝上部叶腋内，具花的茎部长 4 ～ 11 cm；苞叶下部者似叶，长
8 mm，上部长 2 ～ 4.5 mm，椭圆形至长椭圆形，上面散布下面沿
脉疏被小毛；花梗长 1 ～ 2 mm，被微柔毛，中部有一对长约 0.5 mm

具纤毛的针状小苞片；花萼开花时长约 2 mm，外面沿脉被微柔毛，边缘具短缘毛，盾片高约 1 mm，果时花萼长 4.5 mm，盾片高 2 mm；花冠紫蓝色，长 9 ~ 13 mm，外被短柔毛，内在喉部被疏柔毛，花冠筒基部囊大，宽 1.5 mm，向上渐宽，至喉部宽达 3.5 mm，冠檐二唇形，上唇盔状，半圆形，长 1.5 mm，先端圆，下唇中裂片梯形，全缘，长 2.5 mm，宽 4 mm，两侧裂片三角状卵圆形，宽 1.5 mm，先端急尖；雄蕊 4，前对较长，微露出，后对较短，内藏，具全药，药室裂口具髯毛；花丝扁平，前对内侧后对两侧下部被小疏柔毛；花柱细长，先端锐尖，微裂，子房 4 裂，等大；花盘盘状，前方隆起，后方延伸成短子房柄。小坚果褐色，扁球形，约 1 mm，具小疣状突起。花果期 4 ~ 7 月。

| **生境分布** | 生于海拔 2 000 m 以下的水田边、溪边或湿润草地上。分布于湖北武昌、南漳、京山、神农架，以及荆州、咸宁等。湖北秭归、当阳、枝江、大悟、罗田、广水、潜江及武汉等有栽培。

| **采收加工** | 全草：夏、秋季茎叶茂盛时采挖，洗净，晒干。

| **功能主治** | 清热解毒，化瘀利尿。用于疔疮肿毒，咽喉肿痛，跌扑伤痛，水肿，黄疸，蛇虫咬伤。

唇形科 Labiatae 黄芩属 Scutellaria

莸状黄芩

Scutellaria caryopteroides Hand.-Mazz.

| 药 材 名 | 莸状黄芩。

| 形态特征 | 多年生草本。根茎短，具纤维状根。茎较粗壮，高 80 ~ 100 cm，直立，下部近圆柱形，直径达 4 mm，上部钝四棱形，密被平展混生腺毛的微柔毛。叶近坚纸质，三角状卵形，茎中部者长达 6 cm，宽 4 cm，先端急尖，基部心形至近截形，边缘具间有双重的圆齿状锯齿，两面密被微柔毛，但在下面中脉及侧脉上较密，侧脉约 4 对，与中脉在上面略凹陷，在下面凸出；叶柄长 0.5 ~ 3.5 cm，茎中部者长达 3 cm，密被平展具腺的微柔毛。花对生，于茎及上部分枝处排列成长 6 ~ 15 cm 的总状花序；花梗长 2 ~ 3 mm，与花序轴密被平展具腺的微柔毛；苞片菱状长圆形，具柄，全缘或最下 1 对边缘具锯齿，密被具腺的微柔毛；花萼开花时长约 2 mm，盾片细小，高

约 1 mm；花冠暗紫色，长约 1.6 cm，外疏被具腺的微柔毛，内面无毛，花冠筒前方基部屈膝状囊状膨大，中部宽 1.6 mm，至喉部宽 4 mm，冠檐二唇形，上唇盔状，内凹，先端微缺，下唇中裂片三角状卵圆形，宽 4 mm，先端微缺，两侧裂片卵圆形，宽 1.5 mm；雄蕊 4，二强，花丝扁平，中部以下被小纤毛；花盘肥厚，前方稍隆起，子房柄长 0.5 mm；花柱细长；子房光滑，无毛。成熟小坚果未见。花期 6 ～ 7 月，果期 6 ～ 8 月。

| 生境分布 | 生于海拔 800 ～ 1 500 m 的谷地、河岸、向阳坡地上。分布于湖北麻城、丹江口、郧阳、枣阳。

| 功能主治 | **全草**：用于肾虚腰痛，慢性肝炎。

岩藿香
Scutellaria franchetiana H. Lévl.

| 药 材 名 | 岩藿香。

| 形态特征 | 多年生草本。根茎横行，密生须根，节上生匍匐枝。茎上升，高
30 ～ 70 cm，锐四棱形，略具4槽，被上曲的微柔毛，棱上毛较密
集，下部 1/3 处常无叶，常带紫色。茎生叶具柄，柄长 3 ～ 10 mm，
腹凹背凸，被微柔毛；叶片草质，卵圆形至卵圆状披针形，长
1.5 ～ 3 （～ 4.5）cm，宽 1 ～ 2 （～ 2.5）cm，先端渐尖，基部宽
楔形、近截形至心形，边缘每侧具 3 ～ 4 大牙齿，上面绿色，疏被
微柔毛，边缘处毛较密，下面淡绿色或带紫色，沿中脉及侧脉被微
柔毛，其余无毛，侧脉 2 ～ 3 对，与中脉在上面不明显，在下面多
少显著。总状花序生于茎中部以上的叶腋，长（1 ～）2 ～ 9 cm，

下部的花序最长，向上渐短，花序下部具不育叶，其叶腋内有极短枝；花梗长 2 ～ 3 mm，与花序轴被上曲的微柔毛，间或被具腺的短柔毛；苞片叶状，细小，长于花梗，具柄，中部者全缘；小苞片成对生于花梗下部 1/3 处，线形，细小，长约 0.5 mm；花萼开花时长约 2.5 mm，被微柔毛，散布腺点或被具腺的短柔毛，盾片高约 1.5 mm，果时花萼长约 4 mm，盾片高约 3 mm；花冠紫色，长可达 2.5 cm，外被具腺的短柔毛，内面无毛，冠筒基部膝曲，呈微囊状增大，宽约 1.5 mm，向上渐宽，至喉部宽可达 4 mm，冠檐二唇形，上唇盔状，内凹，先端微缺，下唇中裂片三角状卵圆形，近全缘，宽可达 4 mm，2 侧裂片卵圆形，宽约 3 mm，先端微缺；雄蕊 4，前对较长，微露出，具能育半药，退化半药不明显，后对较短，内藏，具全药，药室裂口均具髯毛，花丝扁平，前对内侧、后对两侧疏被小柔毛；花柱细长，先端锐尖，微裂；花盘前方稍隆起，后方延伸成长约 0.5 mm 的子房柄，子房 4 裂，后对裂片较发达。小坚果黑色，卵球形，直径约 0.5 mm，具瘤突，腹面基部具果脐。花期 6 ～ 7 月。

| **生境分布** | 生于海拔 830 ～ 2 300 m 的山坡湿地上。分布于湖北来凤。

| **资源情况** | 野生资源丰富，栽培资源较少。

| **采收加工** | **全草**：夏季采收，鲜用或晒干。

| **功能主治** | 祛暑清热，活血解毒。用于感冒暑湿，风热咳嗽，风湿痹痛，痱子，跌打损伤，蜂蜇伤。

河南黄芩 *Scutellaria honanensis* C. Y. Wu & H. W. Li

| 药 材 名 | 河南黄芩。

| 形态特征 | 多年生草本。根茎横卧，密生多数须状不定根。茎直立，高70 cm，钝四棱形，具深4槽，密被上曲微柔毛，不分枝，节间比叶稍长，在茎中部者长约6.5 cm。叶具柄，茎中部叶柄长1.5 cm，腹凹背凸，密被上曲微柔毛；叶片披针状卵圆形，长4～5.5 cm，宽2～5.5 cm，茎下部叶早落，先端渐尖至尾状渐尖，基部浅心形，边缘具不整齐锐锯齿，上面绿色，疏被微柔毛，下面色较淡，沿脉上密生短柔毛，余部极密被紫红色腺点，侧脉3对，在上面凹陷，在下面隆起。花序总状，顶生或腋生，腋生者下部常具1对营养叶，花序长可达6 cm，少花，花序轴密被具腺微柔毛；花梗长达3 mm，密被具腺微

柔毛，基部具 1 对长达 2 mm 的针状小苞片；苞片披针形至线形，具疏齿至全缘，长 0.4 ~ 1.3 cm，宽 1 ~ 4 mm；花萼开花时长 4 mm，外密被具腺微柔毛，盾片高 1.5 mm；花冠紫色，长 1.3 cm，外面被具腺短柔毛，内无毛，花冠筒直伸，基部前方稍膨大，冠檐二唇形，上唇短小，盔状，内凹，先端微缺，下唇中裂片卵圆形，宽 4 mm，近全缘，两侧裂片卵圆形，宽 1.5 mm；雄蕊 4，前对稍长，花丝扁平，中部被疏柔毛；花柱丝状，先端锐尖，微裂；花盘前方隆起，后方延伸成短子房柄；子房 4 裂，裂片等大。小坚果有瘤。花期 5 月，果期 8 ~ 9 月。

| 生境分布 | 生于海拔 450 ~ 1 500 m 的山坡草地上。分布于湖北丹江口、竹溪、枣阳。

| 功能主治 | 抑菌，抗炎，解热，镇静。

采集号：420381150513520LY　　科名：唇形
学　名：Scutellaria honanensis C. Y. Wu
　　　　W. Li
种中文名：河南黄芩
鉴定人：李元平、胡天云、刘晖
鉴定日期：2015 年 5 月 1
全国中药资源普查

唇形科 Labiatae 黄芩属 Scutellaria

韩信草

Scutellaria indica L.

| 药 材 名 | 韩信草。

| 形态特征 | 多年生草本。根茎短，向下生出多数簇生的纤维状根，向上生出1至多数茎。茎高 12 ~ 28 cm，上升直立，四棱形，直径 1 ~ 1.2 mm，通常带暗紫色，被微柔毛，尤以茎上部及沿棱角密集，不分枝或多分枝。叶草质至近坚纸质，心状卵圆形或圆状卵圆形至椭圆形，长 1.5 ~ 2.6（~ 3）cm，宽 1.2 ~ 2.3 cm，先端钝或圆，基部圆形、浅心形至心形，边缘密生整齐圆齿，两面被微柔毛或糙伏毛，尤以下面为甚；叶柄长 0.4 ~ 1.4（~ 2.8）cm，腹平背凸，密被微柔毛。花对生，在茎或分枝顶上排列成长 4 ~ 8（~ 12）cm 的总状花序；花梗长 2.5 ~ 3 mm，与花序轴均被微柔毛；最下 1 对苞片叶状，卵

圆形，长达 1.7 cm，边缘具圆齿，其余苞片均细小，卵圆形至椭圆形，长 3 ～ 6 mm，宽 1 ～ 2.5 mm，全缘，无柄，被微柔毛；花萼开花时长约 2.5 mm，被硬毛及微柔毛，果时增大，盾片花时高约 1.5 mm，果时竖起，增大 1 倍；花冠蓝紫色，长 1.4 ～ 1.8 cm，外疏被微柔毛，内面仅唇片被短柔毛，花冠筒前方基部膝曲，其后直伸，向上逐渐增大，至喉部宽约 4.5 mm，冠檐二唇形，上唇盔状，内凹，先端微缺，下唇中裂片圆状卵圆形；两侧中部微内缢，先端微缺，具深紫色斑点，两侧裂片卵圆形；雄蕊 4，二强，花丝扁平，中部以下具小纤毛；花盘肥厚，前方隆起，子房柄短；花柱细长；子房光滑，4 裂。成熟小坚果栗色或暗褐色，卵形，长约 1 mm，直径不到 1 mm，具瘤，腹面近基部具 1 果脐。花果期 2 ～ 6 月。

| **生境分布** | 生于海拔 1 500 m 以下的山地或丘陵地、疏林下、路旁空地及草地上。分布于湖北恩施、神农架、红安、黄梅、麻城、公安、丹江口、郧阳、竹溪、通城、通山、保康、南漳、枣阳、大悟、当阳、兴山、宜都、远安、秭归。

| **采收加工** | **全草**：春、夏季采收，洗净，鲜用或晒干。

| **功能主治** | 清热解毒，活血止痛，止血消肿。用于痈肿疮毒，肺痈，肠痈，瘰疬，毒蛇咬伤，肺热咳嗽，牙痛，喉痹，咽痛，筋骨疼痛，吐血，咯血，便血，跌打损伤，创伤出血，皮肤瘙痒。

唇形科 Labiatae 黄芩属 Scutellaria

京黄芩
Scutellaria pekinensis Maxim.

| 药 材 名 | 京黄芩。

| 形态特征 | 一年生直立草本。茎高 24 ~ 40 cm，基部常带紫色。叶片卵形或三角状卵形，长 1.4 ~ 4.7 cm，宽 1.2 ~ 3.5 cm，两面疏被贴伏的柔毛。花对生，排列成长 4.5 ~ 11.5 cm、顶生的总状花序；苞片除最下 1 对较大外，余均细小，狭披针形；花萼长约 3 mm，盾片高 1.5 mm；花冠蓝紫色，长 1.7 ~ 1.8 cm，花冠筒前方基部略呈膝曲状，下唇中裂片宽卵圆形。小坚果卵形。花期 6 ~ 8 月，果期 7 ~ 10 月。

| 生境分布 | 生于石上、林下。湖北有分布。

| 采收加工 | 全草：夏季采收，晒干。

| 功能主治 | 清热解毒。用于疮痈肿毒。

唇形科 Labiatae 水苏属 *Stachys*

少毛甘露子 *Stachys adulterina* Hemsl.

| 药 材 名 | 少毛甘露子。

| 形态特征 | 多年生草本。具肥大块茎，全体近无毛。茎高 60 ~ 100 cm，不分枝，

明显四棱形。叶片膜质，长圆状披针形，长 3 ~ 6 cm，宽 1.5 ~ 3 cm，先端锐尖，基部圆形或浅心形，边缘有圆锯齿，上面被疏糙伏毛，或两面无毛；叶柄具槽，长达 3 cm，边缘常被小缘毛。花红色或白色，长约 1.9 cm，近无梗，轮伞花序具 6 花，组成顶生穗状花序；花萼钟状，长约 6 mm，脉 5，具小刚毛，萼齿宽三角形，有硬尖头；花冠长约 1.9 cm，上唇盔状，外面有长硬毛，毛被雄蕊，下唇圆形，3 裂，侧裂片稍小；雄蕊等长，花丝中部以下膨大，被柔毛。小坚果圆球形，腹面具棱，无毛。果期 9 ~ 10 月。

| 生境分布 | 生于海拔 1 800 m 以下的园圃、田边湿地。分布于湖北西部，以及恩施、利川、建始、巴东、秭归。

| 功能主治 | 消积下气，祛风利湿，活血散瘀，清热解毒。用于消化不良，黄疸，小便淋痛，肺痈，风热感冒，肺痨，虚劳咳嗽，小儿疳积，疮毒肿痛，蛇虫咬伤。

唇形科 Labiatae 水苏属 Stachys

毛水苏

Stachys baicalensis Fisch. ex Benth.

|**药材名**| 水苏。

|**形态特征**| 多年生草本。茎直立，高 50 ~ 100 cm，单一或在上部具分枝，细

棱形，在棱及节上密被倒向至平伸的刚毛，有在节上生须根的根茎。叶对生，具短柄或近无柄；叶片长圆状条形，长 4～11 cm，宽 0.7～1.5 cm，两面疏生刚毛。轮伞花序通常具 6 花，多数于茎上部密集排列，组成假穗状花序；小苞片线形或条形，刺尖，具刚毛；花萼钟状，连齿长 9 mm，外面沿肋上及齿缘密被柔毛状具节刚毛，脉 10，齿 5，披针状三角形，先端具刺尖；花冠淡紫色至紫色，长达 1.5 cm，花冠筒内具毛环，檐部二唇形，上唇直立，卵圆形，下唇 3 裂，卵圆形，中裂近圆形，侧裂片卵圆形；雄蕊 4，延伸至上唇片之下，前对较长，花丝扁平，微被柔毛，花药卵圆形，2 室。小坚果棕褐色，呈卵球形，无毛。花期 7 月，果期 8 月。

| 生境分布 | 生于海拔 450～1 400 m 的田边、水沟等潮湿的地方。分布于湖北恩施、保康、南漳、房县。

| 资源状况 | 野生资源一般。药材来源于野生。

| 采收加工 | **全草**：7～8 月采收，晒干。

| 功能主治 | 疏风解表，活血止血。用于感冒，痧证，肺痿，肺痈，头风目眩，咽痛，痢疾，产后中风，吐血，衄血，崩漏，血淋，跌打肿痛。

唇形科 Labiatae 水苏属 *Stachys*

地蚕

Stachys geobombycis C. Y. Wu

| 药 材 名 | 地蚕。

| 形态特征 | 多年生草本。高 40 ～ 50 cm。根茎横向伸展，肉质，肥大，在节上有纤维状须根。茎直立，四棱形，具 4 槽，在棱及节上被倒向疏柔毛状刚毛。叶片长圆状卵圆形，先端钝，基部浅心形或圆形，边缘有整齐的粗大圆齿状锯齿，上面绿色，下面色较淡；苞叶变小，最下 1 对苞叶与茎叶同形，较小，披针状卵圆形，先端钝，基部圆形，具短柄或近生无柄，上部苞叶菱状披针形，通常比萼短，边缘波齿状，无柄。轮伞花序腋生，具 4 ～ 6 花，远离，组成穗状花序；花梗长约 1 mm，被微柔毛；花萼倒圆锥形，细小，外面密被微柔毛及具腺微柔毛；花冠淡紫色至紫蓝色，亦有淡红色，花冠筒长约 7 mm，圆柱形，等粗，外面在上面被微柔毛，余部无毛，内面近基部 1/3 处

有水平向微柔毛环，冠檐二唇形，上唇直伸，长圆状卵圆形，外面被微柔毛，内面无毛，下唇水平开展，卵圆形，外面被微柔毛，内面在中部散布微柔毛，3 裂，中裂片最大，长卵圆形，侧裂片卵圆形；雄蕊 4，前对稍长，花丝丝状，中部以下被微柔毛，花药卵圆形，2 室，室略叉开，其后极叉开；花柱丝状，略超出雄蕊，先端相等 2 浅裂；花盘杯状；子房黑褐色，无毛。小坚果黑色。花期 4 ~ 5 月。

| 生境分布 | 生于海拔 800 m 以下的山坡、田野湿地草丛中。分布于湖北南漳、麻城、竹山、枣阳、浠水、广济、武穴，以及随州、鄂州。

| 资源情况 | 野生资源一般。药材来源于野生。

| 采收加工 | **根茎：** 秋季采收，洗净，鲜用或蒸熟晒干。

| 功能主治 | 益肾润肺，补血消疳。用于肺痨咳嗽、吐血，盗汗，肺虚气喘，血虚体弱，疳积。

唇形科 Labiatae 水苏属 Stachys

水苏
Stachys japonica Miq.

药材名

水苏。

形态特征

多年生草本，高 20 ~ 80 cm。具横走根茎。茎单一，直立，四棱形，具槽，节上具小刚毛。叶对生，叶柄明显，长 3 ~ 17 mm，近茎基部者最长，向上渐短；叶片长圆状宽披针形，长 5 ~ 10 cm，宽 1 ~ 2.3 cm，先端急尖，基部圆形或浅心形，边缘具圆齿状锯齿，上面绿色，下面灰绿色，两面均无毛；苞叶披针形，无柄，近全缘，向上渐变小，最下部者超出轮伞花序，上部者等于或短于轮伞花序。轮伞花序具 6 ~ 8 花，下部者远离，上部者密集，组成长 5 ~ 13 cm 的穗状花序；花萼钟状，连齿长达 7.5 mm，齿 5，三角状披针形，先端具刺尖头，边缘具缘毛；花冠粉红色或淡红紫色，长约 1.2 cm，花冠筒长约 6 mm，筒内具毛环，内面在近基部 1/3 处有微柔毛环及在下唇下方喉部有鳞片状微柔毛，前面紧接在毛环上方呈囊状膨大，冠檐二唇形，上唇直立，外面被微柔毛，内面无毛，下唇 3 裂，中裂片近圆形，先端微缺，侧裂片卵圆形；雄蕊 4，均延伸至上唇片之下，花柱丝状，先端相等 2 浅裂；花盘平顶；子房黑褐色，无毛。小坚果卵珠状，棕褐色，无毛。花期 5 ~ 6 月，果期 7 ~ 8 月。

| 生境分布 | 生于海拔 230 m 以下的水沟、河岸等湿地上。分布于湖北公安、谷城、郧西、南漳、通城、通山、远安等。

| 资源状况 | 野生资源较少，栽培资源稀少。药材主要来源于野生。

| 采收加工 | **全草**：7 ~ 8 月采收，晒干。

| 功能主治 | 补血益气，止血生肌，祛风解毒。用于感冒，痧证，肺痨，肺痈，头风目眩，口臭，咽痛，痢疾，产后中风，吐血，衄血，血崩，血淋，跌打损伤。

针筒菜

Stachys oblongifolia Benth.

| 药 材 名 | 针筒菜。

| 形态特征 | 多年生草本，高 30 ~ 80 cm。具横走根茎。茎直立或上升，单一或分枝，锐四棱形，具4槽，基部微粗糙，在棱及节上被长柔毛。叶对生，长圆状披针形，长 3 ~ 7 cm，宽 1 ~ 2 cm，先端急尖，基部浅心形，边缘有圆齿状锯齿，上面绿色，疏被微柔毛及长柔毛，下面灰绿色，密被灰白色柔毛状绒毛，沿脉上被长柔毛，叶柄短或近无柄；苞叶向上渐变小，披针形，无柄，通常均比花萼长，近全缘，毛被与茎叶相同。轮伞花序通常具6花，花轮 7 ~ 13，下部者远离，上部者密集，组成长 5 ~ 8 cm 的顶生穗状花序；苞片线状刺形，微小，长约 1 mm，被微柔毛；花梗短，长约 1 mm，被微柔毛；花萼钟形，

连齿长约 7 mm，外面被具腺柔毛状绒毛，沿肋上疏生长柔毛，内面无毛，二唇形，5 齿裂，三角状披针形，先端具刺尖头；花冠粉红色或粉红紫色，长约 1.3 cm，冠檐二唇形，上唇长圆形，下唇开张，3 裂，中裂片肾形，侧裂片卵圆形；雄蕊 4，前对较长，均延伸至上唇片之下，花丝丝状，被微柔毛，花药卵圆形，2 室，室极叉开；花柱丝状，稍超出雄蕊，先端相等 2 浅裂，裂片钻形；花盘平顶，波状；子房黑褐色，无毛。小坚果卵珠状，褐色，光滑。花期 5 ~ 6 月，果期 7 ~ 8 月。

| 生境分布 | 生于海拔 210 ~ 1 900 m 的林下、河岸、竹丛、灌丛、苇丛、草丛及湿地中。分布于湖北保康、枣阳、通山、恩施、利川、来凤、宣恩、建始、竹溪、房县等。

| 资源状况 | 野生资源较少。

| 采收加工 | **全草：** 夏、秋季采收，洗净，鲜用或晒干。

| 功能主治 | 补中益气，止血生肌。用于痢疾，外伤出血，病后虚弱。

狭齿水苏
Stachys pseudophlomis C. Y. Wu

| 药 材 名 | 狭齿水苏。

| 形态特征 | 多年生草本，高 50 ~ 100 cm。根茎肥大，在节上密生纤维状须根。茎劲直，上升，四棱形，具 4 槽，密被倒向柔毛。叶卵状心形，长 4 ~ 7 cm，宽 2 ~ 4 cm，先端渐尖，基部浅心形，边缘有规则的圆齿状锯齿，膜质，上面密被糙伏毛，下面沿脉上密被平展疏柔毛，侧脉 3 ~ 5 对；叶柄长 0.5 ~ 1.5 cm，上部者披针形，基部近圆形，近无柄。轮伞花序腋生，具 2 ~ 6 花；花梗短，花萼管状钟形，外面密被疏柔毛及腺点，5 齿近等大，线状披针形，反折，先端长渐尖；花冠紫色或红色，外面被柔毛，内面无毛，冠檐二唇形，上唇直伸，长圆状卵圆形，下唇 3 裂，中裂片近圆形，侧裂片卵圆形；雄蕊 4，

前对较长，均延伸至上唇片之下，花丝丝状，被微柔毛，花药卵圆形，2室，室纵裂，略叉开；花柱丝状，超出雄蕊，向前下倾，先端相等2浅裂，裂片钻形；花盘杯状；子房褐色，无毛。花期7～8月。

| **生境分布** | 生于海拔800 m的竹林下。分布于湖北黄梅、枣阳等。

| **资源状况** | 野生资源较少。

| **功能主治** | 用于感冒，扁桃体炎，咽喉炎，尿路感染，上消化道出血，功能失调性子宫出血等。

唇形科 Labiatae 水苏属 Stachys

甘露子

Stachys sieboldii Miq.

| 药 材 名 | 甘露子。

| 形 态 特 征 | 多年生草本，高 30 ～ 120 cm。根茎横走，密生须根，先端有念珠状或螺蛳形的肥大块茎。茎直立或基部倾斜，单一，或多分枝，四棱形，具槽，在棱及节上有平展的或疏或密的硬毛。叶卵形或长椭圆状卵形，长 3 ～ 12 cm，宽 1.5 ～ 6 cm，先端渐尖，基部平截至浅心形，边缘有规则的圆齿状锯齿，内面被或疏或密的贴生硬毛，沿脉上仅疏生硬毛，侧脉 4 ～ 5 对，上面不明显，下面显著；叶柄长 1 ～ 3 cm，腹凹背平，被硬毛。轮伞花序通常具 6 花，远离，多数组成顶生的穗状花序；花萼狭钟形，连齿长 9 mm，外面被具腺柔毛，脉 10，齿 5，三角形，先端具刺尖头，微反折；花冠粉红色

或紫红色，下唇有紫斑，长约 1.3 cm，花冠筒筒状，长约 9 mm，近等粗，前面在毛环上方略呈囊状膨大，外面在伸出萼筒部分被微柔毛，内面在下部 1/3 处被微柔毛环，冠檐二唇形，上唇长圆形，直伸而略反折，下唇有紫斑，3 裂，中裂片较大，近圆形，侧裂片卵圆形，较短小；雄蕊 4，花丝丝状，扁平，先端略膨大，被微柔毛，花药卵圆形，2 室，室纵裂，极叉开；花柱丝状，略超出雄蕊，先端近相等 2 浅裂。小坚果卵珠形，黑褐色，具小瘤。花期 7 ～ 8 月，果期 8 ～ 9 月。

| 生境分布 | 生于海拔 3 100 m 以下的湿润地及积水处。分布于湖北保康、郧西、枣阳、神农架、恩施、建始、竹溪等。

| 资源状况 | 野生资源稀少。

| 采收加工 | **全草：** 夏、秋季采收，洗净，晒干或鲜用。

| 功能主治 | 解表清肺，利湿解毒，补虚健脾。用于风热感冒，虚劳咳嗽，黄疸，淋证，疮毒肿痛，毒蛇咬伤。

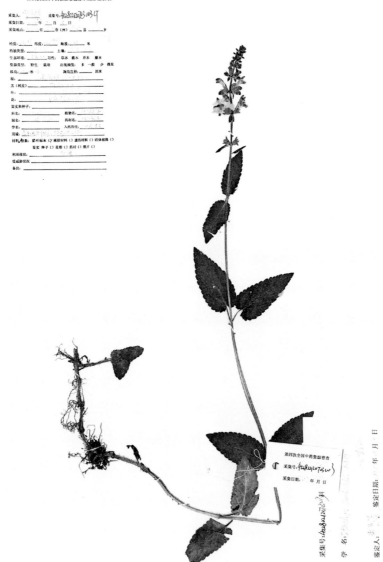

唇形科 Labiatae　香科科属 Teucrium

二齿香科科
Teucrium bidentatum Hemsl.

| 药 材 名 | 细沙虫草。

| 形态特征 | 多年生直立草本。茎基部近圆柱形，上部四棱形，无槽，高60 ~ 90 cm，具向下弯曲的微绒毛。叶柄被微绒毛；叶片卵圆形至卵状披针形，长 4 ~ 11 cm，宽 1.5 ~ 4 cm，先端渐尖，基部楔形，边缘在中部以下具 3 ~ 4 对粗锯齿，两面仅中肋及侧脉具微柔毛，侧脉 4 ~ 6 对，与中肋在两面明显隆起。轮伞花序具 2 花，腋生或顶生假穗状花序，假穗状花序长 1.5 ~ 4.5 cm，花序轴上被微柔毛；苞片微小，卵圆状披针形；花梗被微柔毛或近无毛；花萼钟形，基部一面鼓起，喉部内面具毛环，二唇形，上唇 3 齿，中齿极发达，扁圆形，侧齿近圆形，微小，常附于中齿基部的两侧，下唇 2 齿，

极靠合，缺弯常不达下唇长的1/3；花冠白色，长约1 cm，花冠筒稍伸出，檐部单唇形，唇片与花冠筒成直角，中裂片特发达，近圆形，先端圆，基部渐收缢，前方1对侧裂片长圆形，后方1对侧裂片近圆形；雄蕊超出花冠筒1倍，药室平叉分，肾形，花柱稍超出雄蕊，先端2浅裂；花盘小，盘状，全缘，子房球形，4浅裂。小坚果卵圆形，黄棕色，具网状雕纹，合生面为果长的1/2。花期7～9月。

| **生境分布** | 生于海拔700～900 m的山地林下。分布于湖北秭归、神农架、英山、蕲春、恩施。

| **资源情况** | 野生资源一般，栽培资源稀少。药材来源于野生。

| **采收加工** | **全草**：秋季采收，洗净，晒干。

| **功能主治** | 祛风，利湿，解毒。用于感冒，头痛，鼻塞，痢疾，湿疹，白斑。

唇形科 Labiatae 香科科属 Teucrium

穗花香科科
Teucrium japonicum Wild.

| 药 材 名 | 水藿香。

| 形态特征 | 多年生直立草本。高 50 ～ 80 cm。根茎横走，带褐色，须根纤细。茎四棱形，多分枝，具明显的 4 槽，近无毛。叶柄长 0.8 ～ 1.5 cm；叶片卵圆状长圆形至卵圆状披针形，长 5 ～ 10 cm，宽 1.5 ～ 4.5 cm，边缘为带重齿的锯齿或圆齿，两面近无毛。假穗状花序生于主茎及上部分枝的先端，茎顶者常分枝成圆锥状，长 3 ～ 4.5 cm，无毛；苞片条状披针形；花梗短，长约 1.5 mm；花萼钟状，长 4 ～ 4.5 mm，宽 3 ～ 3.5 mm，萼筒下方稍一面鼓，具齿 5，上 3 齿正三角形，等大，下 2 齿锐三角形，与上 3 齿等长；花冠白色或淡红色，长 1.2 ～ 1.4 cm，花冠筒长为花冠的 1/4，不伸出于花萼，唇片与花冠筒在一条直线上，

中裂片极发达，菱状倒卵形，外倾，侧裂片卵状长圆形，先端急尖；雄蕊稍短于唇片；花柱与雄蕊等长，花盘盘状，边缘微波状，子房圆球形，4 裂。小坚果倒卵形，长约 1.2 mm，栗棕色，平滑，合生面超过果长的一半。花期 7 ~ 9 月。

| **生境分布** | 生于海拔 1 000 m 以下的山地、旷野、路边。分布于湖北麻城、竹溪及神农架。

| **资源情况** | 野生资源一般，栽培资源稀少。药材来源于野生。

| **采收加工** | **全草**：秋季采收，洗净，晒干。

| **功能主治** | 发表散寒，利湿除痹。用于外感风寒，头痛，身痛，风寒湿痹。

唇形科 Labiatae 香科科属 Teucrium

庐山香科科 *Teucrium pernyi* Franch.

| 药 材 名 | 庐山香科科。

| 形态特征 | 多年生直立草本，高 30 ~ 100 cm。茎方形，密被白色向下弯曲的短柔毛。叶具短柄；叶片卵圆状披针形，长 3.5 ~ 5.3 cm，宽 1.5 ~ 2 cm，先端短渐尖或渐尖，基部圆形或阔楔形下延，边缘具粗锯齿，两面被微柔毛，下面脉被白色稍弯曲的短柔毛。轮伞花序通常具 2 花，集成间断的穗状花序，顶生或腋生；苞片卵圆形，具柔毛；花梗长 3 ~ 4 mm；花萼钟状，二唇形，上唇 3 齿，中齿极发达，近圆形，先端突尖，侧齿三角状卵圆形，长不达中齿之半，下唇 2 齿，齿间弯缺深裂至喉部，各齿具发达的网状侧脉；花冠白色，或稍带红晕，花冠筒稍伸出，外面被微柔毛，檐部单唇形，唇片与花冠筒

成直角，中裂片特别发达，椭圆状匙形，后方 1 对裂片斜三角状卵圆形，微向前倾；雄蕊超过花冠筒 1 倍以上，花药叉分，肾形；花柱先端不相等 2 裂；花盘盘状，全缘；子房球形，密被泡状毛。小坚果倒卵形，具网状雕纹，合生面不及小坚果全长的 1/2。花期 6 月，果期 8 ～ 10 月。

| 生境分布 | 生于海拔 1 000 m 以下的林下阴处、田野、沟边、路旁草丛中。分布于湖北神农架、麻城、巴东。

| 资源状况 | 野生资源一般，栽培资源稀少。药材来源于野生。

| 采收加工 | **全草或根**：夏、秋季采收，洗净，鲜用或晒干。

| 功能主治 | 清热解毒，凉肝息风，活血消肿。用于肺脓肿，小儿惊风，痈疮，跌打损伤。

唇形科 Labiatae 香科科属 *Teucrium*

铁轴草

Teucrium quadrifarium Buch.-Ham.

| 药 材 名 | 铁轴草。

| 形态特征 | 半灌木。茎直立，基部常聚结成块状，高 30 ~ 110 cm，近圆柱形，密被金黄色、锈棕色或艳紫色的长柔毛或糙毛。叶柄短，向上渐近无柄；叶片卵圆形，长 3 ~ 7.5 cm，宽 1.5 ~ 4 cm，边缘有细锯齿或圆齿，上面被平贴的短柔毛，下面脉上与叶柄均被与茎上相同的长柔毛，余部为灰白色的绒毛，侧脉 4 ~ 6 对，与中脉在上面微凹陷，在下面显著。假穗状花序组成顶生圆锥花序；苞片极发达，菱状三角形或卵圆形；花萼筒状钟形，萼齿 5，呈二唇形，上唇 3 齿，中齿极发达，倒卵状扁圆形，具明显网状侧脉，侧齿三角形，短小，下唇 2 齿披针形，喉部内具毛环；花冠淡红色，长 1.2 ~ 1.3 cm，

外面被极疏短柔毛，散布淡黄色腺点，花冠筒稍伸出于花萼外，唇片与花冠筒成直角，中裂片倒卵形，喉部下有白色微柔毛；雄蕊稍短于花冠，花盘盘状，4浅裂，子房近球形。小坚果倒卵状近圆形，暗栗棕色，背面具网纹。花期7~9月。

| **生境分布** | 生于山地阳坡、林下及灌丛中。分布于湖北利川、鹤峰等。

| **资源情况** | 野生资源较丰富，栽培资源一般。药材来源于野生和栽培。

| **采收加工** | **全草或根、叶：**全年均可采收，洗净，鲜用或晒干。

| **功能主治** | 祛风解暑，利湿消肿，凉血解毒。用于风热感冒，中暑无汗，肺热咳喘，热毒泻痢，水肿，风湿痛，吐血，便血，风疹，湿疹，跌打损伤，毒蛇咬伤等。

唇形科 Labiatae 香科科属 *Teucrium*

血见愁
Teucrium viscidum Bl.

| 药 材 名 | 血见愁。

| 形态特征 | 多年生草本。茎直立，高 30 ~ 70 cm，下部无毛或几近无毛，上部被混生腺毛的短柔毛。叶柄长 1 ~ 3 cm，近无毛；叶片卵状长圆形，长 3 ~ 10 cm，先端尖，基部圆形或楔形，下延，边缘有重锯齿，两面近无毛或被极稀的微柔毛。假穗状花序顶生及腋生，顶生者自基部多分枝，密被腺毛；苞片全缘；花萼小，钟形，长 2.8 mm，宽 2.2 mm，外面密被腺长柔毛，内面在齿下被稀疏微柔毛，齿缘具缘毛，萼齿 5，直伸，近等大，长不及萼筒的 1/2；花冠白色、淡红色或淡紫色，长 6.5 ~ 7.5 mm，花冠筒长 3 mm，稍伸出，唇片与花冠筒成大角度的钝角，中裂片正圆形，侧裂片卵圆状三角形，先端钝；雄

蕊伸出，前对与花冠等长；花柱与雄蕊等长；花盘盘状，4浅裂。小坚果扁球形，黄棕色，合生面超过果实长度的1/2。

| **生境分布** | 生于山地林下阴湿处。分布于湖北利川、建始、长阳、鹤峰、巴东、房县等。

| **资源情况** | 野生资源较少，栽培资源较丰富。药材来源于野生和栽培。

| **功能主治** | 凉血止血，解毒消肿。用于咳血，吐血，衄血，肺痈，跌打损伤，痈疽肿毒，痔疮肿痛，漆疮，脚癣。

茄科 Solanaceae 金鱼草属 Antirrhinum

金鱼草 *Antirrhinum majus* L.

| **药 材 名** | 金鱼草。

| **形态特征** | 多年生直立草本。茎基部有时木质化，高可达 80 cm，茎基部无毛，中上部被腺毛，基部有时分枝。茎下部叶对生，茎上部叶常互生，具短柄；叶片无毛，披针形至矩圆状披针形，长 2 ~ 6 cm，全缘。总状花序顶生，密被腺毛；花梗长 5 ~ 7 mm；花萼与花梗近等长，5 深裂，裂片卵形，钝或急尖；花冠红色、紫色至白色，长 3 ~ 5 cm，基部在前面下延成兜状，上唇直立，宽大，2 半裂，下唇 3 浅裂，在中部向上唇隆起，封闭喉部，使花冠呈假面状；雄蕊 4，二强。蒴果卵形，长约 15 mm，基部向前延伸，被腺毛，先端孔裂。

| 生境分布 | 分布于湖北十堰。

| 资源状况 | 野生资源稀少，栽培资源丰富。药材来源于栽培。

| 采收加工 | **全草**：夏、秋季采收，切段，晒干或鲜用。

| 功能主治 | 清热解毒，凉血消肿。用于跌打扭伤，疮疡肿毒。

茄科 Solanaceae 颠茄属 Atropa

颠茄
Atropa belladonna L.

| 药 材 名 | 颠茄草。

| 形态特征 | 多年生草本。高 0.5 ~ 2 m。根茎为粗壮的圆柱形。茎直立，下部紫色单一，上部分枝，绿色嫩枝多有腺毛，老时逐渐脱落。叶互生于茎下部，上部有大小不等的 2 叶双生，草质，卵形、卵状椭圆形或椭圆形，长 7 ~ 25 cm，宽 3 ~ 12 cm，先端渐尖或急尖，基部楔形并下延到叶柄，全缘，上面暗绿色或绿色，下面淡绿色，两面沿叶脉有柔毛。花单生于叶腋，俯垂；花梗长 2 ~ 3 cm，密生白色腺毛；花萼钟状，长约为花冠的一半，裂片三角形，长 1 ~ 1.5 cm，先端渐尖，有腺毛，花后稍增大，果时成星芒状向外开展；花冠筒状钟形，下部黄绿色，上部淡紫色，长 2.5 ~ 3 cm，直径约 1.5 cm，筒

中部稍膨大，5 浅裂，裂片先端钝，花开放时向外反折，外面纵脉隆起，被腺毛，内面筒基部有毛；花丝下端生柔毛，上端向下弓曲，长约 1.7 cm，花药椭圆形，黄色；花盘绕生于子房基部，花柱长约 2 cm，柱头带绿色。浆果球状，直径 1.5 ~ 2 cm，成熟后紫黑色，光滑，汁液紫色；种子扁肾脏形，褐色，长 1.5 ~ 2 mm，宽 1.2 ~ 1.8 mm。花果期 6 ~ 9 月。

| 生境分布 | 栽培于温暖润湿带石灰质的砂壤土上。湖北保康、大悟、通城、英山，以及随州有栽培。

| 资源情况 | 栽培资源一般。药材主要来源于栽培。

| 采收加工 | **根**：9 月中旬采收，除去粗茎和泥沙，切段，干燥。

| 功能主治 | 解痉止痛。用于胃及十二指肠溃疡，胃、肠道、肾、胆绞痛，呕恶，盗汗，流涎等。

天蓬子

Atropanthe sinensis (Hemsl.) Pascher

| 药 材 名 | 天蓬子根。

| 形态特征 | 多年生草本，高 0.8 ~ 1 m。根茎粗。茎直立，无毛。叶在茎下部互生，在上部常 1 大 1 小双生，纸质，椭圆形至卵形，长 8 ~ 18 cm，宽 4.5 ~ 7.5 cm，先端渐尖，基部楔形，微下挺，全缘或浅波状，两面无毛，侧脉 6 ~ 9 对。花单生于叶腋，花梗纤细，稍俯垂；花萼近球形，长 1.5 ~ 2 cm，5 浅裂，果时增大成膀胱状，不贴近果实，较果实大，萼片略靠合；花冠漏斗状钟形，前端略向下弯，长约为萼的 1 倍，5 浅裂，初绿色，后变黄色；雄蕊 5，略短于花冠；子房圆锥形，2 室；花柱圆柱形，柱头略成头状，2 浅裂。蒴果球形，直径约 2 cm，先端盖裂，顶盖成四方形；种子多数，近圆形，扁平。花期 4 ~ 5 月，

果期 6 ~ 8 月。

| **生境分布** | 生于海拔 730 ~ 1 800 m 的灌木林下阴湿处或沟边。分布于湖北利川、恩施、神农架、巴东等。

| **资源状况** | 野生资源丰富，栽培资源较少。

| **采收加工** | **根：** 秋后采挖，除去泥土，晒干。

| **功能主治** | 发表散寒，舒筋活络，止痛。用于跌打损伤，风寒感冒，破伤风，风湿性关节炎。

茄科 Solanaceae 木曼陀罗属 Brugmansia

木本曼陀罗 *Brugmansia arborea* (L.) Lagerh.

| 药 材 名 |

木本曼陀罗。

| 形态特征 |

小乔木。高 2 m 余。茎粗壮，上部分枝。叶卵状披针形、矩圆形或卵形，先端渐尖或急尖，基部不对称楔形或宽楔形，全缘、微波状或有不规则缺刻状齿，两面有微柔毛，侧脉每边 7 ~ 9，长 9 ~ 22 cm，宽 3 ~ 9 cm。花单生，俯垂；花萼筒状，中部稍膨胀，裂片长三角形；花冠白色，脉纹绿色，长漏斗状，花冠筒中部以下较细而向上渐扩大成喇叭状，长达 23 cm，檐部 5 裂，有长渐尖头；雄蕊 5，长 18 ~ 20 cm，不伸出花冠筒，花药长达 3 cm，花丝约 2/3 贴生于花冠筒上；花柱伸出花冠筒，柱头稍膨大。浆果状蒴果，表面平滑，广卵状，长达 6 cm。花期 7 ~ 9月，果期 10 ~ 12 月。

| 生境分布 |

生于山坡、林缘，栽培于路旁、墙角、屋隅等阳光充足温暖的地区。分布于湖北五峰。

| 资源情况 |

野生资源较少，栽培资源较少。药材主要来

源于栽培。

| 采收加工 |　　花：4 ～ 11 月采摘，晒干或低温干燥。

| 功能主治 |　　平喘止咳，麻醉止痛，解痉止搐。用于哮喘咳嗽，脘腹冷痛，风湿痹痛，癫痫，惊风，外科麻醉等。

茄科 Solanaceae 辣椒属 Capsicum

辣椒
Capsicum annuum L.

| **药 材 名** | 辣椒。

| **形态特征** | 一年生或者多年生灌木，高 40 ~ 80 cm。茎几乎无毛或微被柔毛，分枝稍"之"字形折曲。单叶互生，枝先端节不伸长所以成双生或簇生状，卵形或卵状披针形，长 4 ~ 13 cm，宽 1.5 ~ 4 cm，全缘，先端短渐尖或急尖，基部狭楔形；叶柄长 4 ~ 7 cm。花单生于叶腋或枝腋，花梗俯垂；花萼杯状，不显著 5 齿；花冠白色，辐状，裂片卵形；花药灰紫色。果柄较粗壮，俯垂；果实长指状，先端渐尖稍弯曲，未成熟时绿色，成熟后红色、橙色或紫红色，红色较为常见，味辣；种子扁肾形，长 3 ~ 5 mm，淡黄色。花果期 5 ~ 11 月。

| **生境分布** | 湖北有栽培。

| **资源状况** | 栽培资源丰富。药材来源于栽培。

| **采收加工** | **成熟果实：** 夏、秋季果皮变红色时采收，除去枝梗，晒干。

| **功能主治** | 温中散寒，健胃消食。用于寒滞腹痛，消化不良，呕吐，泻痢；外用于冻疮。

茄科 Solanaceae　辣椒属 Capsicum

樱桃椒

Capsicum annuum L. var. *cerasiforum* Irish

| 药 材 名 | 五色椒根、五色椒。

| 形态特征 | 一年生或有限多年生植物，高 40 ~ 80 cm。茎近无毛或微生柔毛，分枝稍呈"之"字形曲折。叶互生，枝先端节不伸长而成双生或簇生，长圆状卵形、卵形或卵状披针形，长 4 ~ 13 cm，宽 1.5 ~ 4 cm，全缘，先端短渐尖或急尖，基部狭楔形；叶柄长 4 ~ 7 cm。花单生或双生，上举；花萼杯状，具不显著 5 齿；花冠白色，裂片卵形；花药灰紫色。果柄较粗壮，上举；果实狭锥形，长 2.1 ~ 2.4 cm，直径 2.4 ~ 2.7 cm，未成熟时绿色，成熟后红色、橙色或紫红色；种子扁肾形，长 3 ~ 5 mm，淡黄色。

| **生境分布** | 生于温暖干燥、光照充足、土壤肥沃的环境。栽培种。湖北有分布。 |

| **功能主治** | **五色椒根**：祛风湿。用于风湿病。 |
| | **五色椒**：祛风止血，温中健胃。用于脾胃虚寒，食欲不振。 |

茄科 Solanaceae 辣椒属 *Capsicum*

朝天椒

Capsicum annuum L. var. *conoides* (Mill.) Irish

| 药 材 名 | 朝天椒。

| 形态特征 | 一年生草本。茎直立，二叉分枝。单叶互生；叶卵形，长 4 ~ 7 cm，宽 2 ~ 4 cm，全缘，先端尖，基部渐狭，有柄。花常单生于叶腋间；花萼钟状，先端具 5 齿；花冠白色或带紫色，5 裂；雄蕊 5，着生于花冠基部，花药纵裂；雌蕊 1，子房 2 室，花柱细长，柱头略呈头状。浆果圆锥形或矩圆状圆柱形，长 1.5 ~ 3 cm，通常直立，萼宿存。果实成熟后红色或紫色，味极辣；种子多数，扁圆形。几乎全年开花结果。

| 生境分布 | 生于光照充足、温暖的环境，以肥沃、通透性良好的砂质土壤为佳。栽培种。湖北有分布。

| 采收加工 | 果实：全年均可采收，鲜用或晒干。

| 功能主治 | 活血，消肿，解毒。用于疮疡，脚气，狂犬咬伤。

茄科 Solanaceae 树番茄属 Cyphomandra

树番茄
Cyphomandra betacea (Cav.) Sendtn.

| 药 材 名 | 树番茄。

| 形态特征 | 小乔木或灌木。高达 3 m，密生短柔毛。叶卵状心形，长 5 ~ 15 cm，宽 5 ~ 10 cm，全缘或微波状，有 3 浅裂或羽状深裂。叶面深绿，叶背淡绿，生短柔毛，侧脉每边 5 ~ 7，生短柔毛。总状式、蝎尾式或伞房式聚伞花序，近腋生或腋外生；花梗长 1 ~ 2 cm，生短柔毛；花萼辐状，生短柔毛，5 浅裂；花冠辐状，粉红色，深 5 裂，裂片披针形；雄蕊 5，插生于花冠喉部，花丝极短，花药并行，纵缝

裂开；花盘环状，全缘或有缺刻状齿，或者不甚明显；子房 2 室，卵状，具多胚珠，花柱粗壮而呈锥形或者伸长而呈丝状。浆果卵球状、矩圆状或球状，多汁液，长 5 ～ 7 cm，表面光滑，橘黄色或带红色；种子圆盘形，胚极弯曲或近螺旋形。

| 生境分布 | 生于阳光充足、通风良好的山坡地、路旁、良田、房前屋后等。湖北无野生分布。湖北有栽培。

| 资源情况 | 栽培资源较少。药材主要来源于栽培。

| 采收加工 | **果实**：3 ～ 9 月采收。

| 功能主治 | 清热解毒，健脾益胃，润肠通便。用于口疮，喉痛，纳呆，便秘等。

毛曼陀罗
Datura innoxia Mill.

| 药 材 名 | 毛曼陀罗。

| 形态特征 | 一年生直立草本或半灌木状，高 1 ~ 2 m，全体密被细腺毛和短柔毛。茎粗壮，下部灰白色，分枝灰绿色或微带紫色。叶片广卵形，长 10 ~ 18 cm，宽 4 ~ 15 cm，先端急尖，基部不对称近圆形，全缘而微波状，或有不规则的疏齿，侧脉每边 7 ~ 10。花单生于枝杈间或叶腋，直立或斜升；花萼圆筒状，不具棱角，长 8 ~ 10 cm，直径 2 ~ 3 cm，向下渐稍膨大，5 裂，裂片狭三角形，有时不等大；花冠长漏斗状，长 15 ~ 20 cm，下部带淡绿色，上部白色，花开放后呈喇叭状，边缘有 10 尖头；子房密生白色柔针毛。蒴果俯垂，近球状或卵球状，密生细针刺，针刺有韧曲性，全果密生白色柔毛，

成熟后淡褐色，由近先端不规则开裂；种子扁肾形，褐色。花期 5 ~ 9 月，果期 6 ~ 10 月。

| 生境分布 | 生于低海拔地区的村边、路旁。分布于湖北秭归、郧西、枣阳等。

| 资源状况 | 野生资源较丰富，栽培资源较少。药材主要来源于野生。

| 采收加工 | **花：**5 ~ 9 月采摘初开放的花朵，晒干或低温干燥。

叶：7 ~ 8 月采收，鲜用或晒干。

果实、种子：夏、秋季果实成熟后采摘果实，晒干后取出种子。

| 功能主治 | **花：**祛风平喘，麻醉止痛。用于支气管哮喘，慢性喘息性支气管炎，胃痛，牙痛，风湿痛，痈疽肿痛等，还可用于手术麻醉。

叶：祛风止痛，止咳平喘。用于哮喘，痹痛，脚气，脱肛等。

果实、种子：平喘，祛风，止痛。用于咳喘，惊厥，风寒湿痹，关节肿痛等。

茄科 Solanaceae 曼陀罗属 Datura

白花曼陀罗 *Datura metel* L.

药材名

洋金花。

形态特征

一年生草本，高 0.5 ~ 2 m。茎直立，近无毛。叶互生，卵形或宽卵形，长 5 ~ 20 cm，宽 4 ~ 15 cm，先端渐尖，基部楔形，不对称边缘有波状短齿或全缘，两面近无毛；叶柄长 2 ~ 5 cm。花单生，直立；花萼筒状，长 4 ~ 9 cm，外有纵棱纹，先端 5 齿裂；花冠长漏斗状，长 14 ~ 20 cm，檐部直径 6 ~ 10 cm，筒中部之下较细，向上扩大成喇叭状，裂片先端有小尖头，白色、黄色或浅紫色，单瓣，在栽培类型中有 2 重瓣或 3 重瓣；雄蕊 5，在重瓣类型中常变态成 15 枚左右；花药长约 1.2 cm；子房疏生短刺毛，花柱长 11 ~ 16 cm。蒴果斜上着生，球形或扁球形，直径约 3 cm，表面有疏而短的刺，成熟时为不规则的 4 瓣裂，萼筒宿存，呈浅盘状；种子淡褐色，宽约 3 mm。花果期 3 ~ 12 月。

生境分布

生于向阳的山坡草地或住宅旁。分布于湖北丹江口、红安、大悟、公安、建始、竹溪等。

湖北武汉有栽培。

| **资源状况** | 野生资源较丰富，栽培资源较丰富。药材主要来源于栽培。

| **采收加工** | 花：4 ~ 11 月采摘初开放的花朵，晒干或低温干燥。

| **功能主治** | 平喘止咳，麻醉止痛，解痉止搐。用于哮喘咳嗽，脘腹冷痛，风湿痹痛，癫痫，惊风，外科麻醉等。

| **附　注** | 本种包括了通常栽培的重瓣曼陀罗 *Datura fastuosa* L.。根据植物分类学研究，它们应是同 1 个自然种，后者是人工培育的类型。

曼陀罗
Datura stramonium L.

| 药 材 名 | 曼陀罗。

| 形态特征 | 草本或半灌木状，高 0.5 ~ 1.5 m，全体近平滑或被短柔毛。茎粗壮，圆柱状，淡绿色或带紫色，下部木质化。单叶片互生，叶广卵形，长 8 ~ 17 cm，宽 4 ~ 12 cm，先端渐尖，基部不对称楔形，边缘有不规则波状浅裂或波状牙齿，裂片三角形，有时疏齿，脉上有疏短柔毛，侧脉每边 3 ~ 5。花单生于枝杈间或叶腋，直立，有短梗；花萼筒状，长 4 ~ 5 cm，筒部有 5 棱角，花冠，漏斗状，檐部 5 浅裂，裂片有短尖头，长 6 ~ 10 cm，上部白色或紫色，下部淡绿色；雄蕊 5；子房卵形、不完全 4 室。蒴果直立，卵状，长 3 ~ 4.5 cm，直径 2 ~ 4 cm，表面生有坚硬针刺或有时无刺而近平滑，成熟后 4

瓣裂，淡黄色；种子卵圆形，稍扁，黑色。花期 6 ~ 10 月，果期 7 ~ 11 月。

| 生境分布 | 生于荒地、旱地、宅旁、向阳山坡、林缘、草地。分布于湖北房县、兴山、京山、钟祥、黄梅、利川、巴东、宣恩、神农架，以及武汉、荆门。湖北有栽培。

| 资源状况 | 野生资源较丰富，栽培资源较丰富。药材主要来源于栽培。

| 采收加工 | 花：6 ~ 10 月采摘初开放的花朵，晒干或低温干燥。

叶：7 ~ 8 月采收，鲜用或晒干。

果实、种子：夏、秋季果实成熟后采摘果实，晒干后取出种子。

| 功能主治 | 花：祛风平喘，麻醉止痛。用于支气管哮喘，慢性喘息性支气管炎，胃痛，牙痛，风湿痛，痈疽肿痛，手术麻醉。

叶：祛风止痛，止咳平喘。用于哮喘，痹痛，脚气，脱肛等。

果实、种子：平喘，祛风，止痛。用于咳喘，惊厥，风寒湿痹，关节肿痛等。

| 附　注 | 按照现代植物分类学的分类方式，本种的变种包括紫花曼陀罗 *Datura stramonium* L. var. *Tatula* Torrey、无刺曼陀罗 *Datura stramonium* L. var. *Inermis* (Jacq.) Schinz et Thell.。研究证明，花白色或紫色，果实表面有刺或无刺，仅仅只是 1 对基因显性和隐性的不同，它们在遗传上是不稳定的，在进化上也是无意义的。

茄科 Solanaceae 红丝线属 Lycianthes

红丝线 Lycianthes biflora (Lour.) Bitter

| 药 材 名 | 红丝线。

| 形态特征 | 灌木或亚灌木，少有草本，高 0.5 ~ 1.5 m。小枝、叶下面、叶柄、花梗及萼的外面密被淡黄色的单毛及 1 ~ 2 分枝或树枝状分枝的绒毛。叶互生，上部叶常假双生，大小不相等；卵形或椭圆状卵形，长 2.5 ~ 15 cm，宽 2 ~ 7 cm，先端渐尖，基部楔形渐窄至叶柄而成窄翅，全缘，上面绿色，被简单具节分散的短柔毛；下面灰绿色。花序无柄，通常具 2 ~ 3 花，少 4 ~ 5 花，花着生于叶腋内；花梗短，约 5 mm；花萼杯状，萼齿 10，钻状线形；花冠淡紫色或白色，星形，先端 5 深裂，裂片披针形；花冠筒隐于萼内，花药近椭圆形，在内面常被微柔毛，顶孔向内，偏斜。子房卵形，柱头头状。浆果球形，

直径 6 ～ 8 mm，成熟果绯红色；种子多数，淡黄色，近卵形至近三角形，水平压扁，外面具凸起的网纹。花期 5 ～ 8 月，果期 7 ～ 11 月。

| 生境分布 | 生于海拔 1 500 ～ 2 200 m 的林下或路旁。分布于湖北巴东、保康等。

| 资源状况 | 野生资源较丰富。药材主要来源于野生。

| 采收加工 | **全株或叶**：夏、秋季采收，鲜用或晒干。

| 功能主治 | 清热解毒，祛痰止咳。用于咳嗽哮喘，痢疾，热淋，狂犬咬伤，疔疮肿毒，外伤出血。

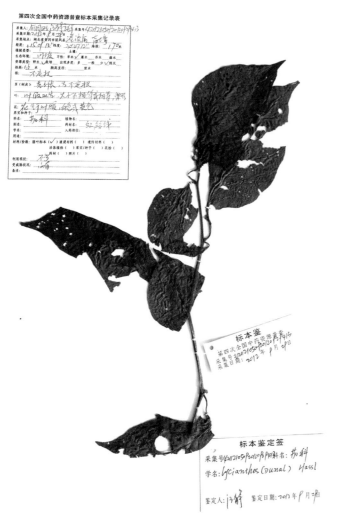

茄科 Solanaceae 红丝线属 Lycianthes

单花红丝线

Lycianthes lysimachioides (Wall.) Bitter

| 药 材 名 |

单花红丝线。

| 形态特征 |

多年生草本。茎基部常匍匐，从节上生出不定根，茎上疏生白色柔毛，茎褐色。植株疏被毛或无毛。叶假双生，大小不相等或近相等，卵形，椭圆形至卵状披针形，长 2 ~ 7 cm，宽 1.2 ~ 3.5 cm，近全缘，有缘毛，两面疏生白色柔毛；侧脉每边 4 ~ 5。花单生于叶腋内，被白色透明分散的单毛，花萼杯状钟形，具明显的 10 脉，萼齿 10，钻状线形，稍不相等，萼外面毛被与花梗的相似；花冠白色至浅黄色，深 5 裂，裂片披针形，尖端稍反卷，并被疏稀而微小的缘毛；花冠筒隐于萼内；雄蕊 5，着生于花冠筒喉部，无毛，花药长椭圆形，基部心形，顶孔向内，偏斜；子房近球形，花柱纤细，长于雄蕊，先端弯或近直立，柱头增厚，头状。浆果球形，种子卵状三角形，细网状。花期 7 ~ 8 月，果期 9 ~ 10 月。

| 生境分布 |

生于海拔 1 000 m 以上的山坡草丛、林缘或路旁半湿处。分布于湖北利川、巴东、神农架、

保康、鹤峰、建始等。

| **资源情况** | 野生资源较丰富。药材主要来源于野生。

| **采收加工** | **全草**：8 ～ 9 月采收，晒干或鲜用。

| **功能主治** | 解毒消肿，杀虫。用于旋耳疮，鼻疮，痈肿疮毒，外伤出血，皮肤瘙痒，毒蛇咬伤。

中华红丝线

Lycianthes lysimachioides (Wall.) Bitter var. *sinensis* Bitter

| 药 材 名 | 中华红丝线。

| 形态特征 | 多年生草本。茎、叶、花梗及萼外面均具有较单花红丝线明显而分散的毛。叶较单花红丝线稍大，叶背面几近光滑；叶柄较长，长1～3 cm。花白色。花期6月。

| 生境分布 | 生于海拔635～2 000 m的林下、溪边潮湿地区。分布于湖北兴山、巴东、鹤峰、建始。

| 资源情况 | 野生资源较丰富。药材主要来源于野生。

| **采收加工** | 全草：8 ~ 9 月采收，鲜用或晒干。

| **功能主治** | 杀虫，解毒。用于鼻疮，痈肿疮毒，外伤出血，皮肤瘙痒，毒蛇咬伤。

茄科 Solanaceae 枸杞属 Lycium

枸杞
Lycium chinense Mill.

| 药 材 名 | 枸杞子、枸杞叶、地骨皮。

| 形态特征 | 多分枝灌木，高达 1（~ 2）m。枝条细弱，弯曲或俯垂，淡灰色，具纵纹，小枝先端呈棘刺状，短枝先端棘刺长达 2 cm。叶卵形、卵状菱形、长椭圆形或卵状披针形，长 1.5 ~ 5 cm，先端尖，基部楔形，栽培植株的叶长超过 10 cm，叶柄长 0.4 ~ 1 cm。花在长枝上 1 ~ 2 腋生，花梗长 1 ~ 2 cm；花萼长 3 ~ 4 mm，常 3 中裂或 4 ~ 5 齿裂，具缘毛；花冠漏斗状，淡紫色，花冠筒向上骤宽，较冠檐裂片稍短或与冠檐裂片近等长，5 深裂，裂片卵形，平展或稍反曲，具缘毛，基部耳片显著；雄蕊稍短于花冠，花丝近基部密被 1 圈绒毛并成椭圆状毛丛，花冠筒内壁与毛丛等高处密被 1 环绒毛，花柱稍长于雄蕊。

浆果卵圆形，红色，长 0.7 ~ 1.5 cm，栽培类型长圆形或长椭圆形，长达 2.2 cm；种子扁肾形，长 2.5 ~ 3 mm，黄色。

| 生境分布 | 生于海拔 150 ~ 1 200 m 的山坡、田埂或丘陵地带。湖北有分布。

| 采收加工 | **枸杞子**：夏、秋季果实呈红色时采收，热风烘干，除去果柄；或晾至皮皱后，晒干，除去果柄。

枸杞叶：春、夏季采摘，风干。

地骨皮：春初或秋后采挖根，洗净，剥取根皮，晒干。

| 功能主治 | **枸杞子**：滋补肝肾，益精明目。用于虚劳精亏，腰膝酸痛，眩晕耳鸣，阳痿遗精，内热消渴，血虚萎黄，目昏不明。

枸杞叶：补肾益精，清热明目。用于虚劳发热，烦渴，目赤肿痛，障翳夜盲，崩漏带下，热毒疮肿。

地骨皮：凉血除蒸，清肺降火。用于阴虚潮热，骨蒸盗汗，肺热咳嗽，咯血，衄血，内热消渴。

茄科 Solanaceae 番茄属 Lycopersicon

番茄 *Lycopersicon esculentum* Mill.

| **药 材 名** | 西红柿。

| **形态特征** | 高 0.6 ~ 2 m，全体生黏质腺毛，有强烈气味。茎易倒伏。叶羽状复叶或羽状深裂，长 10 ~ 40 cm，小叶极不规则，大小不等，常 5 ~ 9，卵形或矩圆形，长 5 ~ 7 cm，边缘有不规则锯齿或裂片。花序总梗长 2 ~ 5 cm，常 3 ~ 7 花；花梗长 1 ~ 1.5 cm；花萼辐状，裂片披针形，果时宿存；花冠辐状，直径约 2 cm，黄色。浆果扁球状或近球状，肉质而多汁液，橘黄色或鲜红色，光滑；种子黄色。花果期夏、秋季。

| **生境分布** | 湖北各地广泛栽培。

| **采收加工** | 夏、秋季果实成熟时采收，洗净，鲜用。 |

| **功能主治** | 生津止渴，健胃消食。用于口渴，食欲不振。 |

茄科 Solanaceae 假酸浆属 Nicandra

假酸浆 *Nicandra physalodes* (L.) Gaertn.

| 药 材 名 | 假酸浆、假酸浆花、假酸浆籽。

| 形态特征 | 一年生草本,高0.4～1.5 m。主根呈长锥形,有极细的须状根。茎直立,棱状圆柱形,上部交互成不等的二叉分枝。单叶互生,卵形或椭圆形,草质,长4～12 cm,宽2～8 cm,先端急尖或短渐尖,基部楔形下延,边缘具不整齐的粗齿或浅裂,上、下叶面均有稀疏毛。花单生于枝腋下,与叶对生,通常具较叶柄长的花梗,低垂;花萼5深裂,裂片先端尖锐,基部呈心形状,有2尖锐的耳片,果时包裹果实,直径2.5～4 cm;花冠漏斗状钟形,淡蓝色,直径达4 cm,檐部显折皱状,5浅裂,花筒内面基部有5紫斑;雄蕊5;子房3～5室。浆果球状,直径1.5～2 cm,黄色;种子小,淡褐色。

| 生境分布 | 生于田边、荒地或屋园周围、篱笆边。分布于湖北武汉（武昌）。

| 资源状况 | 野生资源较少，栽培资源一般。药材来源于栽培。

| 采收加工 | **全草**：秋季采收，分出果实，分别洗净，鲜用或晒干。

花：夏季或秋季采摘，阴干。

| 功能主治 | **全草**：清热解毒，利尿镇静。用于感冒发热，鼻渊，热淋，痈肿疮疖，癫痫，狂犬病。

花：祛风，消炎。用于鼻渊。

种子：清热退火，利尿。

果实：祛风，消炎。用于风湿性关节炎，疮痈肿痛。

茄科 Solanaceae 烟草属 Nicotiana

烟草 *Nicotiana tabacum* L.

| 药 材 名 | 烟草。

| 形态特征 | 一年生或多年生草本，高达 2 m。叶长圆状披针形、披针形、长圆形或卵形，长 10 ~ 30（~ 70）cm，先端渐尖，基部渐窄成耳状半

抱茎；叶柄不明显或呈翅状。花序圆锥状，顶生；花梗长 0.5 ~ 2 cm；花萼筒状或筒状钟形，长 2 ~ 2.5 cm，裂片三角状披针形，长短不等；花冠漏斗状，淡黄色、淡绿色、红色或粉红色，基部带黄色，稍弓曲，长 3.5 ~ 5 cm，冠檐直径 1 ~ 1.5 cm，裂片尖；雄蕊 1，较短，不伸出花冠喉部，花丝基部被毛。蒴果卵圆形或椭圆形，与宿萼近等长；种子圆形或宽长圆形，直径约 0.5 mm，褐色。

| **生境分布** | 生于温暖、光照充足、土壤肥沃的环境。栽培种。湖北有分布。

| **采收加工** | **叶**：7 月间叶片由深绿色变成淡黄色、叶尖下垂时，可按叶的成熟先后，分数次采摘，晒干或烘干或鲜用。

| **功能主治** | 行气止痛，燥湿杀虫，消肿解毒。用于食滞饱胀，气结疼痛，关节痹痛，痈疽疔疮，疥癣湿疹，毒蛇咬伤，扭挫伤。

| 茄科 | Solanaceae | 碧冬茄属 | *Petunia*

碧冬茄
Petunia hybrida Vilm.

| **药 材 名** | 碧冬茄。

| **形态特征** | 一年生草本，高 30 ~ 60 cm，全体有腺毛。叶有短柄或近无柄，卵形，先端急尖或较钝，基部阔楔形或楔形，全缘，长 3 ~ 8 cm，宽 1.5 ~ 4.5 cm，侧脉不显著，每边 5 ~ 7。花单生于叶腋，花梗长 3 ~ 5 cm；花萼 5 深裂，裂片披针形，长 1 ~ 1.5 cm，宽约 3.5 mm；先端钝，果时宿存；花冠白色或紫堇色，有各式条纹，漏斗状，长 5 ~ 7 cm，筒部向上渐扩大，檐部开展，有折襞，5 浅裂；雄蕊插生在花冠筒中部，其中 4 枚两两成对，第 5 枚小而退化；花柱稍超过雄蕊。蒴果圆锥状，长约 1 cm，2 瓣裂，各裂瓣先端又 2 浅裂；种子极小，近球形，直径约 0.5 mm，褐色。

| **生境分布** | 湖北南漳、兴山、麻城有栽培。

| **资源状况** | 野生资源稀少，栽培资源丰富。药材主要来源于栽培。

| **功能主治** | 泻下，利尿，消肿。用于水肿，肾炎等。

茄科 Solanaceae 散血丹属 Physaliastrum

江南散血丹

Physaliastrum heterophyllum (Hemsl.) Migo

| 药 材 名 | 龙须参。

| 形态特征 | 植株高 30 ~ 60 cm。根多条簇生，近肉质。茎直立，茎节略膨大，幼嫩时具细疏毛；枝条较粗壮，平展。叶连叶柄长 7 ~ 19 cm，宽 2 ~ 7 cm，阔椭圆形、卵形或椭圆状披针形，先端短渐尖或急尖，基部歪斜，变狭而成长 1 ~ 6 cm 的叶柄，全缘而略呈波状，两面被稀疏细毛，侧脉 5 ~ 7 对。花单生或双生；花梗细瘦，有稀柔毛，长 1 ~ 1.5 cm，果时长 3 ~ 5 cm，变无毛；花萼短钟状，长约为花冠的 1/3，长 5 ~ 7 mm，直径 6 ~ 10 mm，外面疏生柔毛，5 深中裂，裂片直立，狭三角形，渐尖，或多或少不等长，有缘毛，花后增大成近球状，直径约 2 cm；花冠阔钟状，白色，长 1.2 ~ 1.5 cm，

直径 1.5 ~ 2 cm，檐部 5 浅裂，裂片扁三角形，有细缘毛；雄蕊长为花冠之半，长 6 ~ 8 mm，花丝有稀疏柔毛。浆果直径约 1.8 cm。5 月开花，8 月果实成熟。

| **生境分布** | 生于海拔 450 ~ 1 100 m 的山坡、山谷林下潮湿处。湖北有分布。

| **采收加工** | **根**：秋、冬季挖取，晒干。

| **功能主治** | 补气。用于虚劳气怯，体弱乏力。

酸浆
Physalis alkekengi L.

| 药 材 名 | 酸浆、锦灯笼。

| 形态特征 | 一年至多年生草本。茎高 40 ～ 80 cm，分枝稀疏或不分枝，茎节不甚膨大，常被柔毛，以幼嫩部分较密。叶长 5 ～ 15 cm，宽 2 ～ 8 cm，长卵形至阔卵形，有时菱状卵形，先端渐尖，基部不对称狭楔形，下延至叶柄，全缘而波状，或者有粗牙齿，有时每边具少数不等大的三角形大牙齿，两面被柔毛，沿叶脉较密，上面的毛常不脱落，沿叶脉有短硬毛；叶柄长 1 ～ 3 cm。花梗长 6 ～ 16 cm，密生柔毛，果时毛也不脱落；花萼阔钟状，长约 6 mm，密生柔毛，萼齿三角形，边缘有硬毛；花冠辐状，白色，直径 15 ～ 20 mm，裂片开展，阔而短，先端骤然狭窄成三角形尖头，外面有短柔毛，边缘有缘毛；雄

蕊及花柱均较花冠短。果柄长 2 ~ 3 cm，宿存柔毛；果萼卵状，长 2.5 ~ 4 cm，直径 2 ~ 3.5 cm，薄革质，网脉显著，有 10 纵肋，橙色或火红色，被宿存的柔毛，先端闭合，基部凹陷；浆果球状，橙红色，直径 10 ~ 15 mm；种子肾形，淡黄色，长约 2 mm。花期 5 ~ 9 月，果期 6 ~ 10 月。

| 生境分布 |　生于山坡、旷地。湖北各地均有分布。

| 资源状况 |　野生资源较丰富，栽培资源一般。药材来源于野生和栽培。

| 采收加工 |　**果实、宿萼或带宿萼的果实：** 夏、秋季采收，鲜用或晒干。

| 功能主治 |　**酸浆：** 清热解毒，清肺利咽，化痰，通利二便。用于咽喉肿痛，肺热咳嗽，黄疸，痢疾，水肿，小便淋沥，大便不通，丹毒，湿疹，黄水疮。

锦灯笼： 清肺利咽，化痰利水。用于肺热咳痰，咽喉肿痛，骨蒸劳热，小便淋涩，天疱湿疮。

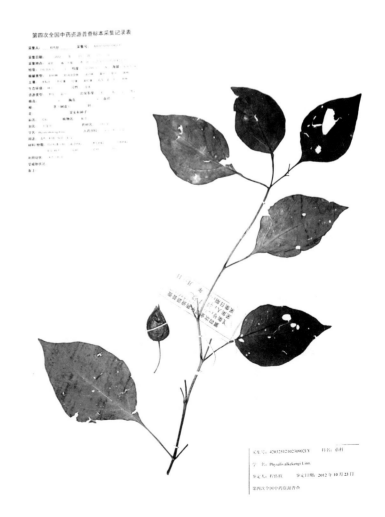

茄科 Solanaceae 酸浆属 *Physalis*

挂金灯

Physalis alkekengi L. var. *francheti* (Mast.) Makino

| 药 材 名 |　挂金灯。

| 形态特征 |　一年生或多年生草本，高 40 ~ 80 cm。茎直立，不分枝，有纵棱，

节稍膨大。单叶互生，或在茎上部 2 叶双生；叶柄长 1 ~ 4 cm；叶片长卵形至广卵形，或菱状卵形，基部广楔形，先端渐尖，近全缘而波状，或具不规则粗齿，具缘毛，两面几无毛，或表面及背面脉上疏被短毛。花单生于叶腋；花梗长 16 mm，直立，花后向下弯曲，近无毛或疏被柔毛，果期无毛；花萼钟状，绿色，长约 6 mm，被柔毛，萼齿三角形；花冠辐状，白色，5 浅裂，直径 1.5 ~ 2 cm，裂片广三角形，外面被短柔毛，具缘毛；雄蕊与花柱短于花冠，花药黄色。果柄长 2 ~ 3 cm，无毛；果槽卵状，膨胀成灯笼状，长 2.5 ~ 4 cm，直径 2 ~ 3.5 cm，无毛，橙色或橙红色，薄革质，网脉显著，具 10 纵肋，基部凹陷，先端萼齿闭合，具缘毛；浆果球形，成熟时橙红色；种子多数，肾形，淡黄色。花期 6 ~ 7 月，果期 8 ~ 10 月。

| 生境分布 |　生于田野、沟边、山坡草地、林下或路旁水边。分布于湖北麻城、郧阳等。

| 资源状况 |　野生资源较丰富，栽培资源一般。药材来源于野生。

| 采收加工 |　**带宿萼的果实**：夏、秋季采收，鲜用或晒干。

| 功能主治 |　清肺利咽，化痰利水。用于肺热咳痰，咽喉肿痛，骨蒸劳热，小便淋涩，天疱疮。

苦蘵 *Physalis angulata* L.

| **药 材 名** | 苦蘵。

| **形态特征** | 一年生草本，被疏短柔毛或近无毛，高 25 ~ 60 cm。茎斜卧或直立，茎多分枝，分枝纤细。叶柄长 1 ~ 5 cm；叶互生，薄如纸质，呈卵形至卵状椭圆形，长 4 ~ 8 cm，宽 3 ~ 5 cm，先端渐尖，基部楔形，全缘或具不规则的浅锯齿，两面近无毛。花单生于叶腋；花梗纤细，长约 5 mm；花萼钟状，长约 5 mm，上端 5 裂，裂片披针形或近三角形；花冠钟状，浅黄色，5 浅裂，喉部常有紫色斑纹，长 4 ~ 6 mm，直径 6 ~ 8 mm；雄蕊 5，花药黄色，矩圆形，纵裂；子房 2 室，花柱呈条形，柱头具不明显的 2 裂片。浆果球形，直径 1.2 cm，光滑无毛，呈黄绿色，包藏于膨大的宿萼之内。宿萼膀胱状，绿色，具 5 棱角，

棱脊上疏被短柔毛，网脉明显，在结果时似灯笼状，长可达 2.5 cm；种子圆盘状，长约 2 mm。花期 5 ~ 7 月，果期 7 ~ 12 月。

| 生境分布 | 生于海拔 1 500 m 以下的山坡、山谷林下、村庄附近及路旁。分布于湖北兴山、远安、巴东、鹤峰、利川、保康、谷城、枣阳、宜都、天门、洪湖、通山、蕲春，以及随州、武汉。

| 资源状况 | 野生资源丰富，栽培资源较少。药材来源于野生。

| 采收加工 | **全草**：夏、秋季采收，鲜用或晒干。

| 功能主治 | 清热解毒，消肿利尿。用于咽喉肿痛，感冒发热，肺热咳嗽，牙龈肿痛，热淋，支气管炎，肺痈，痢疾，小便不利，天疱疮，疔疮。

茄科 Solanaceae 酸浆属 Physalis

小酸浆 *Physalis minima* L.

| 药 材 名 | 天泡子。

| 形 态 特 征 | 一年生草本。根细瘦；主轴短缩，先端多二叉分枝，分枝披散卧于地上或斜升，生短柔毛。叶柄细弱，长 1 ~ 1.5 cm；叶片卵形或卵状披针形，长 2 ~ 3 cm，宽 1 ~ 1.5 cm，先端渐尖，基部歪斜楔形，全缘而波状，或有少数粗齿，两面脉上有柔毛。花具细弱的花梗，花梗长约 5 mm，生短柔毛；花萼钟状，长 2.5 ~ 3 mm，外面生短柔毛，裂片三角形，先端短渐尖，缘毛密；花冠黄色，长约 5 mm；花药黄白色，长约 1 mm。果柄细瘦，长不及 1 cm，俯垂。果萼近球状或卵球状，直径 1 ~ 1.5 mm；果实球状，直径约 6 mm。

| 生境分布 | 生于海拔 1 000 ~ 1 300 m 的荒山、草地及水库边。分布于湖北黄梅、

秭归等。

| **资源状况** | 野生资源一般，栽培资源较少。

| **采收加工** | **全草**：6 ～ 7 月采收带果全草，洗净，鲜用或晒干。

| **功能主治** | 清热利湿，祛痰止咳，软坚散结。用于湿热黄疸，小便不利，慢性咳喘，疳疾，瘰疬，天疱疮，湿疮。

灯笼果 *Physalis peruviana* L.

| 药 材 名 | 灯笼草。

| 形态特征 | 多年生草本。高 45 ~ 90 cm，具匍匐的根茎。茎直立，不分枝或少分枝，密生短柔毛。叶较厚，阔卵形或心形，长 6 ~ 15 cm，宽 4 ~ 10 cm，先端短渐尖，基部对称心形，全缘或有少数不明显的尖牙齿，两面密生柔毛；叶柄长 2 ~ 5 cm，密生柔毛。花单独腋生；花梗长约 1.5 cm；花萼阔钟状，同花梗一样密生柔毛，长 7 ~ 9 mm，裂片披针形，与萼筒近等长；花冠阔钟状，长 1.2 ~ 1.5 cm，直径 1.5 ~ 2 cm，黄色，喉部有紫色斑纹，5 浅裂，裂片近三角形，外面生短柔毛，边缘有睫毛；花丝及花药蓝紫色，花药长约 3 mm。果萼卵球状，长 2.5 ~ 4 cm，薄纸质，淡绿色或淡黄色，被柔毛；浆果

直径 1 ~ 1.5 cm，成熟时黄色；种子黄色，圆盘状，直径约 2 mm。夏季开花结果。

| **生境分布** | 生于海拔 1 200 ~ 2 100 m 的路旁或河谷。湖北有分布。

| **采收加工** | 夏、秋季采收，洗净，鲜用或晒干。

| **功能主治** | 清热，行气，止痛，消肿。用于感冒，疟腮，喉痛，咳嗽，腹胀，疝气，天疱疮。

毛酸浆 *Physalis philadelphica* Lam.

药材名

毛酸浆。

形态特征

一年生草本。茎生柔毛，常多分枝，分枝毛较密。叶宽卵形，长 3 ~ 8 cm，宽 2 ~ 6 cm，先端急尖，基部斜心形，边缘呈不整齐尖齿状，两面均有稀疏柔毛，脉上柔毛较密；叶柄长 3 ~ 8 cm，密生短柔毛。花单独腋生，花梗长 5 ~ 10 mm，密被短柔毛；花萼漏斗状钟形，密生柔毛，5 中裂，裂片披针形，急尖，边缘有缘毛；花冠淡黄色，喉部常有紫色斑纹，直径 6 ~ 10 mm；花药淡紫色，长 1 ~ 2 mm。果萼卵圆状，长 2 ~ 3 cm，直径 2 ~ 2.5 cm，具 5 棱角和 10 纵肋，先端萼齿闭合，基部稍凹陷；浆果球状，直径约 1.2 cm，黄色或有时带紫色；种子近圆盘状。花果期 5 ~ 11 月。

生境分布

生于草地、山坡林下或田边路旁。分布于湖北巴东、通山、罗田以及武汉。

| 资源状况 | 野生资源较少，栽培资源一般。药材来源于栽培。

| 采收加工 | **宿萼或带有成熟果实的宿萼：**9 月下旬至 10 月下旬采收。

| 功能主治 | 清热解毒，散火消肿，利尿。用于骨蒸劳热，肺热咳嗽，咽喉肿痛，黄疸，水肿，天疱疮。

千年不烂心
Solanum cathayanum C. Y. Wu et S. C. Huang

| 药材名 |

千年不烂心。

| 形态特征 |

草质藤本，多分枝，长 0.5 ~ 3 m。茎、叶各部密被多节长柔毛。叶互生，多数为心形，长 1.5 ~ 5 cm，宽 1 ~ 3.5 cm，先端尖或渐尖，基部心形或戟形，全缘，少数基部3 深裂，裂片全缘，侧裂片短，先端钝，中裂片长，卵形至卵状披针形，先端渐尖，上面疏被白色发亮的短柔毛，下面与上面的毛被相似，但较密，中脉明显，侧脉纤细，每边 4 ~ 6；叶柄长 1 ~ 2 cm，密被多节的长柔毛。聚伞花序顶生或腋外生，疏被毛；总花梗长 1.8 ~ 4 cm，被多节发亮的长柔毛及短柔毛，花梗长约 1 cm，无毛；花萼杯状，无毛，萼齿 5；花冠蓝紫色或白色，直径约1 cm，5 裂，开放时裂片向外反折，花冠筒隐于萼内；花丝长不及 1 mm，花药长圆形，顶孔略向内；子房卵形，花柱丝状，柱头头状。浆果成熟时红色，果柄无毛；种子近圆形，外具网纹。花果期 6 ~ 9 月。

| 生境分布 |

生于海拔 200 ~ 1 400 m 的山坡阴湿及灌丛

中。分布于湖北来凤、咸丰、宣恩、建始、巴东、长阳、秭归、兴山、神农架、房县、罗田，以及武汉。

| 资源状况 | 野生资源丰富，栽培资源较少。

| 采收加工 | **全草**：夏、秋季采收，晒干。

| 功能主治 | 清热解毒，息风定惊。用于小儿发热惊风，黄疸，肺热咳嗽，风火牙痛，瘰疬，崩漏，带下，盆腔炎。

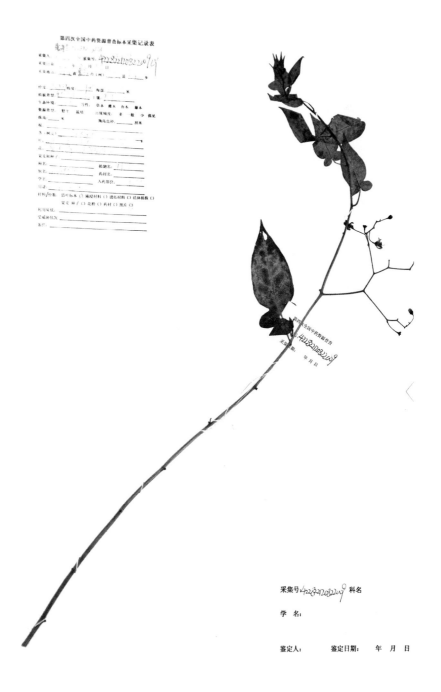

茄科 Solanaceae 茄属 Solanum

欧白英
Solanum dulcamara L.

| 药 材 名 | 苦茄。

| 形态特征 | 多年生无刺草质藤本。无毛或被稀疏短柔毛。小枝有细条纹。叶戟形，
长 3 ~ 7.5 cm，宽 1.5 ~ 4 cm，先端渐尖，基部戟形，齿裂或 3 ~ 5
羽状深裂，中裂片较长，其边缘有时有不规则的波状齿或浅裂，两
面均被稀疏的短柔毛，中脉明显，侧脉每边 4 ~ 7，纤细；叶柄长
约 1 ~ 2 cm。聚伞花序腋外生，多花；总花梗长约 1 ~ 2 cm，花梗
长约 0.8 ~ 1 cm，被稀疏短柔毛；花萼杯状，直径约 2.5 mm，5 裂；
花冠紫色，直径约 1 cm，5 裂；雄蕊 5，花丝短；子房卵形，花柱纤细，
柱头小，头状。浆果球形或卵形，直径 6 ~ 8 mm，成熟后成红色；
种子扁平，近圆形，直径约 2 mm。花期夏季，秋季果熟。

| 生境分布 | 生于海拔 50 ～ 500 m 的山沟、山谷、山坡林下。分布于湖北兴山及神农架。

| 资源情况 | 野生资源丰富，栽培资源较少。

| 采收加工 | **全草**：夏、秋季采收，鲜用或晒干。

| 功能主治 | 祛风除湿，清热解毒。用于风湿疼痛，破伤风，痈肿，恶疮，疥疮，外伤出血。

茄科 Solanaceae　茄属 Solanum

刺天茄 *Solanum indicum* L.

| **药 材 名** | 刺天茄。

| **形态特征** | 多枝灌木。小枝、叶下面、叶柄、花序均密被长短不等的具柄的星状绒毛。小枝褐色，基部被星状绒毛，先端弯曲，褐色。叶卵形，先端钝，基部心形，截形或不相等，边缘5～7深裂或成波状浅圆裂，上面绿色，下面灰绿色，密被星状长绒毛；中脉及侧脉常在两面具钻形皮刺；叶柄长2～4 cm，密被星状毛。蝎尾状花序腋外生，密被星状绒毛及钻形细直刺；花蓝紫色，或少为白色；花萼杯状，先端5裂，裂片卵形，先端尖，外面密被星状绒毛及细直刺，内面仅先端被星状毛；花冠辐状，隐于萼内，冠檐先端5深裂，裂片卵形；花丝长约1 mm，基部稍宽大，花药黄色，长约为花丝的7倍，顶孔

向上；子房长圆形，具棱，先端被星状绒毛，花柱丝状，长约 8 mm，除柱头以下 1 mm 外，余均被星状绒毛，柱头截形。果序长 4 ~ 7 cm，果柄长 1 ~ 1.2 cm，被星状毛及直刺。浆果球形，光亮，成熟时橙红色，直径约 1 cm，宿存萼反卷；种子淡黄色，近盘状，直径约 2 mm。

| 生境分布 | 生于林下、路边、荒地。湖北有栽培。

| 资源状况 | 栽培资源一般。药材来源于栽培。

| 采收加工 | 果实：夏、秋季采收，阴干，鲜用。
根：全年均可采挖，洗净，切片，晒干或鲜用。
叶：夏、秋季采收，晒干或鲜用。

| 功能主治 | 果实：清热解毒，镇静止痛。用于风湿病，跌打损伤，神经性头痛，胃痛，牙龈肿痛等。
根：清热解毒，润肺止咳。用于咳嗽伤风。
叶：消炎止痛，解毒止痉。用于小儿惊厥。

茄科 Solanaceae 茄属 Solanum

野海茄 *Solanum japonense* Nakai

| 药 材 名 | 毛风藤。

| 形态特征 | 草质藤本，长 0.5 ~ 1.2 m，无毛或小枝被疏柔毛。叶披针形，先端

长渐尖，基部圆形或楔形，边缘波状，有时 3 ~ 5 裂，侧裂片短而钝，中裂片卵状披针形，先端长渐尖，无毛或两面均被疏柔毛，或仅脉上被疏柔毛，中脉明显，侧脉纤细，通常每边 5；叶柄长 0.5 ~ 2.5 cm，无毛或具疏柔毛。聚伞花序顶生或腋外生，疏毛，顶膨大；花萼浅杯状，直径约 2.5 mm，5 裂，萼齿三角形；花冠紫色，直径约 1 cm，花冠筒隐于萼内，冠檐长约 5 mm，基部具 5 绿色的斑点，先端 5 深裂，裂片披针形；花丝短，花药长圆形，顶孔略向前；子房卵形，花柱纤细，柱头头状。浆果圆形，直径约 1 cm，成熟后红色；种子肾形。

| 生境分布 | 生于海拔 2 400 ~ 2 900 m 的荒坡、山谷、水边及山崖疏林下。分布于湖北神农架、建始、巴东、兴山、房县、当阳、谷城、枣阳、宜都、大悟、松滋、公安，以及十堰。

| 资源状况 | 野生资源丰富。药材来源于野生。

| 采收加工 | **全草**：夏、秋季采收，鲜用或晒干。

| 功能主治 | 祛风湿，活血通经。用于风湿痹痛，经闭。

茄科 Solanaceae 茄属 Solanum

喀西茄
Solanum khasianum C. B. Clarke

| 药 材 名 | 苦天茄。

| 形态特征 | 直立草本至亚灌木。高 1 ~ 2（~ 3）m，茎、枝、叶及花梗多混生黄白色具节的长硬毛、短硬毛、腺毛及淡黄色基部宽扁的直刺，刺长 2 ~ 15 mm，宽 1 ~ 5 mm，基部暗黄色。叶阔卵形，长 6 ~ 12 cm，宽与长近相等，先端渐尖，基部戟形，5 ~ 7 深裂，裂片边缘有不规则齿裂及浅裂；上面深绿，毛被在叶脉处更密；下面淡绿，除被与上面相同的毛被外，还被稀疏分散的星状毛；侧脉与裂片数相等，在上面平，在下面略凸出，其上分散着生基部宽扁的直刺，刺长 5 ~ 15 mm；叶柄粗壮，长约为叶片的一半。蝎尾状花序腋外生，短而少花，单生或 2 ~ 4；花梗长约 1 cm；花萼钟状，绿色，直径

约 1 cm，长约 7 mm，5 裂，裂片长圆状披针形，长约 5 mm，宽约 1.5 mm，外面具细小的直刺及纤毛，边缘的纤毛更长而密；花冠筒淡黄色，隐于萼内，长约 1.5 mm；冠檐白色，5 裂，裂片披针形，长约 14 mm，宽约 4 mm，具脉纹，开放时先端反折；花丝长约 1.5 mm，花药在先端延长，长约 7 mm，顶孔向上；子房球形，被微绒毛，花柱纤细，长约 8 mm，光滑，柱头截形。浆果球状，直径 2 ~ 2.5 cm，初时绿白色，具绿色花纹，成熟时淡黄色，宿萼上具纤毛及细直刺，后毛和刺逐渐脱落；种子淡黄色，近倒卵形，扁平，直径约 2.5 mm。花期春、夏季，果熟期冬季。

| 生境分布 | 生于海拔 1 300 ~ 2 300 m 的沟边、路边灌丛、荒地、草坡或疏林中。湖北有分布。

| 采收加工 | 秋季采收根及根茎，鲜用或晒干。

| 功能主治 | 消炎解毒，镇静止痛。用于风湿跌打疼痛，神经性头痛，胃痛，牙痛，乳腺炎，腮腺炎等。

茄科 Solanaceae 茄属 Solanum

白英

Solanum lyratum Thunb.

| **药 材 名** | 白英、鬼目、白毛藤根。

| **形态特征** | 草质藤本，长 0.5 ~ 3 m。茎及小枝均密被具节长柔毛。叶互生，多
数为琴形，长 3.5 ~ 5.5 cm，宽 2.5 ~ 4.8 cm，基部常 3 ~ 5 深裂或
少数全缘，裂片全缘，侧裂片愈近基部愈小，先端钝，中裂片较大，
通常卵形，先端渐尖，两面均被白色发亮的长柔毛，中脉明显，侧
脉在下面较清晰，通常每边 5 ~ 7；少数在小枝上部的叶为心形，
小，长 1 ~ 2 cm；叶柄长 1 ~ 3 cm，有与茎枝相同的毛被。聚伞花
序顶生或腋外生，疏花，总花梗长 2 ~ 2.5 cm，被具节的长柔毛，
花梗长 0.8 ~ 1.5 cm，无毛，先端稍膨大，基部具关节；花萼环状，
直径约 3 mm，无毛，萼齿 5，圆形，先端具短尖头；花冠蓝紫色或

白色，直径约 1.1 cm，花冠筒隐于萼内，长约 1 mm，冠檐长约 6.5 mm，5 深裂，裂片椭圆状披针形，长约 4.5 mm，先端被微柔毛；花丝长约 1 mm，花药长圆形，长约 3 mm，顶孔略向上；子房卵形，直径不及 1 mm，花柱丝状，长约 6 mm，柱头小，头状。浆果球状，成熟时红黑色，直径约 8 mm；种子近盘状，扁平，直径约 1.5 mm。花期 7 ~ 9 月，果期 9 ~ 10 月。

| **生境分布** | 生于海拔 78 ~ 1 100 m 的山谷草地或路旁、田边。分布于湖北来凤、咸丰、利川、巴东、兴山、通山，以及武汉。

| **资源状况** | 野生资源丰富，栽培资源较少。药材主要来源于野生。

| **采收加工** | **全草：**夏、秋季采收，除去泥土，鲜用或切段晒干。
果实：果实成熟时采收。
根：夏、秋季采挖，洗净，鲜用或晒干。

| **功能主治** | **全草：**清热利湿，解毒消肿，退黄，祛风止痛。用于风湿关节痛，湿热黄疸，胆囊炎，水肿，丹毒。
果实：明目，止痛。用于眼花目赤，迎风流泪，翳障，牙痛。
根：清热解毒，消肿止痛。用于风火牙痛，头痛，瘰疬，痈肿，痔漏。

茄科 Solanaceae 茄属 Solanum

茄
Solanum melongena L.

| 药 材 名 | 茄子。

| 形态特征 | 直立分枝草本，高可达 1 m。小枝、叶柄及花梗均被平贴或具短柄的星状绒毛，小枝多为紫色（野生的往往有皮刺），渐老则毛逐渐脱落。叶大，卵形至长圆状卵形，先端钝，基部不相等，边缘浅波状或深波状圆裂，上面被分枝短而平贴的星状绒毛，下面密被较长而平贴的星状绒毛。能孕花单生，花柄长 1 ~ 1.8 cm，毛被较密，花后常下垂，不孕花蝎尾状，与能孕花并出；花萼近钟形，直径约 2.5 cm 或稍大，外面密被与花梗相似的星状绒毛及小皮刺，皮刺长约 3 mm，萼裂片披针形，先端锐尖，内面疏被星状绒毛，花冠辐状，外面星状毛被较密，内面仅裂片先端疏被星状绒毛，花冠筒长

约 2 mm，冠檐裂片三角形；花丝长约 2.5 mm，花药长约 7.5 mm；子房圆形，先端密被星状毛，花柱长 4 ~ 7 mm，中部以下被星状绒毛，柱头浅裂。果实的形状、大小变异极大。

| **生境分布** | 生于通风透光、土质肥沃而疏松的砂壤土或壤土中。湖北有分布。

| **资源状况** | 野生资源一般，栽培资源丰富。药材来源于栽培。

| **采收加工** | **果实**：在夏、秋季果实成熟时采收，阴干。

| **功能主治** | 清热解毒，活血消肿。用于肠风下血，皮肤溃烂，热毒疮痈等。

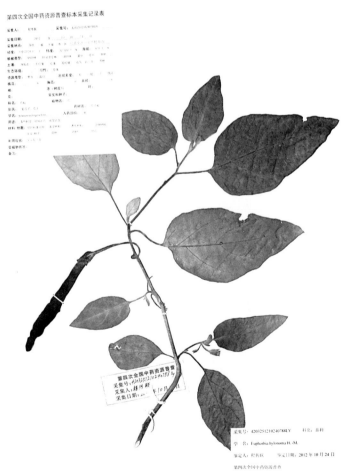

茄科 Solanaceae 茄属 Solanum

龙葵
Solanum nigrum L.

| 药 材 名 | 龙葵。

| 形态特征 | 一年生直立草本，高 0.25 ~ 1 m。茎无棱或棱不明显，绿色或紫色，近无毛或被微柔毛。叶卵形，长 2.5 ~ 10 cm，宽 1.5 ~ 5.5 cm，先端短尖，基部楔形至阔楔形而下延至叶柄，全缘或每边具不规则的波状粗齿，光滑或两面均被稀疏短柔毛，叶脉每边 5 ~ 6，叶柄长 1 ~ 2 cm。蝎尾状花序腋外生，由 3 ~（6 ~ 10）花组成，总花梗长 1 ~ 2.5 cm，花梗长约 5 mm，近无毛或具短柔毛；花萼小，浅杯状，直径 1.5 ~ 2 mm，齿卵圆形，先端圆，基部两齿间连接处成角度；花冠白色，筒部隐于萼内，长不及 1 mm，冠檐长约 2.5 mm，5 深裂，裂片卵圆形，长约 2 mm；花丝短，花药黄色，长约 1.2 mm，

长约为花丝的 4 倍，顶孔向内；子房卵形，直径约 0.5 mm，花柱长约 1.5 mm，中部以下被白色绒毛，柱头小，头状。浆果球形，直径约 8 mm，成熟时黑色；种子多数，近卵形，直径 1.5 ~ 2 mm，两侧压扁。

| 生境分布 | 生于田边、荒地及村庄附近。湖北有分布。

| 资源状况 | 野生资源较丰富，栽培资源较丰富。药材来源于栽培。

| 采收加工 | **全草**：夏、秋季采收，晾干。

| 功能主治 | 清热解毒，活血消肿。用于疮痈肿毒，湿疹，小便不利，老年慢性支气管炎，带下过多，前列腺炎，痢疾。

茄科 Solanaceae 茄属 Solanum

少花龙葵

Solanum photeinocarpum Nakamura et Odashima

| 药 材 名 | 少花龙葵。

| 形态特征 | 纤弱草本。茎无毛或近无毛，高约 1 m。叶薄，卵形至卵状长圆形，长 4 ~ 8 cm，宽 2 ~ 4 cm，先端渐尖，基部楔形下延至叶柄而成翅，叶缘近全缘，波状或有不规则的粗齿，两面均具疏柔毛，有时下面近无毛；叶柄纤细，长 1 ~ 2 cm，具疏柔毛。花序近伞形，腋外生，纤细，具微柔毛，着生 1 ~ 6 花，总花梗长 1 ~ 2 cm，花梗长 5 ~ 8 mm，花小，直径约 7 mm；花萼绿色，直径约 2 mm，5 裂达中部，裂片卵形，先端钝，长约 1 mm，具缘毛；花冠白色，筒部隐于萼内，长不及 1 mm，冠檐长约 3.5 mm，5 裂，裂片卵状披针形，长约 2.5 mm；花丝极短，花药黄色，长圆形，长 1.5 mm，长

约为花丝的 3 ～ 4 倍，顶孔向内；子房近圆形，直径不及 1 mm，花柱纤细，长约 2 mm，中部以下具白色绒毛，柱头小，头状。浆果球状，直径约 5 mm，幼时绿色，成熟后黑色；种子近卵形，两侧压扁，直径 1 ～ 1.5 mm。

| 生境分布 | 生于溪边、密林阴湿处或林边荒地。分布于湖北兴山。

| 资源状况 | 野生资源一般，栽培资源稀少。药材来源于野生。

| 采收加工 | **全株**：夏、秋季采收，晾干。

| 功能主治 | 清热解毒，利湿消肿。用于高血压，痢疾，热淋，目赤，咽喉刺痛。

茄科 Solanaceae 茄属 *Solanum*

海桐叶白英
Solanum pittosporifolium Hemsl.

| 药 材 名 | 野海茄、玉山茄、台白英。

| 形态特征 | 无刺蔓性灌木，长 1 m，植株光滑无毛。小枝纤细，有棱角，叶披针形至卵状披针形，长 3.5 ~ 11 cm，宽 1.5 ~ 3.5 cm，先端渐尖，基部圆形或楔形，有时少偏斜，无缘，两面均无毛，侧脉每边 6 ~ 7；叶柄长 0.7 ~ 2 cm。花序聚伞状，腋外生，疏散；总花梗长 1 ~ 5.5 cm，花梗长 1 cm；花萼杯状，5 浅裂，直径约 3 mm；花冠白色或稀为紫色，直径 7 ~ 9 mm，裂片有缘毛；雌蕊 5；子房卵形。浆果球形，直径 8 ~ 12 mm，成熟时红色；种子扁平，直径 2 ~ 2.5 mm。花果期 6 ~ 8 月。

| **生境分布** | 生于海拔 500 ～ 1 500 m 的林下、沟边或路旁。分布于湖北神农架。

| **资源状况** | 野生资源一般。

| **功能主治** | 清热解毒，散瘀消肿，祛风除湿。

茄科 Solanaceae 茄属 Solanum

珊瑚樱 *Solanum pseudo-capsicum* L.

| 药 材 名 | 玉珊瑚根。

| 形态特征 | 直立分枝小灌木，高达 2 m，全株光滑无毛。叶互生，狭长圆形或披针形，长 1 ~ 6 cm，宽 5 ~ 15 mm，先端尖或钝，基部狭楔形下延成叶柄，全缘或波状；叶柄长约 2 ~ 5 mm，与叶片不能截然分开。花常单生，稀少成蝎尾状花序，无总花梗或近无总花梗，腋外生或近对叶生，花梗长约 3 ~ 4 mm；花小，白色，直径约 8 ~ 10 mm；花萼绿色，直径约 4 mm，5 裂；花冠裂片 5，卵形；雄蕊 5，着生于花冠筒喉部；花丝长不及 1 mm，花药黄色，矩圆形，长约 2 mm；子房近圆形，直径约 1 mm，花柱短，长 2 mm，柱头截形。浆果橙红色，直径 10 ~ 15 mm，果柄长约 1 cm，先端膨大；种子

盘状，扁平，直径 2 ~ 3 mm。花期 5 ~ 8 月，果期 6 ~ 12 月。

| **生境分布** | 生于路边、沟边和旷地。分布于湖北钟祥、枣阳、大冶，以及宜昌、十堰、武汉。

| **资源状况** | 野生资源一般，栽培资源丰富。药材来源于野生和栽培。

| **采收加工** | **根**：秋季采挖，晒干。

| **功能主治** | 活血止痛。用于腰肌劳损，闪挫扭伤。

茄科 Solanaceae 茄属 Solanum

珊瑚豆
Solanum pseudo-capsicum L. var. *diflorum* (Vell.) Bitter

| 药 材 名 | 野海椒。

| 形态特征 | 直立分枝小灌木，高 3 ~ 15 cm。小枝幼时被树枝状簇绒毛，后渐脱落。叶双生，大小不相等，椭圆状披针形，先端钝或短尖，基部楔形下延成短柄，叶面无毛，叶下面沿脉常有树枝状簇绒毛，全缘或呈微波状，中脉在下面凸出，侧脉每边 4 ~ 7，在下面明显；叶柄长 2 ~ 5 mm。花序短，腋生，通常具 1 ~ 3 花，单生或成蝎尾状花序；总花梗短几近乎全无；花小，花萼绿色，5 深裂，裂片卵状披针形，先端钝，长约 5 mm；花冠白色，5 深裂，裂片卵圆形，长 4 ~ 6 mm，宽约 4 mm，先端尖或钝；花丝短，花药长圆形；子房近圆形，花柱长 4 ~ 6 mm，柱头截形。浆果单生，球状，珊瑚红色

或橘黄色；种子扁平，略呈肾形，平滑，直径约 3 mm。花期 4 ～ 7 月，果期 8 ～ 12 月。

| **生境分布** | 生于海拔 1 350 ～ 2 800 m 的田边、路旁、丛林中或水沟边，600 m 的地区也有分布。分布于湖北利川、巴东、保康、郧西等。

| **资源状况** | 野生资源一般，栽培资源丰富。药材来源于野生和栽培。

| **采收加工** | **全株：**夏、秋季采收，晒干。

| **功能主治** | 祛风湿，通经络，消肿止痛。用于风湿痹痛，腰背疼痛，跌打损伤，无名肿毒。

茄科 Solanaceae 茄属 *Solanum*

青杞

Solanum septemlobum Bunge

| 药 材 名 | 蜀羊泉。

| 形态特征 | 直立草本或灌木状。茎具棱角，多分枝。叶互生，卵形，长 3 ~ 7 cm，宽 2 ~ 5 cm，先端钝，基部楔形，通常 7 裂，有时 5 ~ 6 裂或上部的近全缘，裂片卵状长圆形或披针形，全缘或具尖齿，两面均疏被短柔毛；叶柄长约 1 ~ 2 cm，被与茎相似的毛被。二歧聚伞花序，顶生或腋外生，总花梗长约 1 ~ 2.5 cm，具微柔毛或近无毛，花梗纤细，基部具关节；花萼小，杯状，5 裂，萼齿三角形；花冠青紫色，直径约 1 cm，花冠筒隐于萼内，先端深 5 裂，裂片长圆形，开放时常向外反折；雄蕊 5，花丝短，花药黄色，长圆形，顶孔向内；子房卵形，2 室，花柱丝状，柱头头状，绿色。浆果近球状，熟时红色，

直径约 8 mm；种子扁圆形。花期夏、秋季间，果熟期秋末冬初。

| 生境分布 | 生于海拔 900 ~ 1 600 m 的山坡向阳处。湖北有分布。

| 资源分布 | 野生资源丰富，药材来源于野生。

| 采收加工 | **全草**：夏、秋季采收，洗净，切段，鲜用或晒干。

| 功能主治 | 清热解毒。用于咽喉肿痛，目昏目赤，乳腺炎，腮腺炎，疥癣瘙痒。

茄科 Solanaceae 茄属 Solanum

牛茄子
Solanum surattense Burm. f.

| **药 材 名** | 野颠茄。

| **形态特征** | 直立草本至亚灌木。高 30 ～ 60 cm，也有高达 1 m 的。除茎、枝外各部均被具节的纤毛，茎及小枝具淡黄色细直刺，通常无毛或稀被极稀疏的纤毛，细直刺长 1 ～ 5 mm 或更长，纤毛长 3 ～ 5 mm。叶阔卵形，长 5 ～ 10.5 cm，宽 4 ～ 12 cm，先端短尖至渐尖，基部心形，5 ～ 7 浅裂或半裂，裂片三角形或卵形，边缘浅波状，上面深绿色，被稀疏纤毛，下面淡绿色，无毛或纤毛在脉上分布稀疏，在边缘则较密，侧脉与裂片数相等，在上面平，在下面凸出，分布于每裂片的中部，脉上均具直刺；叶柄粗壮，长 2 ～ 5 cm，微具纤毛及较长的直刺。聚伞花序腋外生，短而少花，长不超过 2 cm，单生或多至

4；花梗纤细，被直刺及纤毛；花萼杯状，长约 5 mm，直径约 8 mm，外面具细直刺及纤毛，先端 5 裂，裂片卵形；花冠白色，筒部隐于花萼内，长约 2.5 mm，冠檐 5 裂，裂片披针形，长约 1.1 cm，宽约 4 mm，端尖；花丝长约 2.5 mm，花药长为花丝长的 2.4 倍，先端延长，顶孔向上；子房球形，无毛，花柱长于花药而短于花冠裂片，无毛，柱头头状。浆果扁球状，直径约 3.5 cm，初绿白色，成熟后橙红色，果柄长 2 ~ 2.5 cm，具细直刺；种子干后扁而薄，边缘翅状，直径约 4 mm。

| **生境分布** | 生于海拔 350 ~ 1 180 m 的路旁荒地、疏林或灌丛中。湖北有分布。

| **采收加工** | 全年均可采收，鲜用或晒干。

| **功能主治** | 镇咳平喘，散瘀止痛。用于慢性支气管炎，哮喘，胃痛，风湿腰腿痛，瘰疬，寒性脓疡，痈肿疮毒，跌打损伤。

茄科 Solanaceae 茄属 Solanum

阳芋
Solanum tuberosum L.

药材名

马铃薯。

形态特征

草本，高 30 ~ 80 cm，无毛或被疏柔毛。地下茎块状，扁圆形或长圆形，外皮黄白色、淡红色或紫色，内白色，具芽眼。奇数不相等的羽状复叶，小叶 6 ~ 8 对，常大小相间，卵形或长圆形，先端尖，基部稍不相等，全缘，两面均被白色疏柔毛，侧脉每边 6 ~ 7，先端略弯；叶柄长约 2.5 ~ 5 cm，小叶柄长约 1 ~ 8 mm。伞房花序顶生，后侧生，花白色或蓝紫色；花萼钟形，直径约 1 cm，外面被疏柔毛，5 裂，裂片披针形，先端长渐尖；花冠辐射状，直径 2.5 ~ 3 cm，花冠筒隐于萼内，冠檐长约 1.5 cm，裂片 5，三角形；雄蕊长约 6 mm，花药长为花丝的 5 倍；子房卵圆形，无毛，花柱长约 8 mm，柱头头状。浆果圆球状，光滑，直径约 1.5 cm；种子扁圆形。花期夏季。

生境分布

分布于湖北恩施、巴东、神农架。

| 资源状况 | 栽培资源丰富。药材来源于栽培。

| 采收加工 | **块茎**：夏、秋季采收，洗净，鲜用或晒干。

| 功能主治 | 和胃调中，健脾益气，解毒消肿。用于胃痛，疟腮，痈肿，湿疹，烫伤。

茄科 Solanaceae 茄属 Solanum

黄果茄
Solanum virginianum L.

| 药 材 名 | 黄果茄。

| 形态特征 | 直立或匍匐草本，高 50 ～ 70 cm，有时基部木质化，植物体各部均被星状绒毛，并密生细长的针状皮刺；植株除幼嫩部分外，其他各部的星状毛逐渐脱落而稀疏。叶卵状长圆形，先端钝或尖，基部近心形或不相等，边缘通常 5 ～ 9 裂或羽状深裂，裂片边缘波状，两面均被星状短绒毛，尖锐的针状皮刺则着生在两面的中脉及侧脉上；叶柄长 2 ～ 3.5 cm。聚伞花序腋外生，通常具 3 ～ 5 花，花蓝紫色；花萼钟形，外面被星状绒毛及尖锐的针状皮刺，先端 5 裂，裂片长圆形，先端骤渐尖；花冠辐状，直径约 2.5 cm，花冠筒隐于萼内，无毛，冠檐先端 5 裂，裂瓣卵状三角形，外面密被星状绒毛，内面被绒毛

及星状绒毛；雄蕊 5，花药长约为花丝的 8 倍；子房卵圆形，顶部疏被星状绒毛，花柱纤细，长约 1 cm，被极稀疏的绒毛及星状绒毛，柱头截形。浆果球形，初时绿色并具深绿色的条纹，成熟后则变为淡黄色；种子近肾形，扁平。花期冬季到翌年夏季，果期夏季。

| 生境分布 | 生于荒地及干旱河谷沙滩上。分布于湖北当阳、丹江口、利川、红安、郧西、黄梅、枣阳、南漳、远安等。

| 资源状况 | 野生资源较少，栽培资源一般。药材来源于栽培。

| 采收加工 | **根**：夏、秋季采挖，洗净，切片，晒干或鲜用。
果实：秋、冬季采摘，洗净，晒干或鲜用。

| 功能主治 | 祛风湿，消瘀止痛。用于风湿痹痛，牙痛，睾丸肿痛，痈疖等。

玄参科 Scrophulariaceae 毛麝香属 Adenosma

毛麝香

Adenosma glutinosum (L.) Druce.

| 药 材 名 | 毛麝香。

| 形态特征 | 多年生草本，高 30 ~ 60 cm。茎直立，粗壮，密被多细胞腺毛和柔毛，基部木质化。叶对生，具短柄或近无柄；叶片卵状披针形至宽卵形，长 2 ~ 8 cm，先端钝，基部浑圆或阔楔尖，边缘有钝锯齿，两面均被茸毛，叶背面、苞片、小苞片、萼片均具黄色透明腺点，腺点脱落后留下褐色窝孔。总状花序顶生；花梗先端有 1 对小苞片；萼片 5，后方 1 萼片较宽大，狭披针形；花冠蓝色或紫红色，长 1 ~ 2.5 cm，上唇直立，圆卵形、截形或微凹，下唇 3 裂；雄蕊 4，内藏，药室分离，前方 2 雄蕊仅 1 室发育；花柱先端膨大，柱头以下翅状。蒴果卵状，长约 8 mm，4 瓣裂。花果期 7 ~ 10 月。

| 生境分布 | 生于海拔 300 ~ 1 200 m 的山野草丛中。湖北有分布。

| 采收加工 | **全草**：夏、秋季采收，切段，晒干或鲜用。

| 功能主治 | 祛风湿，消肿痛，行气血，止痛痒。用于风湿骨痛，小儿麻痹，气滞腹痛，疮疖肿毒，湿疹，跌打损伤，蛇虫咬伤。

来江藤

Brandisia hancei Hook. f.

| 药 材 名 | 蜂糖罐。

| 形态特征 | 灌木，高 2 ~ 3 m。全体密被锈黄色星状绒毛，枝及叶上面逐渐变无毛。叶片卵状披针形，长 3 ~ 10 cm，宽达 3.5 cm，先端锐尖头，基部近心形，稀圆形，全缘，很少具锯齿；叶柄短，长达 5 mm，有锈色绒毛。花单生于叶腋，花梗长达 1 cm，中上部有 1 对披针形小苞片，均有毛；花萼宽钟形，长、宽均约 1 cm，外面密生锈黄色星状绒毛，内面密生绢毛，具脉 10，5 裂至 1/3 处；萼齿宽短，宽过于长或几相等，宽卵形至三角状卵形，先端凸突或短锐头，齿间的缺刻底部尖锐；花冠橙红色，长约 2 cm，外面有星状绒毛，上唇宽大，2 裂，裂片三角形，下唇较上唇低 4 ~ 5 mm，3 裂，裂片舌状；雄

蕊约与上唇等长；子房卵圆形，与花柱均被星毛。蒴果卵圆形，略扁平，有短喙，具星状毛。花期 11 月至翌年 2 月，果期 3 ～ 4 月。

| 生境分布 | 生于海拔 500 ～ 2 600 m 的林中及林缘。湖北有分布。

| 资源状况 | 野生资源丰富，栽培资源稀少。药材来源于野生。

| 采收加工 | **全株**：全年均可采收，洗净，切段，鲜用或晒干。

| 功能主治 | 清热解毒，祛风利湿。用于黄疸性肝炎，急、慢性肝炎，化脓性骨髓炎，破伤风，泻痢，跌打损伤。

玄参科 Scrophulariaceae 胡麻草属 Centranthera

胡麻草

Centranthera cochinchinensis (Lour.) Merr.

| **药材名** | 胡麻草。

| **形态特征** | 直立草本，高 30 ~ 60 cm，稀仅高 13 cm。茎基部略呈圆柱形，上部多少四方形，具凹槽，通常自中、上部分枝。叶对生，无柄，下面中脉凸起，边缘多少背卷，两面与茎、苞片及萼同被基部带有泡沫状凸起的硬毛，条状披针形，全缘，中部的叶长 2 ~ 3 cm，宽 3 ~ 4 mm，向两端逐渐缩小。花具极短的梗，单生上部苞腋；花萼长 7 ~ 10 mm，宽 4 ~ 5 mm，先端收缩为 3 短尖头；花冠长 15 ~ 22 mm，通常黄色，裂片均为宽椭圆形，长约 4 mm，宽 7 ~ 8 mm；雄蕊前方 1 对长约 10 mm，后方 1 对长 6 ~ 7 mm；花丝均被绵毛；子房无毛；柱头条状椭圆形，长约 3 mm，宽约 1 mm，被

柔毛。蒴果卵形，长 4 ～ 6 mm，顶部具短尖头；种子小，黄色，具螺旋状条纹。花果期 6 ～ 10 月。

| **生境分布** | 生于海拔 500 ～ 1 400 m 的路旁草地。分布于湖北武汉。

| **资源状况** | 野生资源一般，栽培资源稀少。药材来源于野生。

| **采收加工** | **全草**：夏、秋季采收，鲜用或晒干。

| **功能主治** | 散瘀止血，消肿止痛。用于咯血，吐血，跌打骨折，内伤瘀血，风湿痹痛。

毛地黄
Digitalis purpurea L.

| 药 材 名 | 洋地黄。

| 形态特征 | 多年生草本，高 60 ～ 120 cm。除花冠外，全株被灰白色短柔毛和腺毛。茎直立，单生或数条成丛。基生叶多数成莲座状；叶柄长 2 ～ 8 cm，具狭翅；叶片卵形或长椭圆形，长 5 ～ 40 cm，先端急尖或钝，基部渐狭，边缘具带短尖的圆齿，少有锯齿；茎下部叶与基生叶同形，向上渐小，叶柄短直至无柄而成为苞片。总状花序顶生；花萼钟状，长约 1 cm，果期增大，5 裂几达基部，裂片长圆状卵形，先端钝至急尖；花冠紫红色，内面具斑点，长 3 ～ 4 cm，裂片很短，先端被白色柔毛，上唇 2 浅裂，下唇 3 裂，中唇片较长；雄蕊 4，二强。蒴果卵形，先端尖，密被腺毛；种子短棒状，被毛及蜂窝状细纹。

花期 5 ~ 6 月。

| **生境分布** | 分布于湖北武汉。

| **资源状况** | 野生资源稀少，栽培资源丰富。药材来源于栽培。

| **采收加工** | **叶**：叶片肥厚浓绿粗糙、停止生长时采收。

| **功能主治** | 强心，利尿。用于心力衰竭，心源性水肿。

玄参科 Scrophulariaceae 母草属 Lindernia

狭叶母草

Lindernia angustifolia (Benth.) Wettst.

| 药 材 名 | 狭叶母草。

| 形态特征 | 一年生草本。少亚直立而几无分枝或具极多的分枝，下部弯曲上升，长达 40 cm 以上；根须状而多；茎枝有条纹而无毛。叶几无柄；叶片条状披针形至披针形或条形，长 1 ~ 4 cm，宽 2 ~ 8 mm，先端渐尖而圆钝，基部楔形成极短的狭翅，全缘或有少数不整齐的细圆齿，脉自基部发出 3 ~ 5，中脉变宽，两侧的 1 ~ 2 细，但显然直走基部，两面无毛。花单生于叶腋，有长梗；梗在果时伸长达 35 mm，无毛，有条纹；萼齿 5，仅基部联合，狭披针形，长约 2.5mm，果时长达 4 mm，先端圆钝或急尖，无毛；花冠紫色、蓝紫色或白色，长约 6.5 mm，上唇 2 裂，卵形，圆头，下唇开展，3 裂，仅略长于

上唇；雄蕊 4，全育，前面 2 花丝的附属物丝状；花柱宿存，形成细喙。蒴果条形，长达 14 mm，比宿萼长约 2 倍；种子矩圆形，浅褐色，有蜂窝状孔纹。花期 5 ～ 10 月，果期 7 ～ 11 月。

| 生境分布 | 生于海拔 1 500 m 以下的水田、河流旁等低湿处。湖北有分布。

| 资源情况 | 野生资源一般，栽培资源稀少。药材来源于野生。

| 采收加工 | **全草**：夏、秋季采收，鲜用或切段晒干。

| 功能主治 | 用于急性胃肠炎，痢疾，肝炎，咽炎，跌打损伤。

玄参科 Scrophulariaceae 母草属 Lindernia

泥花草

Lindernia antipoda (L.) Alston

| 药 材 名 | 鸭利草。

| 形态特征 | 一年生草本。根须状成丛；茎幼时亚直立，长大后多分枝，枝基部匍匐，下部节上生根，弯曲上升，高可达 30 cm，茎枝有沟纹，无毛。叶片长圆形、长圆状披针形、长圆状倒披针形或几为条状披针形，长 0.3 ~ 4 cm，宽 0.6 ~ 1.2 cm，先端急尖或圆钝，基部下延有宽短叶柄，近抱茎，边缘有少数不明显的锯齿至有明显的锐锯齿或近全缘，两面无毛。花多在茎枝之顶成总状着生，花序长可达 15 cm，含花 2 ~ 20；苞片钻形；花梗有条纹，先端变粗，长可达 1.5 cm，花期上升或斜展，果期平展或反折；花萼仅基部联合，齿 5，条状披针形，沿中肋和边缘略有短硬毛；花冠紫色、紫白色或白色，长可

达 1 cm，管长可达 7 mm，上唇 2 裂，下唇 3 裂，上、下唇近等长；后方 1 对雄蕊有性，前方 1 对雄蕊退化，花药消失，花丝端钩曲有腺点；花柱细，柱头扁平，片状。蒴果圆柱形，先端渐尖，长约为宿萼的 2 倍或较之略长；种子为不规则的三棱状卵形，褐色，有网状孔纹。

| **生境分布** | 生于水田边及潮湿的草地中。分布于湖北罗田、麻城、利川、来凤，以及武汉、宜昌。

| **资源状况** | 野生资源一般，栽培资源稀少。药材来源于野生。

| **采收加工** | **全草或根、叶：**夏、秋季采收，鲜用。

| **功能主治** | 清热解毒，利尿通淋，消肿止痛。用于毒蛇咬伤，跌打肿痛，疮疖肿毒，产后腹痛。

玄参科 Scrophulariaceae 母草属 Lindernia

母草

Lindernia crustacea (L.) F. Muell

| 药 材 名 | 母草。

| 形态特征 | 一年生草本，高 8 ～ 20 cm。根须状。茎常铺散成密丛，多分枝，枝弯曲上升，微方形，有深沟纹，无毛。叶对生；具短柄或近无柄；叶片三角状卵形，长 1 ～ 2 cm，宽 0.5 ～ 1 cm，先端钝或短尖，基部宽楔形，边缘浅钝锯齿。花单生于叶腋或于枝顶成极短的总状花序；花梗细弱，长 0.5 ～ 2.5 cm，有沟纹；花萼 5 裂，绿色或淡紫色，裂片三角状卵形，膜质；花冠紫色，花冠筒圆筒状，长约 8 mm，上唇直立，卵形，钝头，2 浅裂，下唇 3 裂，中间裂片较大；雄蕊 4，全育，二强；花柱常早落。蒴果椭圆形，与宿存萼近等长；种子近球形，浅黄褐色，有明显的蜂窝状瘤突。花果期全年。

| 生境分布 | 生于田边、草地、路旁等低湿处。湖北有分布。

| 资源状况 | 野生资源一般，栽培资源稀少。药材来源于野生。

| 采收加工 | **全草：**夏、秋季采收，鲜用或晒干。

| 功能主治 | 用于急、慢性痢疾，感冒发热，肠炎腹泻，肾炎，月经不调，慢性咳嗽，痈疮疖肿等。

玄参科 Scrophulariaceae 母草属 Lindernia

宽叶母草

Lindernia nummulariifolia (D. Don) Wettst

| 药 材 名 | 圆叶母草。

| 形态特征 | 一年生矮小草本。茎直立，不分枝或有时多枝丛密。叶宽卵形或近圆形，先端圆钝，基部宽楔形或近心形，边缘有齿。花少数，在茎先端和叶腋成亚伞形；花萼常结合至中部，花冠紫色，稀蓝色或白色，上唇直立，下唇开展，3 裂；雄蕊 4，全育。蒴果长椭圆形，先端渐尖。花期 7 ~ 9 月，果期 8 ~ 11 月。

| 生境分布 | 湖北有分布。

| 资源状况 | 野生资源丰富，栽培资源稀少。药材来源于野生。

采收加工 | 全草：夏、秋季采收，鲜用或晒干。

功能主治 | 凉血解毒，散瘀消肿。用于咯血，疔疮肿毒，蛇咬伤，跌打损伤。

玄参科 Scrophulariaceae 母草属 Lindernia

陌上菜

Lindernia procumbens (Krock.) Philcox

| 药 材 名 | 陌上菜。

| 形态特征 | 直立草本。根细密成丛。茎高 5 ~ 20 cm，基部多分枝，无毛。叶无柄；叶片椭圆形至矩圆形，多少带菱形，长 1 ~ 2.5 cm，宽 6 ~ 12 mm，先端钝至圆头，全缘或有不明显的钝齿，两面无毛，叶脉并行，自叶基发出 3 ~ 5 条。花单生于叶腋，花梗纤细，长 1.2 ~ 2 cm，比叶长，无毛；花萼仅基部联合，齿 5，条状披针形，长约 4 mm，先端钝头，外面微被短毛；花冠粉红色或紫色，长 5 ~ 7 mm，管长约 3.5 mm，向上渐扩大，上唇短，长约 1 mm，2 浅裂，下唇甚大于上唇，长约 3 mm，3 裂，侧裂片椭圆形较小，中裂片圆形，向前凸出；雄蕊 4，全育，前方 2 枚雄蕊的附属物腺体状而短小；花

药基部微凹；柱头 2 裂。蒴果球形或卵球形，与萼近等长或略长于萼，室间 2 裂；种子多数，有格纹。花期 7 ~ 10 月，果期 9 ~ 11 月。

| **生境分布** | 生于水边及潮湿处。湖北有分布。

| **资源状况** | 野生资源丰富，栽培资源稀少。药材来源于野生。

| **采收加工** | **全草**：夏、秋季采收，鲜用或晒干。

| **功能主治** | 清泻肝火，凉血解毒，消炎退肿。用于肝火上炎，湿热泻痢，红肿热毒，痔疮肿痛。

玄参科 Scrophulariaceae 通泉草属 Mazus

纤细通泉草 Mazus gracilis Hemsl. ex Forbes et Hemsl.

| 药 材 名 | 纤细通泉草。

| 形态特征 | 多年生无毛草本。茎完全匍匐，长可达 30 cm。基生叶匙形或卵形，连叶柄长 2 ~ 5 cm，疏生粗齿；茎生叶通常对生，圆形或匙形，有短柄，柄长 1 ~ 2 cm，具圆齿。总状花序通常侧生，少有顶生，上升，花梗果期长 1 ~ 1.5 cm；花萼钟状，长 4 ~ 7 mm，萼齿 5，与萼筒等长，卵状披针形，急尖或钝头；花冠为带紫斑的黄色、白色或蓝紫色，长 12 ~ 18 mm，上唇短直，2 裂，下唇 3 裂，中裂片凸出，长卵形，有 2 疏生腺毛的纵折皱；雄蕊 4，二强；柱头 2 片裂，子房无毛。蒴果球形，包于萼内，室背 2 裂；种子多数，棕黄色，平滑。

| 生境分布 | 生于海拔 500 m 以下的潮湿的丘陵、路旁及水边。湖北有分布。

| **资源状况** | 野生资源丰富，栽培资源稀少。药材来源于野生。

| **采收加工** | **全草：** 夏、秋季采收，鲜用或晒干。

| **功能主治** | 健胃，止痛，解毒。用于偏头痛，消化不良，疔疮，脓疱疮，烫伤。

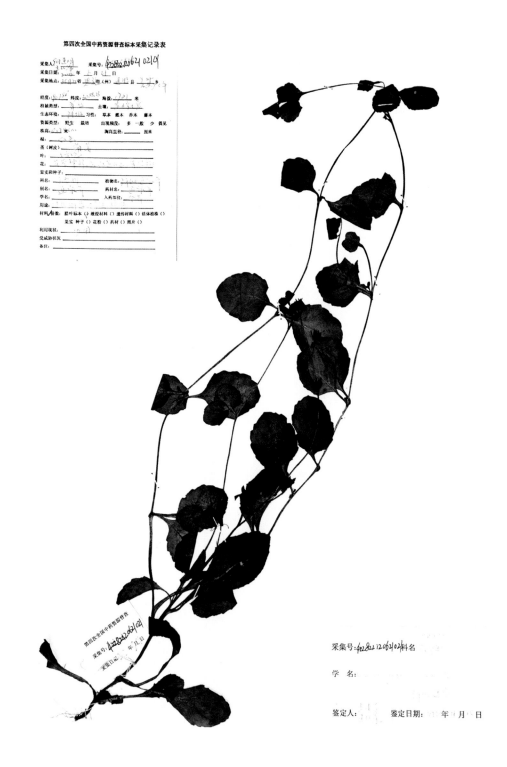

玄参科 Scrophulariaceae 通泉草属 Mazus

通泉草

Mazus japonicus (Thunb.) O. Kuntze

| 药材名 |

通泉草。

| 形态特征 |

一年生草本，高 3 ~ 30 cm，无毛或疏生短柔毛。主根伸长，垂直向下或短缩，须根纤细，多数，散生或簇生。本种在体态上变化很大，茎 1 ~ 5 或更多，直立，上升或倾卧状上升，着地部分节上常能长出不定根，分枝多而披散，少不分枝。基生叶少到多数，有时呈莲座状或早落，倒卵状匙形至卵状倒披针形，膜质至薄纸质，长 2 ~ 6 cm，先端全缘或有不明显的疏齿，基部楔形，下延成带翅的叶柄，边缘具不规则的粗齿或基部有 1 ~ 2 浅羽裂；茎生叶对生或互生，少数，与基生叶相似或几乎等大。总状花序生于茎、枝先端，常在近基部生花，伸长或上部成束状，通常具花 3 ~ 20，花疏稀；花梗在果期长达 10 mm，上部的较短；花萼钟状，花期长约 6 mm，果期多少增大，萼片与萼筒近等长，卵形，先端急尖，脉不明显；花冠白色、紫色或蓝色，长约 10 mm，上唇裂片卵状三角形，下唇中裂片较小，稍凸出，倒卵圆形；子房无毛。蒴果球形；种子小而多数，黄色，种皮上有不规则的网纹。花果期 4 ~ 10 月。

| **生境分布** | 生于海拔 2 500 m 以下的湿润的草坡、沟边、路旁及林缘。分布于湖北武昌、竹溪、秭归等。 |

| **资源状况** | 野生资源丰富，栽培资源稀少。药材来源于野生。 |

| **采收加工** | **全草**：夏、秋季采收，鲜用或晒干。 |

| **功能主治** | 止痛，健胃，解毒。用于偏头痛，消化不良；外用于疔疮，脓疱疮，烫伤。 |

全国中药资源普查标本采集记录表

采集号：	4201112008008066LY	采集人：	何江城
采集日期：	2020年08月08日	海拔(m)：	56.8
采集地点：		九峰山	
经　度：	114°28'57.74"	纬　度：	30°30'34.94"
植被类型：	阔叶林	生活型：	一年生草本植物
水分生态类型：	中生植物	光生态类型：	阳性植物
土壤生态类型：	酸性土植物	温度生态类型：	中温植物
资源类型：	野生植物	出现多度：	一般
株高(cm)：	5	直径(cm)：	0.4
根：		茎(树皮)：	
叶：		芽：	
花：		果实和种子：	
植物名：	通泉草	科　名：	玄参科
学　名：	Mazus japonicus (Thunb.) O. Kuntze		
药材名：	绿兰花	药材别名：	石淋草
药用部位：	全草类	标本类型：	腊叶标本
用途：		清热解毒、利湿通淋、健脾消积。	
备注：			

420111LY0171

湖北省洪山区

中国中医科学院中药资源中心
标本馆

标本鉴定签

采集号：	4201112008008066LY	科名：	玄参科
学　名：	Mazus japonicus (Thunb.) O. Kuntze		
种中文名：	通泉草		
鉴定人：	汪乐原	鉴定时间：	2020年10月12日

第四次全国中药资源普查

匍茎通泉草 *Mazus miquelii* Makino

| **药 材 名** | 匍茎通泉草。

| **形态特征** | 多年生草本，无毛或少有疏柔毛。主根短缩，须根多数，纤维状簇生。
茎有直立茎和匍匐茎，直立茎倾斜上升，高 10 ~ 15 cm，匍匐茎花
期发出，长 15 ~ 20 cm，着地部分节上常生不定根，有时不发育。
基生叶常多数呈莲座状，连柄长 3 ~ 7 cm，边缘具粗锯齿，有时近
基部缺刻状羽裂；茎生叶在直立茎上多互生，在匍匐茎上多对生，
具短柄，连柄长 1.5 ~ 4 cm，卵形或近圆形，宽不超过 2 cm，具疏
锯齿。总状花序顶生，伸长，花稀疏；在下部的花梗长达 2 cm，越
往上越短；花萼呈钟状漏斗形，长 7 ~ 10 mm，萼齿与萼筒等长，
披针状三角形；花冠紫色或白色而有紫斑，长 1.5 ~ 2 cm，上唇短

而直立，先端 2 深裂，下唇中裂片较小，稍突出，倒卵圆形。蒴果圆球形，稍伸出萼筒。花果期 2 ~ 8 月。

| **生境分布** | 生于海拔 300 m 以下的潮湿的路旁、荒林及疏林中。湖北有分布。

| **采收加工** | **全草：**春、夏季采收，洗净，鲜用或晒干。

| **功能主治** | 止痛，健胃，解毒。用于偏头痛，消化不良；外用于疔疮，脓疱疮，烫伤。

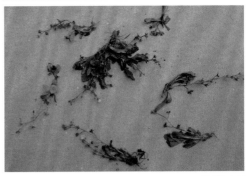

玄参科 Scrophulariaceae 通泉草属 Mazus

长匍通泉草 *Mazus procumbens* Hemsl.

| 药 材 名 | 长匍通泉草。

| 形态特征 | 多年生草本，植株包括花萼全被白色柔毛。茎多枝，纤细，坚硬，匍匐长 30 ～ 45 cm，简单或具分枝，节间较叶通常短。基生叶少到多数，常早枯落，茎生叶通常对生，具长柄，连柄长 1.5 ～ 5 cm，柄长为叶片的 1/3 至几乎等长，叶片近圆形，肥厚，以茎中部叶较大，边缘有粗圆齿，基部截形或近圆形下延成柄。总状花序全为顶生，伸长 13 cm 或更长，花稀疏；花梗纤细，较花长 1 ～ 2 倍；花萼钟状，长约 5 mm，萼齿与萼筒近等长或较之稍长，卵状披针形，先端急尖；花冠紫色，长 10 mm 以下。蒴果小，圆球形。花果期 5 月。

| 生境分布 | 生于海拔 1 800 ～ 2 200 m 的冷杉或落叶桦林下。分布于湖北西部。

| **资源状况** | 野生资源丰富，栽培资源稀少。药材来源于野生。

| **采收加工** | **全草**：夏、秋季采收，鲜用或晒干。

| **功能主治** | 止痛，健胃，解毒。用于偏头痛，消化不良；外用于疔疮，脓疱疮，烫伤。

玄参科 Scrophulariaceae 通泉草属 Mazus

美丽通泉草

Mazus pulchellus Hemsl. ex Forbes et Hemsl.

| 药 材 名 | 美丽通泉草。

| 形态特征 | 多年生草本。高约20 cm，幼时密被白色或锈色短柔毛，后变无毛。根茎短缩，须根纤细，簇生。花茎1～5，草质，直立或上升，简单或有少数分枝，无叶。叶全为基生，莲座状，倒卵状匙形至矩圆状匙形，质地较薄，薄纸质至纸质，长可达20 cm，先端圆形，基部渐狭窄成有翅的柄，边缘有缺刻状锯齿、重锯齿至不整齐的羽裂。总状花序，多花，花疏稀；花梗长而纤细，下部的长达4 cm，上部的也长于萼；苞片窄披针形，长2～5 mm；花萼钟状，长5～7 mm，萼齿远较萼筒短，长卵形，先端锐尖；花冠红色、紫色或深紫堇色，长2～2.5 cm，上唇直立而短，2裂，裂片近圆形，端截形，上有

流苏状细齿，下唇 3 裂，中裂较小稍凸出，裂片先端均多少有流苏状细齿；子房无毛。蒴果卵圆形。花果期 3 ~ 6 月。

| 生境分布 | 生于海拔 1 600 ~ 2 500 m 以下的阴湿岩缝及林下。分布于湖北西部。

| 资源情况 | 野生资源丰富，栽培资源稀少。药材来源于野生。

| 采收加工 | **全草**：夏、秋季采收，鲜用或晒干。

| 功能主治 | 清热解毒。用于劳伤吐血，跌打损伤等。

玄参科 Scrophulariaceae 通泉草属 Mazus

毛果通泉草 *Mazus spicatus* Vant.

| 药 材 名 | 毛果通泉草。

| 形态特征 | 多年生草本，高 10 ~ 30 cm，全体被多细胞白色或浅锈色长柔毛。主根短，倾斜向下，长 2 ~ 4 cm，侧根同须根多数。茎圆柱形，细瘦，坚挺，通常基部木质化并多分枝，直立或倾卧状上升，着地部分节上常生不定根。基生叶少数而早枯萎；茎生叶对生或上部的叶互生，倒卵形至倒卵状匙形，膜质，长 1 ~ 4 cm，基部渐狭成有翅的柄，下部的柄长达 1 cm，渐上渐短，上部近无柄，边缘有缺刻状锯齿。总状花序顶生，短或伸长可达 20 cm，花稀疏；苞片小，钻状，花梗细长，较萼短或近等长；花萼钟状，果期长 5 ~ 8 mm，直径小于 1 cm，萼齿与筒部近等长，三角状披针形，急尖，萼脉 10，稍凸出，

明显，沿脉同边缘被短纤毛；花冠白色或淡紫色，长 8 ~ 12 mm，上唇裂片狭尖，下唇侧裂片圆形，被长硬毛；种子表皮有细网纹。花期 5 ~ 6 月，果期 7 ~ 8 月。

| **生境分布** | 生于海拔 700 ~ 2 300 m 的山坡及路旁草丛中，湖北有分布。

| **资源状况** | 野生资源丰富，栽培资源稀少。药材来源于野生。

| **采收加工** | **全草**：夏、秋季采收，鲜用或晒干。

| **功能主治** | 止痛，健胃，解毒，清热利尿。用于尿道感染，黄疸；外用于化脓性指头炎，疔疮，烫伤。

弹刀子菜

Mazus stachydifolius (Turcz.) Maxim.

| **药 材 名** | 弹刀子菜。

| **形态特征** | 多年生草本。高 10 ~ 50 cm，粗壮，全体被多细胞白色长柔毛。根茎短。茎直立，稀上升，圆柱形，不分枝或在基部分 2 ~ 5 枝，老时基部木质化。基生叶匙形，有短柄，常早枯萎；茎生叶对生，上部的常互生，无柄，长椭圆形至倒卵状披针形，纸质，长 2 ~ 4（~ 7）cm，以茎中部的较大，边缘具不规则锯齿。总状花序顶生，长 2 ~ 20 cm，有时稍短于茎，花稀疏；苞片三角状卵形，长约 1 mm；花萼漏斗状，长 5 ~ 10 mm，果时增长达 16 mm，直径超过 1 cm，比花梗长或近等长，萼齿略长于筒部，披针状三角形，先端长锐尖，10 脉纹明显；花冠蓝紫色，长约 15 ~ 20 mm，花冠筒与唇部近等长，上部

稍扩大，上唇短，先端 2 裂，裂片狭长三角形状，端锐尖，下唇宽大，开展，3 裂，中裂较侧裂约短 1 倍，近圆形，稍凸出，2 褶襞从喉部直通至上下唇裂口，被黄色斑点同稠密的乳头状腺毛；雄蕊 4，二强，着生在花冠筒的近基部；子房上部被长硬毛。蒴果扁卵球形，长 2 ～ 3.5 mm。花期 4 ～ 6 月，果期 7 ～ 9 月。

| **生境分布** | 生于潮湿的山坡、田野、路旁、草地及林缘。湖北有分布。

| **资源情况** | 野生资源丰富，栽培资源稀少。药材来源于野生。

| **采收加工** | **全草**：7 ～ 9 月结果时采收，鲜用或晒干。

| **功能主治** | 清热解毒，凉血散瘀。用于便秘下血，疮疖肿毒，毒蛇咬伤，跌打损伤。

玄参科 Scrophulariaceae 山罗花属 Melampyrum

山罗花
Melampyrum roseum Maxim.

| 药 材 名 | 山萝花。

| 形态特征 | 直立草本，植株全体疏被鳞片状短毛，有时茎上还有2列多细胞柔毛。茎通常多分枝，少不分枝，近四棱形，高15～80 cm。叶柄长约5 mm，叶片披针形至卵状披针形，先端渐尖，基部圆钝或楔形，长2～8 cm，宽0.8～3 cm；苞叶绿色，仅基部具尖齿至整个边缘具多条刺毛状长齿，较少几乎全缘，先端急尖至长渐尖。花萼长约4 mm，常被糙毛，脉上常生多细胞柔毛，萼齿长三角形至钻状三角形，生有短睫毛；花冠紫色、紫红色或红色，长15～20 mm，筒部长为檐部的2倍，上唇内面密被须毛。蒴果卵状渐尖，长8～10 mm，直或先端稍向前偏，被鳞片状毛，少无毛；种子黑色，长3 mm。

| **生境分布** | 生于山坡、树林、灌丛和高草丛中。湖北有分布。

| **资源状况** | 野生资源丰富，栽培资源稀少。药材来源于野生。

| **采收加工** | **全草**：7~8月采收，鲜用或晒干。

| **功能主治** | 清热解毒。用于痈肿疮毒。

玄参科 Scrophulariaceae 沟酸浆属 Mimulus

四川沟酸浆
Mimulus szechuanensis Pai

| 药 材 名 | 四川沟酸浆。

| 形态特征 | 多年生直立草本，高达 60 cm。根茎长，节上长有成丛的纤维状须根。茎四方形，无毛或有时疏被柔毛，常分枝，角处有狭翅。叶卵形，长 2 ~ 6 cm，宽 1 ~ 3 cm，先端锐尖，基部宽楔形，渐狭成长至 1.5 cm 的短柄，边缘有疏齿，羽状脉，背面沿脉有时有柔毛。花单生于茎枝近先端叶腋，花梗长 1 ~ 5 cm，间有微毛或腺状微毛；花萼圆筒形，长 1 ~ 1.5 cm，果期膨大成泡囊状，长达 2 cm，肋有狭翅，萼口斜形，肋与边缘均被多细胞柔毛；萼齿 5，刺状，后方 1 萼齿较大；花冠长约 2 cm，黄色，喉部有紫斑，花冠筒稍长于萼，上唇、下唇近等长。蒴果长椭圆形，长 1 ~ 1.5 cm，稍扁，被包于宿存的萼内；

种子棕色，卵圆形，有明显的网纹。花期 6 ~ 8 月，果期 7 ~ 9 月。

| **生境分布** | 生于林下阴处、水沟旁、溪边。湖北有分布。

| **资源状况** | 野生资源丰富，栽培资源稀少。药材来源于野生。

| **采收加工** | **全草**：夏季采收。

| **功能主治** | 收敛，止泻，止带。用于湿热痢疾，脾虚泄泻，带下等。

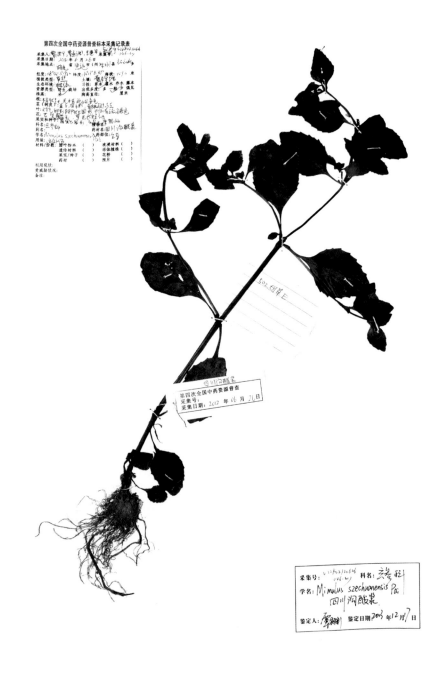

玄参科 Scrophulariaceae 沟酸浆属 *Mimulus*

沟酸浆
Mimulus tenellus Bunge var. *tenellus*

| **药 材 名** | 沟酸浆。

| **形态特征** | 多年生草本。柔弱，常铺散状，无毛。茎长可达 40 cm，多分枝，下部匍匐生根，四方形，角处具窄翅。叶卵形、卵状三角形至卵状矩圆形，长 1 ~ 3 cm，宽 4 ~ 15 mm，先端急尖，基部截形，边缘具明显的疏锯齿，羽状脉；叶柄细长，与叶片等长或较短，偶被柔毛。花单生于叶腋；花梗与叶柄近等长，明显的较叶短；花萼圆筒形，长约 5 mm，果期肿胀成囊泡状，增大近 1 倍，沿肋偶被绒毛，或有时稍具窄翅，萼口平截，萼齿 5，细小，刺状；花冠较花萼长 1.5 倍，漏斗状，黄色，喉部有红色斑点，唇短，端圆形，竖直，沿喉部被密的髯毛；雄蕊同花柱无毛，内藏。蒴果椭圆形，较花萼稍短；种子卵圆形，具细微的乳头状突起。花果期 6 ~ 9 月。

| 生境分布 | 生于海拔 700 ～ 1 200 m 的水边、林下湿地。湖北有分布。

| 资源情况 | 野生资源丰富，栽培资源稀少。药材来源于野生。

| 采收加工 | **全草：** 秋季采收，鲜用或晒干。

| 功能主治 | 用于湿热痢疾，脾虚泄泻，带下，风湿关节痛，疥疮，尿路结石致小便排泄不畅等。

玄参科 Scrophulariaceae 鹿茸草属 Monochasma

沙氏鹿茸草

Monochasma savatieri Franch. ex Maxim.

| **药 材 名** | 白毛鹿茸草。

| **形态特征** | 多年生草本，高 15 ~ 23 cm，常有残留的隔年枯茎，全株因密被绵毛而呈灰白色，上部近花处除被绵毛外，还具腺毛。主根粗短，下部发出弯曲的支根，成密丛。茎多数，丛生，基部多倾卧或弯曲，老时木质化，通常不分枝。叶交互对生，下部者间距极短，仅 4 mm，密集，向上逐渐疏离，相隔可达 10 mm，至花序附近间距最大，可达 16 mm；叶片大小亦作相同的变异，下方者最小，鳞片状，向上则逐渐增大成长圆状披针形至线状披针形，长 12 ~ 20 mm，宽 2 ~ 3 mm，最长可达 25 mm，先端锐尖，或具锐头而有小凸尖，基部渐狭，多少下延至茎而成狭棱，中脉面凹背凸，两面均密被灰

白色绵毛，老时上面的毛多少脱落。总状花序顶生；花少数，单生于叶腋，具长 2 ~ 7 mm 的短梗；叶状小苞片 2，长 9 ~ 15 mm，宽 1 ~ 2 mm，生于花萼管基部；花萼筒状，膜质，被绵毛，或绵毛与腺毛相杂。蒴果长圆形，长约 9 mm，先端具稍弯尖喙。花期 3 ~ 4 月。

| **生境分布** | 生于海拔 100 ~ 1 000 m 的山坡向阳处杂草中、马尾松林下。湖北有分布。

| **采收加工** | **全草**：夏季采收，除去杂质，晒干。

| **功能主治** | 清热解毒，祛风止痛，凉血止血。用于感冒，烦热，咳嗽，吐血，血痢，便血，月经不调，风湿骨痛，牙痛，乳痈。

兰考泡桐
Paulownia elongata S. Y. Hu

| 药 材 名 | 河南桐、河南桐叶。

| 形态特征 | 乔木，高达 10 m 以上，树冠宽圆锥形，全株具星状绒毛。小枝褐色，有凸起的皮孔。叶片通常卵状心形，有时具不规则的角，长达 34 cm，先端渐狭长而具锐头，基部心形或近圆形，上面毛不久脱落，下面密被无柄的树枝状毛；花序枝的侧枝不发达，故花序呈金字塔形或狭圆锥形，长约 30 cm，小聚伞花序的总花梗长 8 ~ 20 mm，与花梗近等长，有花 3 ~ 5，稀有单花；花萼倒圆锥形，长 16 ~ 20 mm，基部渐狭，分裂至约 1/3 处成 5 卵状三角形的齿，花萼管部的毛易脱落；花冠漏斗状钟形，紫色至粉白色，长 7 ~ 9.5 cm，花冠管在基部以上稍弓曲，外面有腺毛和星状毛，内面无毛而有紫

色细小斑点，檐部略呈二唇形，直径 4 ～ 5 cm；雄蕊长达 25 mm；子房和花柱有腺，花柱长 30 ～ 35 mm。蒴果卵形，稀卵状椭圆形，长 3.5 ～ 5 cm，有星状绒毛，宿萼碟状，先端具长 4 ～ 5 mm 的喙，果皮厚 1 ～ 2.5 mm；种子连翅长 4 ～ 5 mm。花期 4 ～ 5 月，果期秋季。

| 生境分布 | 生于海拔 100 ～ 500 m 的林中及坡地。湖北有分布。

| 采收加工 | 河南桐：秋、冬季采挖，洗净，除去须根，鲜用或晒干。

河南桐叶：夏、秋季采摘，鲜用或晒干。

| 功能主治 | 河南桐：祛风解毒，消肿止痛。用于风湿腿痛，下肢浮肿，筋骨疼痛，疮疡肿毒。

河南桐叶：清热解毒。用于痈疽，疔疮，咽喉肿痛。

玄参科 Scrophulariaceae 泡桐属 Paulownia

川泡桐

Paulownia fargesii Franch.

药材名

川泡桐。

形态特征

乔木，高达 20 m。树冠宽圆锥形，主干明显；小枝紫褐色至褐灰色，有圆形凸出皮孔；全体被星状绒毛，但逐渐脱落。叶片卵圆形至卵状心形，长 20 cm 以上，全缘或浅波状，先端长渐尖成锐尖头，上面疏生短毛，下面的毛具柄和短分枝，毛的疏密度有很大变化，一直变化到无毛为止；叶柄长达 11 cm。花序枝的侧枝长可达主枝之半，故花序为宽大圆锥形，长约 1 m，小聚伞花序无总梗或几无梗，有花 3 ~ 5，花梗长不及 1 cm；花萼倒圆锥形，基部渐狭，长达 2 cm，不脱毛，分裂至中部成三角状卵圆形的萼齿，边缘有明显较薄之沿；花冠近钟形，白色有紫色条纹至紫色，长 5.5 ~ 7.5 cm，外面有短腺毛，内面常无紫斑，管在基部以上突然膨大，多少弓曲；雄蕊长 2 ~ 2.5 cm；子房有腺，花柱长 3 cm。蒴果椭圆形或卵状椭圆形，长 3 ~ 4.5 cm，幼时被黏质腺毛，果皮较薄，有明显的横行细皱纹，宿萼贴伏于果基或稍伸展，常不反折；种子长圆形，连翅长 5 ~ 6 mm。花期 4 ~ 5 月，果期 8 ~ 9 月。

| 生境分布 | 生于海拔 1 200 ～ 3 000 m 的林中及坡地。湖北有分布和栽培。

| 资源状况 | 野生资源丰富，栽培资源一般。药材来源于野生。

| 采收加工 | **叶**：夏、秋季采收。

花：春季开花时采收。

果实：初秋采收，鲜用或晒干。

树皮：全年均可采收，晒干。

| 功能主治 | 化痰止咳，平喘。用于慢性支气管炎。

玄参科 Scrophulariaceae 泡桐属 Paulownia

白花泡桐

Paulownia fortunei (Seem.) Hemsl.

| 药 材 名 |

泡桐叶、泡桐花、泡桐果、泡桐根、泡桐树皮。

| 形态特征 |

乔木，高达 30 m。树皮灰褐色，幼枝、叶、叶柄、花序各部和幼果均被黄褐色星状绒毛。叶柄长达 12 cm；叶片长卵状心形，长可达 20 cm，先端长渐尖或锐尖头，基部心形，全缘。花序狭长成圆柱形，长约 25 cm，小聚伞花序有花 3 ~ 8，头年秋天生花蕾，先于叶开放；总花梗与花梗等长，或下部者长于花梗，上部者略短于花梗；花萼倒圆锥形，长 2 ~ 2.5 cm，花后逐渐脱毛，分裂至 1/4 或 1/3 处，萼齿卵圆形至三角状卵圆形，至果期变为狭三角形；花冠管状漏斗形，白色，仅背面稍带紫色或浅紫色，长 8 ~ 12 cm，管部在基部以上不突然膨大，而逐渐向上扩大，上唇较狭，2 裂，反卷，下唇 3 裂，先端均有齿痕状齿或凹头；雄蕊 4，二强，隐于花冠筒内；子房 2 室，花柱细长，内弯。蒴果木质，长圆形或长圆状椭圆形，长 6 ~ 10 cm，先端之喙长达 6 mm，宿萼开展或漏斗状，果皮木质，厚 3 ~ 6 mm；种子连翅长 6 ~ 10 mm，室背 2 裂。花期 2 ~ 3 月，果期 8 ~ 9 月。

| 生境分布 | 生于低海拔的山坡、林中、山谷、荒地。湖北有分布。

| 资源状况 | 野生资源一般，栽培资源丰富。药材来源于栽培。

| 采收加工 | 泡桐叶：6～10 月采摘，鲜用或晒干。

泡桐花：3～5 月开花时采收，鲜用或晒干。

泡桐果：8～9 月采摘，晒干。

泡桐根：9～10 月采挖，鲜用或晒干。

泡桐树皮：全年均可采收，鲜用或晒干。

| 功能主治 | 泡桐叶：清热解毒，止血消肿。用于痈疽，疔疮肿毒，创伤出血。

泡桐花：清肺利咽，解毒消肿。用于肺热咳嗽，急性扁桃体炎，细菌性痢疾，急性肠炎。

泡桐果：化痰，止咳，平喘。用于慢性支气管炎，咳嗽咳痰。

泡桐根：祛风止痛，解毒活血。用于风湿热痹，筋骨疼痛，疮疡肿毒，跌打损伤。

泡桐树皮：祛风除湿，消肿解毒。用于风湿热痹，淋病，丹毒，痔疮肿毒，肠风下血，外伤肿痛，骨折。

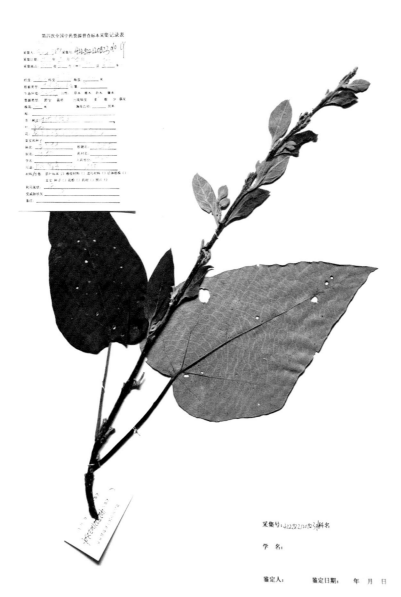

采集号: 422322no8s4料名

学　名:

鉴定人:　　　鉴定日期:　　年　月　日

玄参科 Scrophulariaceae 泡桐属 Paulownia

毛泡桐
Paulownia tomentosa (Thunb.) Steud

药材名

泡桐树皮。

形态特征

乔木，高达 20 m。树冠宽大伞形，树皮褐灰色；小枝有明显皮孔，幼时常具黏质短腺毛。叶片心形，长达 40 cm，先端锐尖头，全缘或波状浅裂，上面毛稀疏，下面毛密或较疏，老叶下面的灰褐色树枝状毛常具柄和 3 ～ 12 细长丝状分枝，新枝上的叶较大，其毛常不分枝，有时具黏质腺毛；叶柄常有黏质短腺毛。花序枝的侧枝不发达，长约中央主枝之半或稍短于中央主枝，故花序为金字塔形或狭圆锥形，长一般在 50 cm 以下，少有更长，小聚伞花序的总花梗长 1 ～ 2 cm，几与花梗等长，具花 3 ～ 5；花萼浅钟形，长约 1.5 cm，外面绒毛不脱落，分裂至中部或裂过中部，萼齿卵状长圆形，在花中锐头或稍钝头至果中钝头；花冠紫色，漏斗状钟形，长 5 ～ 7.5 cm，在离管基部约 5 mm 处弓曲，向上突然膨大，外面有腺毛，内面几无毛，檐部二唇形，直径约 5 cm；雄蕊长达 2.5 cm；子房卵圆形，有腺毛，花柱短于雄蕊。蒴果卵圆形，幼时密生黏质腺毛，长 3 ～ 4.5 cm，宿萼不反卷，果皮直径约

1 mm；种子连翅长 2.5 ~ 4 mm。花期 4 ~ 5 月，果期 8 ~ 9 月。

| **生境分布** | 生于海拔 1 800 m 以下的地带。湖北有分布。

| **资源状况** | 野生资源丰富，栽培资源一般。药材来源于野生。

| **采收加工** | **树皮**：全年均可采收，鲜用或晒干。

| **功能主治** | 祛风除湿，消肿解毒。用于风湿热痹，淋病，丹毒，痔疮肿毒，肠风下血，外伤肿痛，骨折。

玄参科 Scrophulariaceae 马先蒿属 Pedicularis

埃氏马先蒿 *Pedicularis artselaeri* Maxim.

| **药 材 名** | 埃氏马先蒿。

| **形态特征** | 多年生草本。草质，干时略变黑色。茎具多数根，有时有分枝，多少纺锤形，肉质，粗者直径达 6 cm，自短而弯曲的根茎上发出，根茎上方在强大的植株中分枝，发出茎 2 ~ 4，在新生的植株中茎单一，基部被有披针形至卵形的黄褐色膜质鳞片及枯叶柄，不发达，细弱而短，长 3 ~ 6 cm，为多数叶柄与花梗所遮蔽而不显著，有毛。叶有长柄，软弱而铺散地面；叶柄下半部扁平而薄，在中肋两旁有膜质之翅，中部以上渐厚而为绿色，草质，长约 5.5 cm，最长者可达 9 cm，密被短柔毛；叶片长圆状披针形，长 7 ~ 10 cm，宽 2 ~ 2.5 cm，上面有疏长之毛，下面沿脉有锈色短毛，羽状全裂，裂片卵形，每

边 8 ~ 14，羽状深裂，小裂片每边 2 ~ 4，或有缺刻状重锯齿，齿端有尖刺状胼胝。花腋生，具有长梗；花梗长可达 6.5 cm，细柔弯曲，被长柔毛；花大，长 3 ~ 3.5 cm，浅紫红色；花萼圆筒形，前方不裂，长 1.2 ~ 1.8 cm，被长柔毛，主脉 5，不显著，网脉则很显著，齿 5，长于萼管或略相等，中部狭细，基部三角状卵形而与管相连，上部呈卵状披针形膨大而有细锐的锯齿；花冠筒伸直，下部圆筒状，近端处稍扩大，略长于萼或为萼的 1.5 倍，无毛，下唇很大，稍长于盔，以锐角伸展，裂片圆形，几相等，中裂两侧略迭置于侧裂之下，盔长约 13 mm，呈镰形弓曲，盔端尖而先端微钝，指向前上方；花丝 2 对均被长毛；花柱稍伸出于盔端以下的前缘。蒴果卵圆形，稍扁平，先端有偏指下方的凸尖，长约 13 mm，全部为膨大之宿萼所包裹。

| 生境分布 | 生于海拔 1 100 ~ 2 800 m 的石坡草丛中和林下较干处。湖北有分布。

| 资源情况 | 野生资源丰富，栽培资源稀少。药材来源于野生。

| 采收加工 | **根、茎：**秋季采挖，去净茎叶及泥土，晒干。

| 功能主治 | 用于风湿关节痛，尿路结石，小便不利，带下，大风癞疾，疥疮。

玄参科 Scrophulariaceae 马先蒿属 Pedicularis

大卫氏马先蒿 *Pedicularis davidii* Franch.

| 药 材 名 |

大卫氏马先蒿。

| 形态特征 |

多年生草本。干后变黑，高 15 ~ 30 cm，密被短毛，根粗线形或纺锤形，肉质，长达 7 cm，直径达 6 mm。茎具明显的棱角，密被锈色短毛。叶片卵状长圆形至披针状长圆形，长 7 ~ 13 cm，宽 2 ~ 3.5 cm，向上渐小直至变为苞片，下面被白色肤屑状物，羽状全裂，裂片每长的喙指向后方，喙常卷成半环形。总状花序顶生，长 13 ~ 18 cm；花冠紫色或红色，长 12 ~ 16 mm，花冠筒伸直，盔的直立部分在自身的轴上扭旋 2 整转，在含有雄蕊部分的基部强烈扭折，使其细形，长约 10 mm，宽 4 ~ 5 mm；子房卵状披针形，长约 3 mm。蒴果狭卵形至卵状披针形。花期 6 ~ 8 月，果期 8 ~ 9 月。

| 生境分布 |

生于海拔 1 750 ~ 3 100 m 的沟边、路旁及草坡上。湖北有分布。

| 资源情况 |

野生资源丰富，栽培资源稀少。药材来源于

野生。

| **采收加工** | 　**根**：秋季采挖，去净茎叶及泥土，晒干。

| **功能主治** | 　滋阴补肾，益气健脾。用于脾肾两虚，骨蒸潮热，关节疼痛，不思饮食等。

玄参科 Scrophulariaceae 马先蒿属 Pedicularis

亨氏马先蒿 *Pedicularis henryi* Maxim.

| 药 材 名 | 凤尾参。

| 形态特征 | 多年生草本，高 16 ~ 36 cm，密被锈褐色毛。根丛生，少数膨大成肉质纺锤形，具须根。茎多从基部发出 3 ~ 5，中空，多分枝，基部倾卧，上部略有棱角，弯曲上升。叶茂密，互生；具短柄，中部叶叶柄较长；叶片纸质，长圆状披针形至线状长圆形，长 1.5 ~ 3.5 cm，宽 0.5 ~ 1 cm，羽状深裂或全裂，裂片每边 6 ~ 8（~ 12），裂片长圆形至卵形，边缘有具白色胼胝之齿，常反卷。花生于茎顶叶腋，或成总状花序；花梗长 3 ~ 5 mm，纤细，被短毛；花萼稍圆筒状，先端 5 裂或退化成 3 裂，基部细，先端圆形膨大，具反卷的小齿；花冠紫红色，长约 2 cm，略向右扭转，上部渐扩大，

盔直立，中部向前上方弓曲成短粗的含雄蕊的部分，前端狭缩成指向前下方的短喙，喙端 2 浅裂，下唇侧裂斜椭圆形，中裂圆形；雄蕊 2 对，均被长柔毛；花柱略伸出。蒴果斜披针状卵形，从宿萼裂口伸出；种子卵形而尖，形似桃。花期 5 ~ 9 月，果期 8 ~ 11 月。

| **生境分布** | 生于海拔 400 ~ 1 420 m 的空旷处、草丛及林边。湖北有分布。

| **采收加工** | 秋季采挖，洗净，晒干。

| **功能主治** | 补气血，强筋骨，健脾胃。用于头晕耳鸣，心慌气短，手足痿软，筋骨疼痛，支气管炎，小儿食积，营养不良。

玄参科 Scrophulariaceae 马先蒿属 Pedicularis

藓生马先蒿 *Pedicularis muscicola* Maxim.

| 药 材 名 | 藓生马先蒿。

| 形态特征 | 多年生草本，干时多少变黑，多毛。根茎粗，有分枝，先端有宿存鳞片。茎丛生，在中间者直立，在外围者多弯曲上升或倾卧，长达25 cm，常成密丛。叶有柄，柄长达1.5 cm，有疏长毛；叶片椭圆形至披针形，长达5 cm，羽状全裂，裂片常互生，每边4 ~ 9，有小柄，卵形至披针形，有锐重锯齿，齿有凸尖，上面有疏短毛，沿中肋有密细毛，背面几光滑。花皆腋生，自基部开始着生，梗长达15 mm，一般较短，密被白长毛至几乎光滑；花萼圆筒形，长达11 mm，前方不裂，主脉5，上有长毛，齿5，略相等，基部三角形而连于萼管，向上渐细，均全缘，至近端处膨大成卵形，具有少数

锯齿；花冠玫瑰色，花冠管长 4 ~ 7.5 cm，外面有毛，盔直立部分很短，几在基部即向左方扭折使其顶部向下，前方渐细为卷曲或"S"形的长喙，喙因盔扭折而反向上方卷曲，长达 10 mm 或更长，下唇极大，长、宽均达 2 cm，侧裂极大，宽达 1 cm，稍指向外方，中裂较狭，为长圆形，长约 8 mm，宽 6.5 mm，钝头；花丝 2 对均无毛，花柱稍稍伸出喙端。蒴果稍扁平，偏卵形，长 1 cm，宽 7 mm，被宿萼所包裹。花期 5 ~ 7 月，果期 8 月。

| **生境分布** | 生于海拔 1 750 ~ 2 650 m 的杂林、冷杉林的苔藓层中。湖北有分布。

| **资源状况** | 野生资源丰富，栽培资源稀少。药材来源于野生。

| **采收加工** | **根：**秋季采挖，去净茎叶及泥土，晒干。

| **功能主治** | 补气固表，安神。用于气血不足，体虚多汗，心悸乏力。

玄参科 Scrophulariaceae 马先蒿属 Pedicularis

葶菜叶马先蒿
Pedicularis nasturtiifolia Franch.

| 药 材 名 | 葶菜叶马先蒿。

| 形态特征 | 多年生草本，干时不变黑色。茎常单条，分枝或简单，无毛或微有成行的毛，软弱而偃蔓。基生叶未见，茎生叶疏生直达先端，对生或亚对生，质薄；叶柄长 1 ~ 5 cm，生有疏长毛；叶片卵形至椭圆形，长可达 9 cm，宽 3 ~ 5 cm，上面有疏粗毛，中肋沟中较密，下面近无毛，网脉明显，为羽状全裂，裂片每边 2 ~ 7 对，最下者常仅单侧生 1 而较小很多，距离也较远，多少卵形而歪斜，边缘有重锯齿，偶有缺刻状开裂，大者长达 2.5 mm，宽 1.4 mm，向叶基一方的基部常下延成翅，向叶端的一方则为亚心形；长枝上叶裂片仅 2 ~ 3 对。花均腋生，花梗纤细，长 8 ~ 20 mm，几无毛；花萼圆筒状倒圆锥形，

长约 7 mm，基部钝，主脉 5，显著，无网脉，上部无毛，基部沿中脉有白色疏长毛，前方不开裂，萼齿 5，稍不相等，下部略有柄，上部膨大成叶状，卵形锐头有 3 ～ 5 锯齿；花冠玫瑰色，管略小于萼的 2 倍，长约 12 mm；下唇很大，圆形，微有缘毛，侧裂较大，半圆形，中裂几不向前凸出，狭卵形而尖；雄蕊花丝前方 1 对被毛。

| **生境分布** | 生于海拔 2 000 m 的林下及其他潮湿处。分布于湖北西部。

| **资源状况** | 野生资源丰富，栽培资源稀少。药材来源于野生。

| **采收加工** | **根**：秋季采挖，去净茎叶及泥土，晒干。

| **功能主治** | 祛风，胜湿，利水。用于风湿关节痛，小便不利，尿路结石，带下，疥疮。

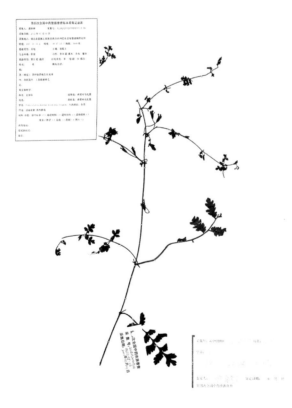

玄参科 Scrophulariaceae 马先蒿属 Pedicularis

返顾马先蒿 *Pedicularis resupinata* L.

| 药 材 名 | 返顾马先蒿、马先蒿。

| 形态特征 | 多年生草本，高 30 ~ 70 cm，直立。根多数丛生。茎常单出，上部多分枝，粗壮而中空，多方形有棱，有疏毛或几无毛。叶密生，均茎出，互生或有时下部甚或中部对生；叶片膜质至纸质，卵形至长

圆状披针形，前方渐狭，基部广楔形或圆形，边缘有钝圆的重齿，齿上有浅色的胼胝或刺状尖头，且常反卷，长 25 ~ 55 mm，宽 10 ~ 20 mm，向上渐小而变为苞片，两面无毛或有疏毛。花单生于茎枝先端的叶腋中，无梗或有短梗；花萼长 6 ~ 9 mm，长卵圆形，多少膜质；花冠长 20 ~ 25 mm，淡紫红色，花冠管长 12 ~ 15 mm，伸直，近端处略扩大，自基部起即向右扭旋，脉理清晰可见，此种扭旋使下唇及盔部成为回顾之状，盔的直立部分与花管同一指向，在此部分以上作 2 次多少膝盖状弓曲；雄蕊花丝前面 1 对有毛；柱头伸出喙端。蒴果斜长圆状披针形，长 11 ~ 16 mm，仅稍长于花萼。花期 6 ~ 8 月，果期 7 ~ 9 月。

| 生境分布 | 生于海拔 300 ~ 2 000 m 的湿润草地及林缘。湖北有分布。

| 采收加工 | **返顾马先蒿：**秋季采挖，除去泥土，晒干。
马先蒿：夏、秋季花开时采收，阴干。

| 功能主治 | **返顾马先蒿：**祛风湿，利小便。用于风湿关节疼痛，尿路结石，小便不利，带下，大风瘌疾，疥疮。
马先蒿：拢敛扩散之毒，清胃火，止泻。用于眼花，胃胀，痧症，肉毒症。

玄参科 Scrophulariaceae 马先蒿属 Pedicularis

返顾马先蒿粗茎亚种 *Pedicularis resupinata* L. subsp. *crassicaulis* (Vaniot ex Bonati) Tsoong

| **药 材 名** | 返顾马先蒿粗茎亚种。

| **形态特征** | 高可达 70 cm，根多数丛生，茎一般多粗壮坚挺，全身密被粗涩之毛，常单出。叶密生，均茎生，互生叶柄短，叶片膜质至纸质，两面无毛或有疏毛。花单生于茎枝先端的叶腋中；花萼长卵圆形，多少膜质，齿 2，宽三角形；花冠淡紫红色，花冠筒伸直，盔的直立部分与花管指向相同，中裂较小。蒴果斜长圆状披针形，长 11 ~ 16 mm，仅稍长于花萼。花期 6 ~ 8 月，果期 7 ~ 9 月。

| **生境分布** | 生于海拔 300 ~ 2 000 m 的湿润草地及林缘。湖北有分布。

| **资源情况** | 野生资源一般，栽培资源稀少。药材来源于野生。

| **采收加工** | 根：秋季采挖，去净茎叶及泥土。

| **功能主治** | 祛风，胜湿，利水。用于风湿关节痛，小便不利，尿路结石，带下，疥疮。

玄参科 Scrophulariaceae 马先蒿属 *Pedicularis*

穗花马先蒿 *Pedicularis spicata* Pall.

| **药 材 名** | 穗花马先蒿。

| **形态特征** | 一年生草本，干时不变黑或微微变黑，老时尤其下部多少木质化。根圆锥形，常有分枝，长可达 8 cm，强烈木质化。茎有时单一或常自根颈发出多条，侧生者倾卧或弯曲上升，全不分枝或在更多的情况下上部多分枝，茎、枝老时均坚挺，4 枝轮生，均中空，略作四棱状，或有时下部完全方形，沿棱有毛线 4，节上毛尤密。基生叶至开花时多不存在，多少呈莲座状，较茎叶小，柄长 13 mm，有密卷毛，叶片椭圆状长圆形，长约 20 mm，两面被毛，羽状深裂，裂片长卵形，边多反卷，时有胼胝；茎生叶多 4 枚轮生，各茎 3 ~ 6 枚轮生，以中部者最大，柄短，约 10 mm，扁平，有狭翅，被毛，叶片多变，

长圆状披针形至线状狭披针形，其长与宽的比例为 2：1 ～ 7：1，最长达 7 cm，最宽可达 13 mm，上面疏布短白毛，背面脉上有较长的白毛，基部广楔形，先端渐细而顶尖微钝，缘边羽状浅裂至深裂，裂片 9 ～ 20 对，卵形至长圆形，多少带三角形，后缘稍长于前缘且略偏指前方，缘有具刺尖的锯齿，有时极多胼胝。穗状花序生于茎枝之端，长可达 12 cm，仅下部花轮有时间断；苞片下部者叶状，中上部者为菱状卵形而有长尖头，基部宽，膜质，前方有齿，绿色，长于萼，有长白毛，齿常有胼胝；花萼短，钟形，长 3 ～ 4 mm，前方仅微微开裂，全部膜质透明，主脉 5，最粗，次脉 2 ～ 4 条，管部常在主脉近端处有网脉，有时下部沿主脉亦有斜升支脉，唯不网结，萼齿 3，后方 1 枚三角形锐头小，余 4 枚各边两两结合成 1 短三角形钝头之宽齿，两边不等，向前方的一面边缘徐徐斜下以组成萼的裂口，长是另一边的 2 ～ 3 倍，在进化较不完全的植株中两宽齿之端有微缺，齿中有明显的网纹；花冠红色，长 12 ～ 18 mm，管在萼口向前方以直角或相近的角度膝屈，下段长约 3 mm，上段 6 ～ 7 mm，向喉稍扩大，盔指向前上方，长仅 3 ～ 4 mm，基部稍宽，额高凸，下唇长 6 ～ 10 mm，较盔长 2 ～ 2.5 倍，中裂较小，倒卵形，比斜卵形的侧裂小半倍；雄蕊花丝 1 对有毛；柱头稍伸出。蒴果长 6 ～ 7 mm，狭卵形，下线稍弯，上线强烈向下弓曲，近端处突然斜下，斜截形，先端有刺尖；种子仅 5 ～ 6，长达 2 mm，脐点明显凹陷，切面略呈三棱形，背面宽而圆，2 腹面狭而多少凹陷，先端有尖，均有极细的蜂窝状网纹。花期 7 ～ 9 月，果期 8 ～ 10 月。

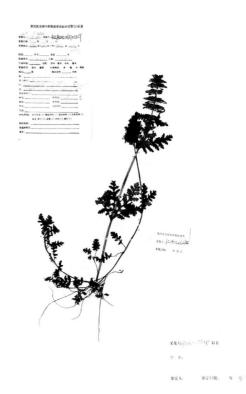

| **生境分布** | 生于海拔 1 500 ～ 2 600 m 的草地、溪流旁及灌丛中。分布于湖北北部。 |

| **资源状况** | 野生资源一般，栽培资源稀少，药材来源于野生。 |

| **采收加工** | **根：**秋季采挖，去净茎叶及泥土。 |

| **功能主治** | 祛风，胜湿，利水。用于风湿关节痛，小便不利，尿路结石，带下，疥疮。 |

玄参科 Scrophulariaceae 马先蒿属 Pedicularis

四川马先蒿
Pedicularis szetschuanica Maxim.

| **药 材 名** | 四川马先蒿。

| **形态特征** | 一年生草本。有中等程度的毛被，干时不变黑色。根单条，垂直而向下渐细，老时木质化，生有少许斜伸的须状侧根，长达 3 cm，或有时从中部以上分为数条较粗的支根，长达 5 cm。茎基有时有宿存膜质鳞片，其高一般 20 cm 左右，但低矮者仅高 10 cm，而高者则可达 30 cm，有棱沟，生有 4 毛线，毛在茎节附近及花序中较密，单条或自根颈上分出 2 ~ 8，侧生者多少弯曲上升，在正常情况下不分枝，尤其上部决不分枝。叶在大小、形状与柄的长短上变化极大，下部者有长柄，叶柄一般长于叶片，在极小的植株中仅长 7 mm，在大植株中长达 2.5 mm，多少膜质，基部常多少膨大，生有白色长毛，

中上部之叶柄较短至几无柄；叶片长卵形经由卵状长圆形至长圆状披针形，长 0.4 ~ 3 cm，宽 2.5 ~ 10 mm，羽状浅裂至半裂，裂片 5 ~ 11，多少卵形至倒卵形，两缘下部全缘，端圆钝而有锯齿，齿常反卷而有白色胼胝，两面有中等多的白毛至几无毛。花序穗状而密，或有一、二花轮远隔，下部者相距达 3.5 cm；苞片下部者叶状，中上部者迅速变短，三角状披针形至三角状卵形，基部宽楔形而骤狭，有膜质无色之宽柄，生有长白毛，渐上渐变绿色而有美丽的网脉，先端常有红晕；花萼膜质，无色或有时有红色斑点，多少种形，长 4 mm 左右，主次脉明显，10，主脉常因两侧有不清楚的斜升支脉而变粗，在近萼齿处有少数横脉作网结，齿 5，绿色，或常有紫红色晕，后方 1 三角形最小，前侧方者披针形，后侧方者较宽，多少呈三角状卵形至卵状披针形，缘多少有不明显的锯齿，连其三角形的基部共长约 1.5 mm；花冠紫红色，长 14 ~ 17 mm，花冠筒在基部以上约 3.5 mm 处经约以 45° 或偶有以较强烈的角度向前膝屈，上段长 6 ~ 7 mm，其上半节又稍稍向上仰起，向喉部渐渐扩大，直径达 3.8 mm，下唇长 7 ~ 8 mm，宽达 10 mm，基部圆形，侧裂斜圆卵形，中裂圆卵形，端有微凹，仅略小于侧裂，其两侧为后者所盖迭，网纹细而不显著，边缘无啮痕状细齿，无细缘毛或极少微有缘毛，盔长以前缘约 5 mm，下半部向基渐宽，基部宽约 2.6 mm，上半部宽约 1.4 mm，仅极微或几不向前弓曲，额稍圆，转向前方与下结合成一多少凸出的三角形尖头；花丝两对均无毛；柱头多少伸出。花期 7 月。

| **生境分布** | 生于云杉林、水流旁及溪流岩石上。湖北有分布。

| **资源情况** | 野生资源一般，栽培资源稀少。药材来源于野生。

| **采收加工** | **根：**秋季采挖，去净茎叶及泥土。

| **功能主治** | 祛风，胜湿，利水。用于风湿关节痛，小便不利，尿路结石，带下，疥疮。

玄参科 Scrophulariaceae 马先蒿属 Pedicularis

扭旋马先蒿 *Pedicularis torta* Maxim.

| 药 材 名 | 扭旋马先蒿。

| 形态特征 | 多年生草本。干后不变黑色，直立，高 20 ～ 40 cm，高者可达 70 cm，疏被短柔毛或近无毛；根垂直向下，长约 6 cm，直径 2 ～ 2.5 mm，近肉质，无侧根，须根纤维状多数，散生。茎单出或 自根颈发出 3 ～ 4 侧枝，多者可达 7 枝，中上部无分枝，中空，基 部不木质化，稍具棱角，幼时疏被短柔毛，无毛线，老枝除上部外 近无毛，常稍有光泽。叶互生或假对生，茂密，基生叶多数，常早 脱落，茎生下部者叶柄长可达 5 cm，渐上渐短，上部的约 5 mm 或 更短，沿中肋具狭翅，基部及边缘疏被短纤毛，其余无毛；叶片膜 质，长圆状披针形至线状长圆形，渐上渐小，差别很大，下部的长

可达 9.5 cm，宽约 2.5 cm，上部有的短至 2 cm，宽约 7 mm，两面无毛，下面疏被白色肤屑状物或几光滑，网纹作碎冰纹而明显，缘边几为羽状全裂，裂片每边 9 ～ 16，疏稀，披针形至线状长圆形，基部下延沿中肋成狭翅，边有锯齿，齿端具齿，齿端具胼胝质刺尖。总状花序顶生，伸长，多花，先端稠密，下中部疏稀或有间隔；苞片叶状，具短柄，下部的比萼长，上部的短于萼，裂片数目亦渐减少；花具短梗，长 1 ～ 2.5 mm，纤细，被短柔毛；花萼卵状圆筒形，长 6 ～ 7 mm，萼筒膜质，前方开裂至萼筒的中部，3 主脉与次脉约 7 ～ 8，不很凸起，仅靠近萼齿处略有网纹，萼齿 3，草质，长约为萼管的 1/3 ～ 1/2，不等，后方的 1 枚较小，线形，全缘或上部扩大，倒披针形，有少数之齿，其余的 2 宽卵形，基部细缩，全缘，上部不整齐，掌状分裂，裂片有重锯齿；花冠具黄色的花冠筒及下唇，紫色或紫红色的盔，长 16 ～ 20 mm，花冠筒伸直，约比花萼长 1 倍，外被短毛，盔不但在直立部分先端几以直角向前转折，并在这一部分与含有雄蕊部分两者之间的一段中作 0.5 周的向右扭旋，恰好使后者之顶转向前方，而 S 形的长喙则又因其在自身的轴上扭转而先向上，再向后，最后再转指向上方，喙先端微缺，沿其近基的 2/3 的缝线上有透明的狭鸡冠状凸起 1，下唇大，宽过于长，长约 10 mm，宽约 13 mm，以直角开展，3 裂，被长缘毛，中裂较小，稍凸出，倒卵形，先端截头或微凹，基部狭缩成柄，不选置于侧裂之下，侧裂肾脏形，宽过于长，宽约 9 mm，长约 5 mm；雄蕊着生花冠筒顶部，2 对花丝均被毛；子房狭卵圆形，长约 2.5 mm，柱头伸出于盔外。蒴果卵形，扁平，两室很不相等，但不很偏斜，长 12 ～ 16 mm，宽 4 ～ 6 mm，先端渐尖，基部被宿萼所斜包。花期 6 ～ 8 月，果期 8 ～ 9 月。

| **生境分布** | 生于海拔 2 500 ～ 3 100 m 的草坡上。分布于湖北西部。

| **资源情况** | 野生资源一般，栽培资源稀少，药材来源于野生。

| **采收加工** | **全草**：秋季采挖，去净茎叶及泥土，晒干。

| **功能主治** | 祛风，胜湿，利水。用于风湿关节痛，小便不利，尿路结石，带下，疥疮。

玄参科 Scrophulariaceae 松蒿属 *Phtheirospermum*

松蒿

Phtheirospermum japonicum (Thunb.) Kanitz

| 药 材 名 | 松蒿。

| 形态特征 | 一年生草本，高可达 100 cm，但有时高仅 5 cm 即开花，植体被多细胞腺毛。茎直立或弯曲而后上升，通常多分枝。叶具长 5 ~ 12 mm、边缘有狭翅之柄，叶片长三角状卵形，长 15 ~ 55 mm，宽 8 ~ 30 mm，近基部的叶羽状全裂，向上则为羽状深裂；小裂片长卵形或卵圆形，多少歪斜，边缘具重锯齿或深裂，长 4 ~ 10 mm，宽 2 ~ 5 mm。花具长 2 ~ 7 mm 之梗；花萼长 4 ~ 10 mm，萼齿 5，叶状，披针形，长 2 ~ 6 mm，宽 1 ~ 3 mm，羽状浅裂至深裂，裂齿先端锐尖；花冠紫红色至淡紫红色，长 8 ~ 25 mm，外面被柔毛；上唇裂片三角状卵形，下唇裂片先端圆钝；花丝基部疏被长柔毛。蒴果卵珠形，

长 6 ~ 10 mm；种子卵圆形，扁平，长约 1.2 mm。花果期 6 ~ 10 月。

| 生境分布 | 生于海拔 150 ~ 1 900 m 的山坡灌丛阴凉处。分布于湖北竹溪、房县、兴山、秭归、长阳、五峰、京山、钟祥、红安、罗田、利川、建始、巴东、咸丰、鹤峰、神农架，以及宜昌。

| 资源状况 | 野生资源一般，栽培资源稀少。药材来源于野生。

| 采收加工 | 全株：6 ~ 9 月采收，鲜用或晒干。

| 功能主治 | 清热，利湿。用于黄疸，水肿，风热感冒。

玄参科 Scrophulariaceae 松蒿属 Phtheirospermum

细裂叶松蒿 Phtheirospermum tenuisectum Bur. et Franch.

| 药 材 名 |

草柏枝。

| 形 态 特 征 |

多年生草本。高 10 ~ 55 cm，植体被多细胞腺毛。茎多数，细弱，成丛，下部弯曲而后上升，简单或上部分枝。叶对生，中部以上的有时亚对生，三角状卵形，长 1 ~ 4 cm，宽 0.5 ~ 3.5 cm，2 ~ 3 回羽状全裂；小裂片条形，先端圆钝或有时有小凸尖，两面与萼同被多细胞腺毛。花单生，具长 1 ~ 3 mm 之梗；花萼长 5 ~ 8 mm，萼齿卵形至披针形，长 2 ~ 4 mm，宽 1 ~ 2 mm，边缘多变化，全缘直至深裂而具 2 ~ 3 或更多的小裂片；花冠通常黄色或橙黄色，外面被腺毛及柔毛，花冠筒长 8 ~ 15 mm，喉部被毛，上唇裂片卵形，长 3 ~ 4 mm，下唇 3 裂片均为倒卵形，先端钝圆或微凹，近乎相等，或中裂片稍大，边缘被缘毛，长 4 ~ 6.5 mm；雄蕊内藏；子房被长柔毛。蒴果卵形，长 4 ~ 6 mm；种子小，扁平，卵形，长不及 1 mm，具网纹。花果期 5 ~ 10 月。

| 生 境 分 布 |

生于山坡、灌丛阴湿处。湖北有分布。

| **资源情况** | 野生资源一般，栽培资源稀少。药材来源于野生。

| **采收加工** | **全草：** 8～10月采收，洗净，晒干。

| **功能主治** | 散瘀解毒，养心安神。用于骨折肿痛，咳嗽，痰中带血，咽喉肿痛，心悸怔神，蛇犬咬伤。

苦玄参
Picria felterrae Lour.

| **药 材 名** | 落地小金钱。

| **形态特征** | 一年生草本。长达 1 m，基部匍匐或倾卧，节上生根；枝叉分，有
条纹，被短糙毛，节常膨大。叶对生，有长达 18 mm 的柄；叶片卵形，

有时几为圆形，长达 5.5 cm，宽达 3 cm，先端急尖，基部常多少不等，延下于柄，边缘有圆钝锯齿，上面密布粗糙的短毛，下面脉上有糙毛，侧脉 4 ～ 5 对，在下面稍稍凸起。花序总状排列，有花 4 ～ 8，总花梗与花梗均细弱，花梗长可达 1 cm，向先端膨大，苞片细小；花萼裂片 4，分生，外方之 2 长圆状卵形，在果时长达 14 mm，宽达 10 mm，基部心形，有明显的网脉，其中前方 1 枚较小，常 2 浅裂，侧方 2 几为条形，较短；花冠白色或红褐色，长约 12 mm，花冠筒长约 6.5 mm，中部稍稍细缩，上唇直立，基部很宽，向上转狭，几为长方形，先端微缺，长约 4.5 mm，下唇宽阔，长约 6.5 mm，3 裂，中裂向前突出；雄蕊 4，前方 1 对退化，长约 3.5 mm，着生于管喉，花丝自花喉至下唇中部完全贴着于花冠，凸起很高而密生长毛，先端游离，膨大而弓曲，后方 1 对着生较低，长仅 2.5 mm，花丝游离。蒴果卵形，长 5 ～ 6 mm，室间 2 裂，包于宿存的萼片内；种子多数。

| 生境分布 | 生于海拔 750 ～ 1 400 m 的疏林中及荒田中。湖北有分布。

| 资源情况 | 野生资源一般，栽培资源丰富，药材来源于栽培。

| 采收加工 | **全草：**秋季采收，除去杂质，晒干。

| 功能主治 | 清热解毒，消肿止痛。用于风热感冒，咽喉肿痛，喉痹，疟腮，脘腹疼痛，痢疾，跌打损伤，疖肿，毒蛇咬伤。

玄参科 Scrophulariaceae 地黄属 Rehmannia

天目地黄 Rehmannia chingii Li

| 药 材 名 | 浙地黄。

| 形态特征 | 多年生草本。全体被长柔毛。根茎肉质，黄褐色。基生叶呈莲座状排列，叶片椭圆形，纸质，两面疏被白色柔毛，边缘具不规则圆齿或粗锯齿，基部楔形；茎生叶外形与基生叶相似。花单生；萼齿5，披针形；花冠紫红色，长 5 ~ 7 cm，外面被长柔毛，上唇裂片长卵形，下唇裂片长椭圆形；雄蕊后方 1 对稍短，前方 1 对稍长；花柱先端扩大。蒴果卵形，具宿存的花萼及花柱；种子多数，卵形。花期 4 ~ 5 月，果期 5 ~ 6 月。

| 生境分布 | 生于山坡、路旁草丛。湖北有分布。

| 采收加工 | 根茎：夏、秋季采挖，洗净，晒干。

| 功能主治 | 清热凉血，养阴生津。用于温热病高热烦躁，吐血，衄血，口干，咽喉肿痛，中耳炎，烫伤。

玄参科 Scrophulariaceae 地黄属 *Rehmannia*

地黄 *Rehmannia glutinosa* (Gaetn.) Libosch. ex Fisch. et Mey.

| 药 材 名 |

地黄。

| 形态特征 |

多年生草本。株高 10 ~ 40 cm，全株密被灰白色多细胞长柔毛和腺毛。根茎肉质，鲜时黄色。基生叶成丛，叶片倒卵状披针形，长 3 ~ 10 cm，宽 1.5 ~ 4 cm，先端钝，基部渐窄，下延成长叶柄，叶面多皱，边缘有不整齐锯齿；茎生叶较小。花茎直立，被毛，于茎上部呈总状花序；苞片叶状，发达或退化；花萼钟状，先端 5 裂，裂片三角形，被多细胞长柔毛和白色长毛，个脉 10；花冠宽筒状，稍弯曲，长 3 ~ 4 cm，外面暗紫色，内面杂以黄色，有明显紫纹，先端 5 浅裂，略呈二唇形；雄蕊 4，二强，花药基部叉形；子房上位，卵形，2 室，开花后变 1 室，花柱 1，柱头膨大。蒴果卵形或长卵形，先端尖，有宿存花柱，外为宿存花萼所包。种子多数。花果期 4 ~ 7 月。

| 生境分布 |

生于海拔 50 ~ 1 100 m 的荒山坡、山脚、墙边、路旁等。湖北有栽培。

| 采收加工 | **根：**秋季采挖，除去芦头、须根及泥沙，鲜用，即鲜地黄；缓缓烘焙至约八成干，即生地黄。

| 功能主治 | **鲜地黄：**清热生津，凉血，止血。用于热病伤阴，舌绛烦渴，温毒发斑，吐血，衄血，咽喉肿痛。
生地黄：清热凉血，养阴生津。用于热入营血，温毒发斑，吐血，衄血，热病伤阴，舌绛烦渴，津伤便秘，阴虚发热，骨蒸劳热，内热消渴。

湖北地黄 Rehmannia henryi N. E. Br.

| 药 材 名 | 鄂地黄。

| 形 态 特 征 | 多年生直立草本。全体被多细胞腺毛。根略增粗，直径约 3 mm。茎1 至多分枝，高 15 ~ 40 cm。叶多基生，莲座状；叶柄长 1 ~ 6 cm；叶片椭圆状倒卵形，长 3 ~ 18 cm，羽状浅裂，裂片有尖齿；茎生叶小得多，浅裂至齿状缺刻。总状花序顶生，有少花；苞片叶状，向上渐小；花梗上升，长达 5 cm，近基部具 1 ~ 2 丝状小苞片；花萼钟状，长 2 cm，筒部占花萼长的一半，萼齿狭披针形，先端钝，全缘或有齿，后面 1 萼齿较长；花冠黄色，有红色斑点，花冠筒长4.5 ~ 5 cm，背腹略扁，稍弓曲，外面被腺毛，内面仅腹部两折皱处及花丝着生处有毛，上唇长 1 cm，2 裂，向外反卷，下唇长 1.5 cm，

3 裂，两面疏被毛。

| **生境分布** | 生于路旁或石缝中。湖北有分布。

| **功能主治** | 补血，止血，强壮。用于吐血，鼻衄，子宫出血；外用于创伤出血。

长梗玄参
Scrophularia fargesii Franch.

| 药 材 名 | 长梗玄参。

| 形态特征 | 多年生草本，高可达 60 cm 以上。根多少肉质变粗。茎不明显四棱形，中空，无毛或被白柔毛或腺柔毛，基部有鳞片状叶，叶全部对生，叶柄可长达 5 cm，扁平而略有翅，无毛至被密短毛，叶片质较薄，卵形至卵圆形，基部圆形至心状截形，少有宽楔形，边缘有向外伸张的、大小不等的重锐锯齿，无毛或上面被疏毛而下面仅脉上被微毛，长 5 ~ 9 cm。聚伞花序极疏，全部腋生或生于分枝先端，有时因上部的叶变小而多少呈圆锥状，具花 1 ~ 3，极少复出而具花达 5 者，总梗及花梗均细长，长可达 3 cm 以上；花萼长约 5 mm，裂片狭卵形至圆卵形，先端圆钝至略尖，有狭膜质边缘，但结果时不明

显；花冠紫红色，长 10 ~ 12 mm，花冠筒卵球形，上唇较下唇长 2 ~ 3 mm，裂片长 1.5 ~ 2 mm，边缘相互重叠，下唇裂片均圆形，中间裂片较小；雄蕊稍短于下唇，退化雄蕊近圆形或宽略过于长；花柱仅略长于卵形的子房，长 3 ~ 4 mm。蒴果尖卵形，连同短喙长 9 ~ 10 mm。

| **生境分布** | 生于海拔 2 000 ~ 2 500 m 的空旷草地或灌丛草地。湖北有分布。

| **采收加工** | 块根：秋季采挖，洗净，晒干。

| **功能主治** | 清热解毒。用于肠炎，痢疾，疮疡肿毒。

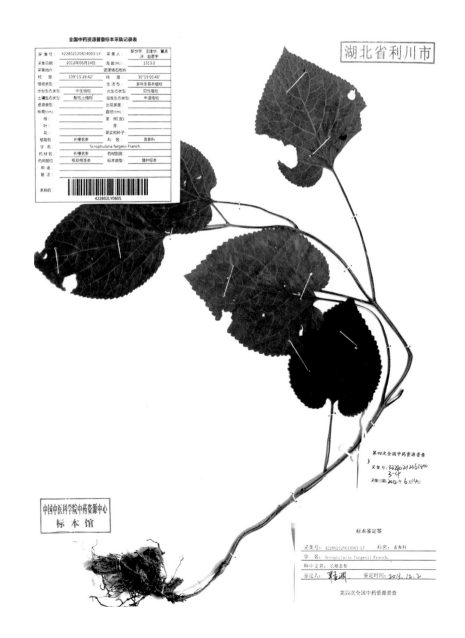

玄参科 Scrophulariaceae 玄参属 Scrophularia

玄参

Scrophularia ningpoensis Hemsl.

| 药 材 名 |

玄参。

| 形态特征 |

多年生草本。高 60 ~ 120 cm。根肥大，近圆柱形，下部常分枝，外皮灰黄色或灰褐色。茎直立，四棱形，有沟纹。下部的叶对生，上部的叶有时互生，均具柄；叶片卵形或卵状椭圆形，长 7 ~ 20 cm，宽 3.5 ~ 12 cm，先端尖，基部圆形或近心形，边缘具细齿。聚伞花序疏散开展，呈圆锥状，总花梗长 1 ~ 3 cm，花序轴及花梗均被腺毛；花萼长 2 ~ 3 mm，5 裂几达基部，裂片近圆形，边缘膜质；花冠暗紫色，长 8 ~ 9 mm，花冠筒斜壶状，先端 5 裂，上面 2 裂片较长而大，侧面 2 裂片次之，下面 1 裂片最小；能育雄蕊 4，退化雄蕊 1，近圆形，贴生在花冠筒上；子房上位，2 室，花柱细长。蒴果卵球形，长 8 ~ 9 mm，先端短尖。花期 7 ~ 8 月，果期 8 ~ 9 月。

| 生境分布 |

生于山坡林下。湖北有分布。

| 采收加工 | 根：10 ~ 11 月采挖，除去茎叶及泥土，剥下子芽供留种栽培用，根部晒至半干且内部色变黑时剪去芦头及须根，堆放 3 ~ 4 天"发汗"后，再晒或烘干。

| 功能主治 | 凉血滋阴，泻火解毒。用于热病伤阴，舌绛烦渴，温毒发斑，津伤便秘，骨蒸劳嗽，目赤，咽痛，瘰疬，白喉，痈肿疮毒。

玄参科 Scrophulariaceae 阴行草属 Siphonostegia

阴行草 *Siphonostegia chinensis* Benth.

| 药 材 名 | 北刘寄奴。

| 形态特征 | 一年生草本，高 30 ~ 80 cm，干时变为黑色，密被锈色短毛。茎多单一，中空，基部常有少数宿存膜质鳞片，下部常不分枝，而上部多分枝；枝 1 ~ 6 对，对生，细长，坚挺。叶对生，无柄或有短柄；

叶片厚纸质，广卵形，长 8 ~ 55 mm，宽 4 ~ 60 mm，两面皆密被短毛，中肋在上面微凹入，在背面明显凸出，边缘作疏远的二回羽状全裂，裂片仅约 3 对，仅下方 2 裂片羽状开裂，小裂片 1 ~ 3，外侧裂片较长，内侧裂片较短或无，线形或线状披针形，宽 1 ~ 2 mm，具锐尖头，全缘。花对生于茎枝上部；苞片叶状，花梗短，有小苞片 2；花萼筒长 1 ~ 1.5 cm，主脉 10，厚而粗壮，凸起，脉间凹入成沟，萼齿 5，长为花萼筒的 1/4 ~ 1/3；花冠长 2.2 ~ 2.5 cm，上唇红紫色，下唇黄色，上唇背部被长纤毛，下唇褶襞瓣状；雄蕊二强，花丝基部被毛。蒴果长约 1.5 cm，黑褐色；种子黑色。花期 6 ~ 8 月。

| 生境分布 | 生于海拔 800 ~ 1 700 m 的干山坡与草地中。湖北有分布。

| 采收加工 | 全草：秋季采收，洗净，晒干。

| 功能主治 | 活血祛瘀，通经止痛，凉血，止血，清热利湿。用于跌打损伤，外伤出血，瘀血经闭，月经不调，产后瘀痛，癥瘕积聚，血痢，血淋，湿热黄疸，水肿腹胀，白带过多。

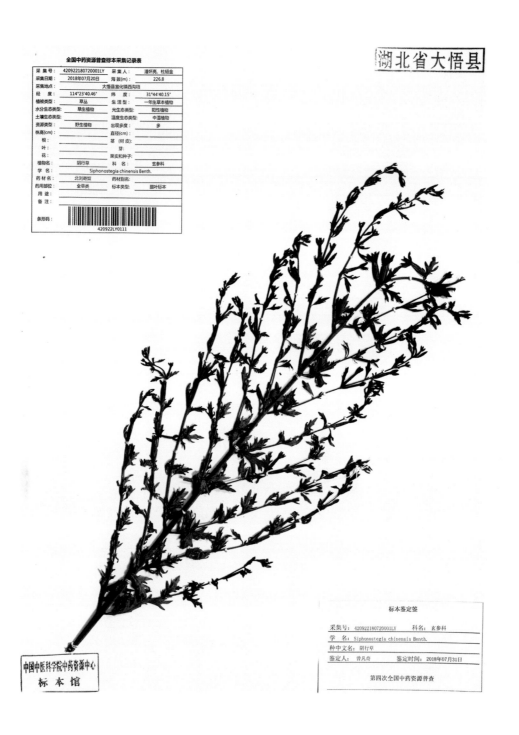

全国中药资源普查标本采集记录表

采 集 号：	420922180720001LY	采集人：	潘怀亮、杜绍金
采集日期：	2018年07月20日	海 拔(m)：	226.8
采集地点：	大悟县宣化镇西沟垴		
经 度：	114°23′40.46′	纬 度：	31°44′40.15′
植被类型：	草丛	生 活 型：	一年生草本植物
水分生态类型：	草生植物	光生态类型：	阳性植物
土壤生态类型：		温度生态类型：	中温植物
资源类型：	野生植物	出现多度：	多
株高(cm)：		直径(cm)：	
根：		茎（树皮）：	
叶：		芽：	
花：		果实和种子：	
植物名：	阴行草	科 名：	玄参科
学 名：	Siphonostegia chinensis Benth.		
药 材 名：	北刘寄奴	药材别名：	
药用部位：	全草类	标本类型：	腊叶标本
用 途：			
备 注：			
条形码：			

420922LY0111

湖北省大悟县

中国中医科学院中药资源中心
标 本 馆

标本鉴定签

采集号：	420922180720001LY	科名：	玄参科
学 名：	Siphonostegia chinensis Benth.		
种中文名：	阴行草		
鉴定人：	曾凡奇	鉴定时间：	2018年07月31日

第四次全国中药资源普查

玄参科 Scrophulariaceae 阴行草属 Siphonostegia

腺毛阴行草

Siphonostegia laeta S. Moore

| 药 材 名 | 光亮阴行草。

| 形态特征 | 一年生草本,高 30 ~ 70 cm,全株密被腺毛。茎常单一,基部木质化,不分枝,常在中部以上分枝;枝 3 ~ 5 对,细长柔弱。叶对生,叶柄长 0.6 ~ 1 cm;叶三角状长卵形,长 1.5 ~ 2.5 cm,宽 0.8 ~ 1.5 cm,边缘亚掌状 3 深裂,裂片不等,中裂片较大,羽状浅裂。总状花序,生于茎枝先端;花成对;苞片叶状,与花萼等长或较花萼短,菱状长卵形至卵状披针形,先端渐尖,稍羽裂或近全缘,密被细腺毛;花萼管状钟形,萼齿 5,绿色,草质,披针形,全缘;花冠黄色,有时上唇背部微紫色,下唇褶襞非瓣状,密被长卷毛;雄蕊二强,花丝密被毛。蒴果长 1.2 ~ 1.3 cm,黑褐色,先端稍有短突尖;种子多数,

长 1 ～ 1.5 mm，黄褐色，长卵圆形。花期 7 ～ 9 月，果期 9 ～ 10 月。

| **生境分布** | 生于海拔 220 ～ 500 m 的草丛或灌木林中较阴湿之处。湖北有分布。

| **采收加工** | **全草**：8 ～ 9 月采收，洗净，鲜用或晒干。

| **功能主治** | 解毒消肿，止咳化痰。用于痈肿疮疖，咳嗽。

玄参科 Scrophulariaceae 蝴蝶草属 Torenia

光叶蝴蝶草

Torenia glabra Osbeck

| 药 材 名 | 水韩信草。

| 形态特征 | 一年生草本，匍匐或多少直立。节上生根；分枝多，长而纤细。叶具长 2 ~ 8 mm 的叶柄；叶片三角状卵形、长卵形或卵圆形，长 1.5 ~ 3.2 cm，宽 1 ~ 2 cm，边缘具带短尖的圆锯齿；基部突然收缩，多少呈截形或宽楔形，无毛或疏被柔毛。花具长 0.5 ~ 2 cm 的花梗，单朵腋生或顶生，或排列成伞形花序；花萼具 5 宽略超过 1 mm 而多少下延的翅，长 0.8 ~ 1.5 cm，果期长 1.5 ~ 2 cm，萼齿 2，长三角形，先端渐尖，果期开裂成 5 小尖齿；花冠长 1.5 ~ 2.5 cm，超出萼齿的部分长 4 ~ 10 mm，紫红色或蓝紫色；前方 1 对花丝各具一长 1 ~ 2 mm 的线状附属物。花果期 5 月至翌年 1 月。

| **生境分布** | 生于海拔 300 ~ 1 500 m 的山坡、路旁或阴湿处。湖北有分布。

| **采收加工** | **全草**：夏、秋季采收，洗净，鲜用或晒干。

| **功能主治** | 清热利湿，解毒，化瘀。用于热咳，黄疸，泻痢，疔毒，跌打损伤。

采集号：420381151030592LY　　　科名:玄参科
学　名：Torenia glabra Osbeck
种中文名:光叶蝴蝶草
鉴定人：李元平、胡天云、刘晖
鉴定日期：2015 年 11 月 1 日

全国中药资源普查

玄参科 Scrophulariaceae 蝴蝶草属 *Torenia*

紫萼蝴蝶草

Torenia violacea (Azaola) Pennell

| **药 材 名** | 香椒草。

| **形态特征** | 一年生草本，直立或多少外倾，高 8 ~ 35 cm，自近基部起分枝。叶具长 5 ~ 20 mm 的叶柄；叶片卵形或长卵形，先端渐尖，基部楔形或多少截形，长 2 ~ 4 cm，宽 1 ~ 2 cm，向上逐渐变小，边缘具略带短尖的锯齿，两面疏被柔毛。花具长约 1.5 cm 的花梗，果期花梗长可达 3 cm，花在分枝顶部排成伞形花序或单生于叶腋，稀同时有总状排列的存在；花萼矩圆状纺锤形，具 5 翅，长 1.3 ~ 1.7 cm，宽 0.6 ~ 0.8 cm，果期长达 2 cm，宽 1 cm，翅宽达 2.5 mm 而略带紫红色，基部圆形，翅几不延长，顶部裂成 5 小齿；花冠长 1.5 ~ 2.2 cm，其超出萼齿部分长仅 2 ~ 7 mm，淡黄色或白色，上唇多

少直立，近圆形，直径约 6 mm，下唇 3 裂片彼此近相等，长约 3 mm，宽约 4 mm，各有 1 蓝紫色斑块，中裂片中央有 1 黄色斑块；花丝不具附属物。花果期 8 ～ 11 月。

| 生境分布 | 生于海拔 200 ～ 2 000 m 的山坡草地、林下、田边及路旁潮湿处。湖北有分布。

| 采收加工 | **全草**：夏、秋季采收，洗净，鲜用或晒干。

| 功能主治 | 消食化积，解暑，清肝。用于疳积，中暑呕吐，腹泻，目赤肿痛。

玄参科 Scrophulariaceae 呆白菜属 Triaenophora

呆白菜
Triaenophora rupestris (Hemsl.) Solereder.

| 药 材 名 | 巴东岩白菜。

| 形态特征 | 多年生草本，高 25 ～ 50 cm，全株密被白色绵毛，在茎、花梗、叶柄及花萼上的绵毛常结成网膜状。茎简单或基部分枝，多少木质化，近具花葶。基生叶较厚，多少革质，具长 3 ～ 6 cm 的叶柄；叶片卵状矩圆形或长椭圆形，长 7 ～ 13 cm，两面被白色绵毛或近无毛，边缘具粗锯齿或为多少带齿的浅裂片，顶部钝圆，基部近圆形或宽楔形。花具长 0.6 ～ 2 cm 的花梗；小苞片条形，长约 5 mm，着生于花梗中部；花萼长 1 ～ 1.5 cm，小裂齿长 3 ～ 6 mm；花冠紫红色，狭筒状，伸直或稍弯曲，长约 4 cm，外面被多细胞长柔毛，上唇裂片宽卵形，长约 5 mm，宽 6 mm，下唇裂片矩圆状卵形，长约

6 mm，宽 5 mm；花丝无毛，着生处被长柔毛；子房卵形，无毛，长约 5 mm；花柱长稍超过雄蕊，先端 2 裂，裂片近圆形。蒴果矩圆形；种子小，矩圆形。花期 7 ~ 9 月。

| 生境分布 | 生于海拔 290 ~ 1 200 m 的悬岩、灌丛、沟边、岩石。湖北有分布。

| 采收加工 | 全草：夏、秋季采收，洗净，鲜用或晒干。

| 功能主治 | 用于目昏多泪，肾虚腰痛，月经不调。

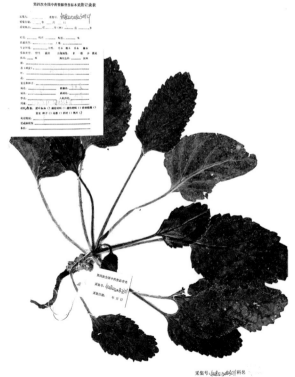

玄参科 Scrophulariaceae 婆婆纳属 Veronica

北水苦荬
Veronica anagallis-aquatica L.

| 药 材 名 |

水苦荬、水苦荬果。

| 形态特征 |

多年生（稀为一年生）草本，通常全株无
毛，极少在花序轴、花梗、花萼和蒴果上有
腺毛。根茎斜走。茎直立或基部倾斜，不分
枝或分枝，高 10 ～ 100 cm。叶无柄，上部
的叶半抱茎，多为椭圆形或长卵形，少为卵
状矩圆形，更少为披针形，长 2 ～ 10 cm，
宽 1 ～ 3.5 cm，全缘或有疏而小的锯齿。花
序比叶长，多花；花梗与苞片近等长，上升，
与花序轴成锐角，果期弯曲向上，使蒴果靠
近花序轴，花序通常宽不超过 1 cm；花萼
裂片卵状披针形，急尖，长约 3 mm，果期
直立或叉开，不紧贴蒴果；花冠浅蓝色、浅
紫色或白色，直径 4 ～ 5 mm，裂片宽卵形；
雄蕊短于花冠。蒴果近圆形，长、宽近相等，
几与花萼等长，先端圆钝而微凹，花柱长约
2 mm。花期 4 ～ 9 月。

| 生境分布 |

生于海拔 150 ～ 800 m 的水边及沼泽地。湖
北有分布。

| 采收加工 | **水苦荬:** 夏季果实中红虫未逸出前采收有虫瘿的全草,洗净,切碎,鲜用或晒干。
水苦荬果: 立夏前后采收,晾干。

| 功能主治 | **水苦荬:** 清热利湿,止血化瘀。用于感冒,咽喉痛,劳伤咯血,痢疾,血淋,月经不调,疝气,疔疮,跌打损伤。
水苦荬果: 化瘀消肿,止痛止血。用于腰痛,肾虚,小便涩痛,跌打损伤,劳伤吐血。

玄参科 Scrophulariaceae 婆婆纳属 Veronica

直立婆婆纳 Veronica arvensis L.

| **药材名** | 直立婆婆纳。

| **形态特征** | 小草本。茎直立或上升，不分枝或铺散分枝，高 5 ~ 30 cm，有 2 列多细胞白色长柔毛。叶 3 ~ 5 对，下部的有短柄，中、上部的无

柄，卵形至卵圆形，长 5 ~ 15 mm，宽 4 ~ 10 mm，具 3 ~ 5 脉，边缘具圆齿或钝齿，两面被硬毛。总状花序长而多花，长可达 20 cm，各部分被多细胞白色腺毛；苞片下部者长卵形而疏具圆齿，上部者长椭圆形而全缘；花梗极短；花萼长 3 ~ 4 mm，裂片条状椭圆形，前方 2 花萼长于后方 2 花萼；花冠蓝紫色或蓝色，长约 2 mm，裂片圆形至长矩圆形；雄蕊短于花冠。蒴果倒心形，强烈侧扁，长 2.5 ~ 3.5 mm，宽略过之，边缘有腺毛，凹口很深，长近为果实的 1/2，裂片圆钝，宿存的花柱不伸出凹口；种子矩圆形，长近 1 mm。花期 4 ~ 5 月。

| **生境分布** | 生于海拔 1 500 m 以下的路边及荒野草地。湖北有分布。

| **采收加工** | **全草：** 春、夏季间采收，洗净，鲜用或晒干。

| **功能主治** | 清热，除疟。用于疟疾。

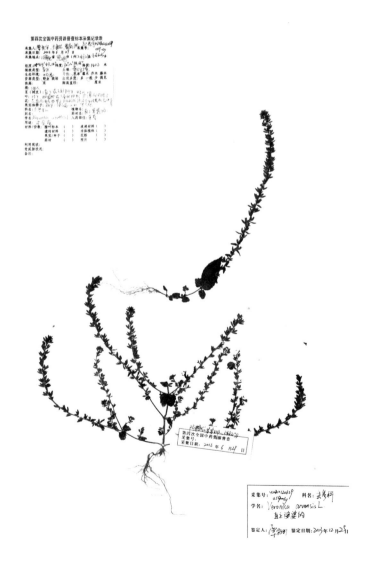

玄参科 Scrophulariaceae 婆婆纳属 *Veronica*

婆婆纳
Veronica didyma Tenore

| 药 材 名 | 婆婆纳。

| 形态特征 | 铺散多分枝草本，多少被长柔毛，高 10 ~ 25 cm。叶仅 2 ~ 4 对（腋间有花的为苞片），具长 3 ~ 6 mm 的短柄；叶片心形至卵形，长5 ~ 10 mm，宽 6 ~ 7 mm，每边有 2 ~ 4 深刻的钝齿，两面被白色长柔毛。总状花序很长；苞片叶状，下部的对生或全部互生；花梗比苞片略短；花萼裂片卵形，先端急尖，果期稍增大，三出脉，疏被短硬毛；花冠淡紫色、蓝色、粉色或白色，直径 4 ~ 5 mm，裂片圆形至卵形；雄蕊比花冠短。蒴果近肾形，密被腺毛，略短于花萼，宽 4 ~ 5 mm，凹口约为 90° 角，裂片先端圆，脉不明显，宿存的花柱与凹口齐或略过之；种子背面具横纹，长约 1.5 mm。花期

3 ~ 10 月。

| **生境分布** |　生于海拔 1 200 m 以下的荒地。湖北有分布。

| **功能主治** |　补肾强腰，解毒消肿。用于肾虚腰痛，疝气，睾丸肿痛，带下，痈肿。

玄参科 Scrophulariaceae 婆婆纳属 Veronica

华中婆婆纳
Veronica henryi Yamazaki

| 药 材 名 | 华中婆婆纳。

| 形态特征 | 草本。植株高 8 ~ 25 cm。茎直立。叶片薄纸质，卵形至长卵形，长 2 ~ 5 cm，宽 1.2 ~ 3 cm。总状花序 1 ~ 4 对，侧生于茎上部叶腋，

长 3 ~ 6 cm，有疏生的花数朵；苞片条状披针形，比花梗短，无毛；花萼裂片条状披针形，无毛，花期长 3 ~ 4 mm，果期稍伸长；花冠白色或淡红色，具紫色条纹，直径约 10 mm；雄蕊略短于花冠。蒴果折扇状菱形，长 4 ~ 5 mm，宽 9 ~ 11 mm，上缘疏生多细胞腺质硬睫毛。花期 4 ~ 5 月。

| **生境分布** | 生于阴湿处。湖北有分布。

| **采收加工** | **全草**：夏季采收，晒干。

| **功能主治** | 活血祛瘀，活络。用于小儿鹅口疮，跌打损伤。

玄参科 Scrophulariaceae 婆婆纳属 Veronica

疏花婆婆纳 *Veronica laxa* Benth.

| 药 材 名 | 婆婆纳。

| 形态特征 | 植株高（15 ~）50 ~ 80 cm，全体被白色多细胞柔毛。茎直立或上升，不分枝。叶无柄或具极短的叶柄，叶片卵形或卵状三角形，长 2 ~ 5 cm，宽 1 ~ 3 cm，边缘具深刻的粗锯齿，多为重锯齿。总状花序单支或成对，侧生于茎中上部叶腋，长，花疏离，果期长达 20 cm；苞片宽条形或倒披针形，长约 5 mm；花梗比苞片短得多；花萼裂片条状长椭圆形，花期长 4 mm，果期长 5 ~ 6 mm；花冠辐状，紫色或蓝色，直径 6 ~ 10 mm，裂片圆形至菱状卵形；雄蕊与花冠近等长。蒴果倒心形，长 4 ~ 5 mm，宽 5 ~ 6 mm，基部楔状浑圆，有多细胞睫毛，花柱长 3 ~ 4 mm；种子南瓜子形，长略过 1 mm。

| **生境分布** | 生于海拔 1 500 ～ 2 500 m 的沟谷阴处。湖北有分布。

| **采收加工** | 7 ～ 9 月采收，晒干或鲜用。

| **功能主治** | 收敛，止血，调经。用于疮疡肿毒，吐血，疝气，睾丸炎，带下。

蚊母草

Veronica peregrina L.

| 药 材 名 | 仙桃草。

| 形态特征 | 一年生草本，高 10 ~ 25 cm。根须状，细而卷曲，主根不明显。茎通常自基部多分枝，主茎直立，侧枝披散，全株无毛或疏生柔毛。叶片长 1 ~ 2 cm，宽 2 ~ 6 mm，先端钝或稍锐尖，基部圆钝，全缘或中上端有三角状锯齿。总状花序顶生或单花生于苞腋；苞片条状，倒披针形，比叶略小；花萼 4 深裂，裂片狭披针形；花冠白色或浅蓝色，4 裂；雄蕊 2，短于花冠；雌蕊 1，子房上位，花柱粗短，柱头头状。蒴果倒心形，侧扁，宽大于长，边缘有短腺毛，花柱宿存，果实内常被虫瘿寄生，果实成熟时肉质，微红色，膨大成桃形；种子长圆形，扁平。花期 4 ~ 5 月，果期 5 ~ 6 月。

| 生境分布 | 生于海拔 1 200 m 以下的潮湿荒地、田野、路边、水沟边、河畔。湖北有分布。

| 采收加工 | **带虫瘿果实的全草：** 春、夏季间采集果实未开裂的全草，剪去根，拣净杂质，晒干或文火烘干。

| 功能主治 | 化瘀止血，清热消肿。用于跌打损伤，咯血，吐血，衄血，便血，痛经，咽喉肿痛，痈疽疮疡。

玄参科 Scrophulariaceae 婆婆纳属 *Veronica*

阿拉伯婆婆纳 *Veronica persica* Poir.

| 药 材 名 | 阿拉伯婆婆纳

| 形态特征 | 铺散多分枝草本，高 10 ～ 50 cm。茎密生 2 列多细胞柔毛。叶 2 ～ 4 对（腋内生花的称苞片），具短柄，卵形或圆形，长 0.6 ～ 2 cm，宽 0.5 ～ 1.8 cm，基部浅心形、平截或浑圆，边缘具钝齿，两面疏生柔毛。总状花序很长；苞片互生，与叶同形且几等大；花梗比苞片长，有的长超过苞片的 1 倍；花萼花期长仅 3 ～ 5 mm，果期增大达 8 mm，裂片卵状披针形，有睫毛，三出脉；花冠蓝色、紫色或蓝紫色，长 4 ～ 6 mm，裂片卵形至圆形，喉部疏被毛；雄蕊短于花冠。蒴果肾形，长约 5 mm，宽约 7 mm，被腺毛，成熟后几无毛，网脉明显，凹口角度超过 90°，裂片钝，宿存花柱长约 2.5 mm，超出凹

口；种子背面具深的横纹，长约 1.6 mm。花期 3 ~ 5 月。

| **生境分布** | 生于海拔 400 ~ 1 700 m 的山坡或湿草地。湖北有分布。

| **采收加工** | 全草：夏季采收，鲜用或晒干。

| **功能主治** | 治肾虚，疗风湿。用于肾虚腰痛，风湿疼痛，久疟，小儿阴囊肿大。

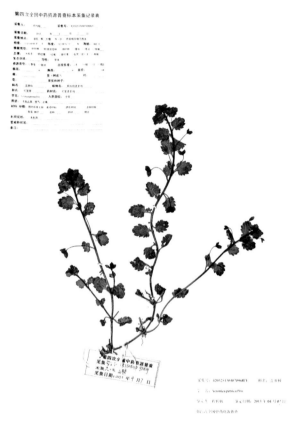

玄参科 Scrophulariaceae 婆婆纳属 Veronica

水苦荬

Veronica undulata Wall.

| 药 材 名 | 水苦荬。

| 形态特征 | 一年生草本，高 20 ～ 50 cm。根茎斜走。茎圆柱形，肉质，中空。叶对生，狭卵状矩圆形至条状披针形，先端渐尖或钝尖，基部无柄而稍抱茎，边缘有浅锯齿。总状花序腋生，比叶长；花梗平展，与总花序轴几成直角；花萼 4 深裂；花冠浅蓝色、淡紫色或白色，略长于花萼，筒部极短，裂片 4，宽卵形；雄蕊 2，生于花冠筒上；子房上位，心皮 2，花柱长不超过 1.5 mm。蒴果近圆形，先端微凹，直径 2.5 ～ 3 mm，有腺毛；种子多数。花期 4 ～ 5 月，果期 5 ～ 7 月。

| 生境分布 | 生于海拔 1 000 m 以下的水边及沼泽地。湖北有分布。

| 采收加工 | **带虫瘿果实的全草**：夏季果实中红虫未逸出前采收，洗净，切碎，鲜用或晒干。 |

| 功能主治 | 清热解毒，活血止血。用于感冒，咽痛，劳伤咯血，痢疾，血淋，月经不调，疮肿，跌打损伤。 |

爬岩红 *Veronicastrum axillare* (Sieb. et Zucc.) T. Yamazaki

| 药 材 名 | 腹水草。

| 形态特征 | 多年生草本，高 1 ~ 2 m。茎细长，无毛或被疏短毛，上部呈蔓状，先端着地处可生根，故名"两头爬"。叶互生，具短柄，长椭圆形

或长卵形，长 4 ~ 12 cm，宽 2 ~ 5 cm，先端渐尖，基部圆形或广楔形，边缘有锯齿，上面绿色，下面紫红色，入秋后或皆呈紫红色，无毛，少在叶脉上有短毛。秋季腋生穗状花序，卵形，长 1.5 ~ 3.5 cm，近无梗，花密集；花萼 5 深裂；花冠紫红色，管状，近相等的 4 裂，花冠管部超过萼片，萼片边缘有小睫毛；雄蕊 2，超出花冠很多。蒴果卵圆形，扁平；种子长圆形，具不明显网纹。花期 7 ~ 9 月。

| 生境分布 | 生于海拔 1 200 m 以下的林下草地、水沟旁及山坡较阴湿处。湖北有分布。

| 采收加工 | **全草**：10 月采收，晒干或鲜用。

| 功能主治 | 清热解毒，利水消肿，散疲止痛。用于肺热咳嗽，肝炎，水肿，月经不调，闭经，腹水，小便不利；外用于疔疮，腮腺炎，跌打损伤，毒蛇咬伤，烫火伤。

玄参科 Scrophulariaceae 腹水草属 Veronicastrum

四方麻

Veronicastrum caulopterum (Hance) T. Yamazaki

| 药 材 名 | 四方麻。

| 形态特征 | 多年生草本，高达 1 m，全株无毛。茎直立，上部分枝，有 4 宽达 1 mm 的翅，由叶柄下延而成。叶互生，几无柄至有长约 4 mm 的柄，叶片长圆形、卵形至披针形，长 3 ~ 10 cm，宽 1.2 ~ 4 cm，边缘具锐尖的锯齿。穗状花序顶生，长可达 20 cm；花密集，有短梗，苞片披针形；花萼 5 深裂，裂片钻状披针形，稍不等长；花冠钟状，血红色、紫红色或暗红色，长约 4 mm，4 裂，裂片近三角形，宽度不等，后面 1 裂片较其他裂片宽 1 倍，筒部内面的上端有 1 圈毛；雄蕊 2，伸出；花柱伸出。蒴果卵状或卵圆状，长 2 ~ 3.5 mm。花期 8 ~ 11 月。

| **生境分布** | 生于海拔 2 000 m 以下的山谷草丛、疏林下。湖北有分布。 |

| **采收加工** | **全草**：秋季采收，鲜用或晒干。 |

| **功能主治** | 清热解毒，消肿止痛。用于流行性腮腺炎，咽喉肿痛，肠炎，痢疾，淋巴结结核，痈疽肿毒，湿疹，烫火伤，跌打损伤。 |

玄参科 Scrophulariaceae 腹水草属 Veronicastrum

宽叶腹水草

Veronicastrum latifolium (Hemsl.) T. Yamazaki

| 药 材 名 | 钓鱼竿。

| 形态特征 | 多年生草本，长达 1 m。根茎极短而横走。茎细长，弓曲，先端着地生根或节上生根，仅上部有狭棱，被倒生短卷黄毛。叶互生，具短柄；叶片圆形至卵圆形，长 3 ~ 7 cm，宽 2 ~ 5 cm，先端短渐尖，基部圆形或截形，边缘具三角形锯齿，两面疏被短硬毛。花序腋生，少顶生于侧枝上，长 1.5 ~ 4 cm；苞片条状披针形，有睫毛；花萼5 深裂，裂片钻形，不等长，前面 1 裂片最长，长略短于花冠，有睫毛；花冠筒状，长 5 mm，淡紫色或白色，4 裂，裂片短，正三角形，长不及 1 mm，喉部有 1 圈毛；雄蕊 2。蒴果卵状，绿色，长 2 ~ 3 mm；种子卵球形，具浅网纹。花期 8 ~ 9 月，果期 12 月。

| 生境分布 | 生于海拔 1 500 m 以下的林下及路旁。湖北有分布。

| 功能主治 | 清热解毒，利水，散瘀。用于肺热咳嗽，痢疾，肝炎，水肿，跌打损伤，毒蛇咬伤，烫火伤。

玄参科 Scrophulariaceae 腹水草属 Veronicastrum

腹水草

Veronicastrum stenostachyum (Hemsl.) Yamazaki

| 药 材 名 | 腹水草。

| 形态特征 | 多年生草本，高可达 1 m。根茎短而横走。茎弓曲，先端着地生根，圆柱形，上部有条棱，无毛或稀被黄色卷毛。叶互生，具短柄；叶片卵形至卵状披针形，纸质，长 5 ~ 13 cm，宽 2.5 ~ 5 cm，先端渐尖，基部楔形至圆形，边缘具偏斜的三角形锯齿。穗状花序腋生，长 1 ~ 3 cm，近无梗，花密集；苞片和花萼均为 5 裂，裂片均为条状披针形至钻形，不等长，无毛或具疏睫毛；花冠紫色或紫红色，长 5 ~ 6 mm，檐部占 1/3，4 裂，裂片狭三角形；雄蕊 2，略伸出至伸出达 2 mm，花药长 0.6 ~ 1.5 mm。蒴果卵球状，长约 3 mm；种子长圆形，具不明显网纹。花期 7 ~ 9 月。

| **生境分布** | 生于海拔 150 ～ 1 500 m 的林下、林缘草地及山谷阴湿处。湖北有分布。 |

| **采收加工** | **全草：** 夏季采收，洗净，晒干或鲜用。 |

| **功能主治** | 利水，消肿，散瘀，解毒。用于肝硬化腹水，肾炎性水肿，跌打损伤，疮肿疔毒，烫伤，毒蛇咬伤。 |

玄参科 Scrophulariaceae 腹水草属 *Veronicastrum*

细穗腹水草

Veronicastrum stenostachyum (Hemsl.) Yamazaki subsp. *stenostachyum*

| 药 材 名 | 钓鱼竿。

| 形态特征 | 根茎短而横走。茎圆柱状，有条棱，多弓曲，先端着地生根，少近直立而先端生花序，长可超过 1 m，无毛。叶互生，具短柄；叶片

纸质至厚纸质，长卵形至披针形，长 7 ~ 20 cm，宽 2 ~ 7 cm，先端长渐尖，边缘具突尖的细锯齿，下面无毛，上面仅主脉上有短毛，少全面具短毛。花序腋生，有时顶生于侧枝上，也有兼生于茎先端者，长 2 ~ 8 cm，花序轴多少被短毛；苞片和花萼裂片通常短于花冠，少有近等长的，多少有短睫毛；花冠白色、紫色或紫红色，长 5 ~ 6 mm，裂片近正三角形，长不及 1 mm。蒴果卵状；种子小，具网纹。

| **生境分布** | 生于海拔 300 ~ 900 m 的灌丛中、林下及阴湿处。湖北有分布。

| **采收加工** | **全草**：夏季采收，晒干或鲜用。

| **功能主治** | 清热解毒，利水，散瘀。用于肺热咳嗽，痢疾，肝炎，水肿，跌打损伤，毒蛇咬伤，烫火伤。

紫葳科 Bignoniaceae 凌霄属 Campsis

凌霄 Campsis grandiflora (Thunb.) Schumann

| **药 材 名** | 凌霄花。

| **形态特征** | 攀缘藤本。茎木质，表皮脱落，枯褐色，以气生根攀附于他物之上。叶对生，为奇数羽状复叶，小叶 7 ~ 9，卵形至卵状披针形，先端尾状渐尖，基部阔楔形，两侧不等大，长 3 ~ 6（~ 9）cm，宽 1.5 ~ 3（~ 5）cm，侧脉 6 ~ 7 对，两面无毛，边缘有粗锯齿，叶轴长 4 ~ 13 cm，小叶柄长 5 ~ 10 mm。顶生疏散的短圆锥花序，花序轴长 15 ~ 20 cm；花萼钟状，长 3 cm，分裂至中部，裂片披针形，长约 1.5 cm；花冠内面鲜红色，外面橙黄色，长约 5 cm，裂片半圆形；雄蕊着生于花冠筒近基部，花丝线形，细长，长 2 ~ 2.5 cm，花药黄色，"个"字形着生；花柱线形，长约 3 cm，柱头扁平，2 裂。蒴果先端钝。

花期 5 ~ 8 月，果期 5 ~ 10 月。

| 生境分布 | 生于海拔 150 ~ 800 m 的山谷、溪边或攀缘于树上、石岩上。湖北有分布。

| 采收加工 | 花：7 ~ 9 月，选晴天摘下刚开放的花朵，晒干。

| 功能主治 | 清热凉血，化瘀散结，祛风止痒。用于血滞经闭，痛经，癥瘕，崩中漏下，血热风痒，疥疮瘾疹，酒渣鼻。

紫葳科 Bignoniaceae 凌霄属 Campsis

厚萼凌霄 *Campsis radicans* (L.) Seem.

| 药 材 名 | 凌霄花。

| 形态特征 | 藤本。具气生根，长达 10 m。小叶 9 ~ 11，椭圆形至卵状椭圆形，长 3.5 ~ 6.5 cm，宽 2 ~ 4 cm，边缘具齿。花萼钟状，长约 2 cm，口部直径约 1 cm，5 浅裂至萼筒的 1/3 处，裂片齿卵状三角形，外向微卷，无凸起的纵肋；花冠筒细长，漏斗状，橙红色至鲜红色，筒部较花萼长 3 倍，6 ~ 9 cm，直径约 4 cm。蒴果长圆柱形，长 8 ~ 12 cm，先端具喙尖，沿缝线具龙骨状突起，直径约 2 mm，具柄，硬壳质。

| 生境分布 | 生于林缘、村旁。湖北有分布。

| 采收加工 | 花：夏季采收，晒干。

| 功能主治 | 同"凌霄"。

灰楸 *Catalpa fargesii* Bur.

| 药 材 名 | 泡桐木皮。

| 形态特征 | 乔木，高达 25 m，幼枝、花序、叶柄均有分枝毛。树皮粗糙，灰褐色至灰白色，有纵纹及裂隙，并有少数圆形凸起的皮孔。叶对生，叶柄长 3 ～ 10 cm；叶片厚纸质，卵形或三角状心形，长 13 ～ 20 cm，宽 10 ～ 13 cm，先端渐尖，基部截形或微心形，侧脉 4 ～ 5 对，基部有三出脉，叶幼时表面微有分枝毛，背面毛较密，以后变无毛。顶生伞房状总状花序，有花 7 ～ 15；花萼 2 裂至近基部，裂片卵圆形；花冠淡红色至淡紫色，内面具紫色斑点，钟状，长约 3.2 cm；雄蕊 2，内藏，退化雄蕊 3，花丝着生于花冠基部；花柱丝形，长约 2.5 cm，柱头 2 裂，子房 2 室，胚珠多数。蒴果细圆柱形，下垂，

长 55 ~ 80 cm，果片革质，2 裂；种子椭圆状线形，薄膜质，两端具丝状种毛，连毛长 5 ~ 6 cm。花期 3 ~ 5 月，果期 6 ~ 11 月。

| **生境分布** | 生于海拔 500 ~ 1 200 m 的河谷、山麓。湖北有分布。

| **采收加工** | **树皮**：全年均可采剥，鲜用或晒干。

| **功能主治** | 清热除痹，利湿解毒。用于风湿痹痛，潮热，肢体痛，浮肿，热毒疖疮。

紫葳科 Bignoniaceae 梓属 Catalpa

梓

Catalpa ovata G. Don

| 药 材 名 | 梓白皮、梓木、梓实、梓叶。

| 形态特征 | 乔木，高达 15 m。树冠伞形，主干通直，树皮灰褐色，纵裂，幼枝常带紫色，具稀疏柔毛。叶对生或近对生，有时轮生；叶柄长 6 ~ 18 cm；叶片阔卵形，长、宽近相等，长约 25 cm，先端渐尖，基部心形，全缘或浅波状，常 3 浅裂，两面均粗糙，微被柔毛或近无毛，侧脉 4 ~ 6 对，基部掌状脉 5 ~ 7。顶生圆锥花序，花序梗微被疏毛，长 12 ~ 28 cm；花萼二唇形开裂，长 6 ~ 8 mm，绿色或紫色；花冠钟状，淡黄色，内面具 2 黄色条纹及紫色斑点，长约 2.5 cm，直径约 2 cm；能育雄蕊 2，花丝插生于花冠筒上，退化雄蕊 3；子房上位，棒状，柱头 2 裂。蒴果线形，下垂，长 20 ~ 30 cm，

直径 5 ~ 7 mm；种子长椭圆形，长 6 ~ 8 mm，两端具平展的毛。花期 5 ~ 6 月，果期 7 ~ 8 月。

| 生境分布 | 生于海拔 530 ~ 1 600 m 的平原浅山、低山河谷、湿润土壤中。湖北有分布。

| 采收加工 | 梓白皮：全年均可采剥，晒干。

梓木：全年均可采收，切薄片，晒干。

梓实：秋、冬季间摘取，晒干。

梓叶：春、夏季采摘，鲜用或晒干。

| 功能主治 | 梓白皮：清热利湿，降逆止吐，杀虫止痒。用于湿热黄疸，胃逆呕吐，疥疮，湿疹，皮肤瘙痒。

梓木：催吐止痛。用于霍乱不吐不泻，手足痛风。

梓实：利水消肿。用于小便不利，浮肿，腹水。外用杀虫。

梓叶：清热解毒，杀虫止痒。用于小儿发热，疮疥，疥癣。

胡麻科 Pedaliaceae 胡麻属 *Sesamum*

脂麻
Sesamum indicum L.

| 药 材 名 | 黑芝麻、麻油、麻杆、胡麻叶、胡麻花、芝麻壳。

| 形态特征 | 一年生草本，高 80 ~ 180 cm。茎直立，四棱形，棱角突出，基部稍木质化，不分枝，具短柔毛。叶对生，或上部者互生，叶柄长 1 ~ 7 cm；叶片卵形、长圆形或披针形，长 5 ~ 15 cm，宽 1 ~ 8 cm，先端急尖或渐尖，基部楔形，全缘、有锯齿或下部叶 3 浅裂，表面绿色，背面淡绿色，两面无毛或稍被白色柔毛。花单生，或 2 ~ 3 生于叶腋，直径 1 ~ 1.5 cm；花萼稍合生，绿色，5 裂，裂片披针形，长 5 ~ 10 cm，具柔毛；花冠筒状，唇形，长 1.5 ~ 2.5 cm，白色，有紫色或黄色彩晕，裂片圆形，外侧被柔毛；雄蕊 4，着生于花冠筒基部，花药黄色，呈矢形；雌蕊 1，子房圆锥形，初期呈假 4 室，

成熟后为 2 室，花柱线形，柱头 2 裂。蒴果椭圆形，长 2 ~ 2.5 cm，多具 4 棱，或具 6 棱、8 棱，纵裂，初期绿色，成熟后黑褐色，具短柔毛；种子多数，卵形，两侧扁平，黑色、白色或淡黄色。花期 5 ~ 9 月，果期 7 ~ 9 月。

| 生境分布 | 生于路边、草丛。常栽培于夏季气温较高、气候干燥、排水良好的砂壤土或壤土地区。湖北有分布。

| 功能主治 | **黑芝麻**：补益肝肾，养血益精，润肠通便。用于肝肾不足所致的头晕耳鸣、腰脚痿软、须发早白、肌肤干燥，肠燥便秘，妇人乳少，痈疮湿疹，疯癫，痔疡，小儿瘰疬，烫火伤，痔疮。

麻油：润肠，润肺。

麻秆：用于哮喘，浮肿，聤耳出脓。

胡麻叶：益气，补脑髓，坚筋骨。用于五脏邪气，风寒湿痹。

胡麻花：用于秃发，冻疮。

芝麻壳：用于半身不遂，烫伤。

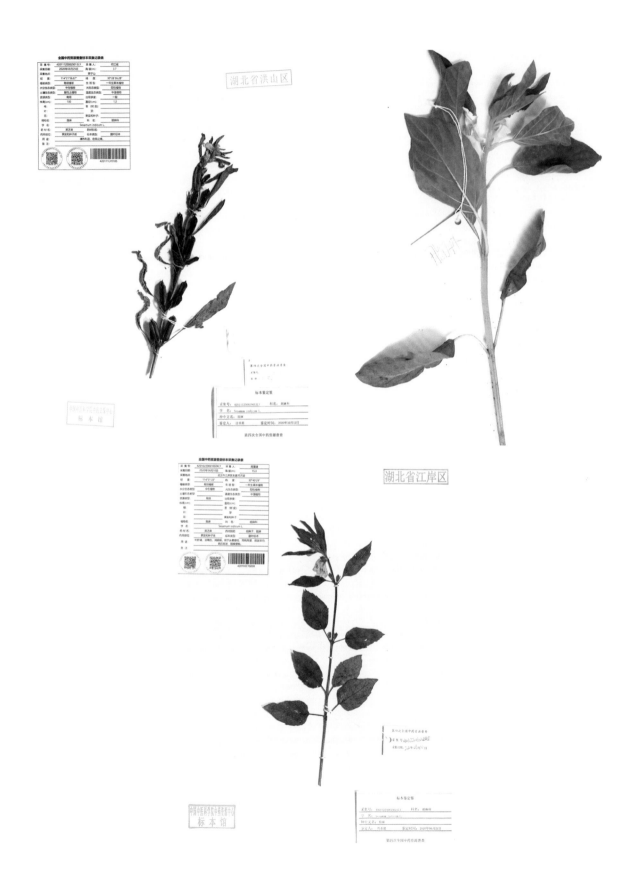

列当科 Orobanchaceae 野菰属 Aeginetia

野菰
Aeginetia indica L.

| 药 材 名 | 野菰。

| 形态特征 | 一年生寄生草本，高 15 ～ 40（～ 50）cm。根稍肉质，具树状细小分枝。茎黄褐色或紫红色，不分枝或近基部处有分枝，偶尔自中部以上分枝。叶肉红色，卵状披针形或披针形，长 5 ～ 10 mm，宽 3 ～ 4 mm，两面光滑无毛。花常单生于茎端，稍俯垂；花梗粗壮，常直立，长 10 ～ 30（～ 40）cm，直径约 3 mm，无毛，常具紫红色的条纹；花萼一侧裂开至近基部，长 2.5 ～ 4.5（～ 6.5）cm，紫红色、黄色或黄白色，具紫红色条纹，先端急尖或渐尖，两面无毛；花冠带黏液，常与花萼同色，或有时下部白色，上部带紫色，凋谢后变绿黑色，干时变黑色，长 4 ～ 6 cm，不明显的二唇形，筒部宽，稍弯曲，

在花丝着生处变窄，先端 5 浅裂，上唇裂片和下唇的侧裂片较短，近圆形，全缘，下唇中间裂片稍大；雄蕊 4，内藏，花丝着生于距筒基部 1.4 ~ 1.5 cm 处，长 7 ~ 9 mm，紫色，无毛，花药黄色，有黏液，成对黏合，仅 1 室发育，下方 1 对雄蕊的药隔基部延长成距；子房 1 室，侧膜胎座 4，横切面有极多分枝，花柱无毛，长 1 ~ 1.5 cm，柱头膨大，肉质，淡黄色，盾状。蒴果圆锥状或长卵球形，长 2 ~ 3 cm，2 瓣开裂；种子多数，细小，椭圆形，黄色，种皮网状。花期 4 ~ 8 月，果期 8 ~ 10 月。

| 生境分布 | 生于海拔 200 ~ 1 800 m 的土层深厚、湿润及枯叶多的地方。湖北有分布。

| 采收加工 | **全草**：春、夏季采收，鲜用或晒干。

| 功能主治 | 清热解毒。用于咽喉肿痛，咳嗽，小儿高热，尿路感染，骨髓炎，毒蛇咬伤，疔疮。

列当科 Orobanchaceae 黄筒花属 Phacellanthus

黄筒花
Phacellanthus tubiflorus Sieb. et Zucc.

| 药 材 名 | 黄筒花。

| 形态特征 | 高 5 ～ 11 cm，全株几无毛。茎直立，单生或簇生，不分枝。叶较稀疏地螺旋状排列于茎上，卵状三角形或狭卵状三角形，边缘稍膜质，先端尖。常 4 至 10 余花簇生于茎端成近头状花序；苞片 1，宽卵形至长椭圆形，先端渐尖或稍钝，具脉纹；花几无梗；无花萼；花冠筒状二唇形，白色，后渐变浅黄色，长 2.5 ～ 3.5 cm，筒部长 2.5 ～ 3 cm，上唇先端微凹或 2 浅裂，下唇 3 裂，明显短于上唇，裂片近等大，长圆形，裂片之间具褶；雄蕊 4，花丝纤细，花药 2 室，全部发育，卵形，长约 1.8 mm，基部稍钝，药隔稍伸长；子房椭圆球形，侧膜胎座 4 ～ 6，子房基部常为 6，中部以上 4 或 5，花柱伸长，无毛，

柱头棍棒状，近 2 浅裂。蒴果长圆形；种子多数，卵形，种皮网状。花期 5 ~ 7 月，果期 7 ~ 8 月。

| 生境分布 | 生于海拔 800 ~ 1 400 m 的山坡林下。湖北有分布。

| 采收加工 | 全草：6 ~ 8 月采收，晒干。

| 功能主治 | 补肝肾，强腰膝，清热解毒。用于头晕，神经衰弱，腰膝疼痛，肠炎，无名肿痛。

苦苣苔科 Gesneriaceae 直瓣苣苔属 *Ancylostemon*

直瓣苣苔
Ancylostemon saxatilis (Hemsl.) Craib

| 药 材 名 | 直瓣苣苔。

| 形态特征 | 根茎直立。叶卵形或宽卵形,长 2.5 ~ 9 cm,边缘具圆齿,稀为牙齿,上面被较密的白色短柔毛和锈色疏长柔毛,下面被白色短柔毛,沿主脉和侧脉被锈色长柔毛,叶柄长达 7 cm,被较密的锈色长柔毛。聚伞花序 1 ~ 5,每花序具 1 ~ 4 花;花序梗长 7 ~ 11 cm,与花梗被褐色长柔毛和淡褐色短柔毛;苞片长 3 ~ 6 mm;花梗长 1.5 ~ 2 cm;花萼长 4 ~ 6 mm,5 裂至中部或中上部,稀裂至基上部,裂片近相等,长 2 ~ 3 mm,边缘常具 2 ~ 3 齿;花冠筒状,黄色,长 2.7 ~ 3.5 cm,向基部渐窄,外面被短柔毛,筒部长 2.3 ~ 2.9 cm,檐部二唇形,上唇长约 1 mm,微凹,下唇 3 深裂,中央裂片远长于

两侧裂片，长 4 ~ 8 mm；花盘 5 浅裂；雌蕊被白色短柔毛，长 2.3 cm，柱头膨大。蒴果长 2 ~ 7 cm。花期 6 ~ 7 月。

| **生境分布** | 生于海拔 1 000 ~ 1 500 m 的阴湿岩石上及林下石上。湖北有分布。

| **功能主治** | 清热解毒。

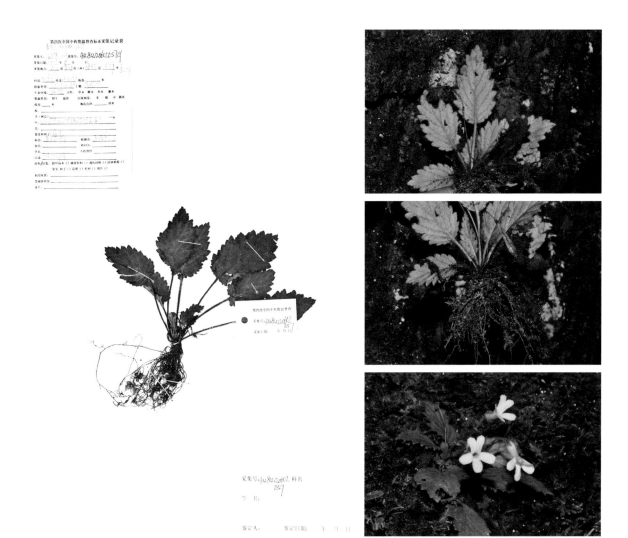

苦苣苔科 Gesneriaceae 旋蒴苣苔属 Boea

大花旋蒴苣苔 *Boea clarkeana* Hemsl.

| 药 材 名 | 大花旋蒴苣苔。

| 形态特征 | 多年生草本。叶基生，叶片宽卵形，长 3.5 ~ 7 cm，宽 2.2 ~ 4.5 cm，先端圆形，基部宽楔形或偏斜，两面被灰白色短柔毛。聚伞花序 1 ~ 3，伞状，每花序具 1 ~ 5 花；花萼钟状，长 6 ~ 8 mm，5 裂至中部，裂片相等；花较大，长 2 ~ 2.2 cm，直径 1.2 ~ 1.8 cm，淡紫色，筒部长约 1.5 cm，直径约 7 mm；雄蕊 2，退化雄蕊 2；子房长圆形，长约 8 mm，直径约 1.2 mm，花柱细，与子房近等长。蒴果长圆形，外面被短柔毛，螺旋状卷曲；种子卵圆形。花期 8 月，果期 9 ~ 10 月。

| 生境分布 | 生于山坡石缝中。湖北有分布。

| 采收加工 | 全草：夏、秋季采收，晒干。

| 功能主治 | 解毒，消肿，散瘀，止血。用于外伤出血，跌打损伤。

苦苣苔科 Gesneriaceae 旋蒴苣苔属 Boea

旋蒴苣苔

Boea hygrometrica (Bunge) R. Br.

| 药 材 名 | 旋蒴苣苔。

| 形态特征 | 多年生草本。叶全部基生，莲座状，无柄，近圆形，圆卵形或卵形。聚伞花序 2 ～ 5，伞状；花萼钟状，5 裂至近基部，裂片稍不等，上唇 2 裂片略小，线状披针形，长 2 ～ 3 mm，宽约 0.8 mm，外面被短柔毛，先端钝，全缘。花冠淡蓝紫色，长 8 ～ 13 mm，直径 6 ～ 10 mm，外面近无毛，花冠筒长约 5 mm，檐部稍二唇形，上唇 2 裂，裂片相等，长圆形，长约 4 mm，比下唇裂片短而窄，下唇 3 裂，裂片相等，宽卵形或卵形，长 5 ～ 6 mm，宽 6 ～ 7 mm；雄蕊 2，花丝扁平，长约 1 mm，无毛，着生于距花冠基部 3 mm 处，花药卵圆形，长约 2.5 mm，先端连着，药室 2，先端汇合，退化雄蕊 3，极小；

无花盘；雌蕊长约 8 mm，不伸出花冠外，子房卵状长圆形。蒴果长圆形，外面被短柔毛，螺旋状卷曲；种子卵圆形，长约 0.6 mm。花期 7 ～ 8 月，果期 9 月。

| 生境分布 | 生于海拔 200 ～ 1 320 m 的山坡路旁岩石上。湖北有分布。

| 采收加工 | **全草**：全年均可采收，洗净，鲜用或晒干。

| 功能主治 | 止血，散血，消肿。用于外伤出血，跌打损伤，肠炎，中耳炎。

苦苣苔科 Gesneriaceae 粗筒苣苔属 Briggsia

革叶粗筒苣苔

Briggsia mihieri (Franch.) Craib

| 药 材 名 | 革叶粗筒苣苔。

| 形态特征 | 多年生草本。根茎长 0.8 ~ 3 cm。叶均基生，叶柄长 2 ~ 9 cm，无毛或有疏短毛；叶片革质，狭倒卵形、倒卵形或椭圆形，长 1 ~ 10 cm，宽 1 ~ 6 cm，先端圆钝，基部楔形，边缘具波状牙齿或小牙齿，两面无毛，叶脉不明显。聚伞花序 2 次分枝，每花序具 1 ~ 4 花，花序梗长 8 ~ 17 cm，无毛或被疏柔毛；苞片小，条形；花萼 5 深裂，裂片披针形；花冠蓝紫色，漏斗形，一侧膨胀，长约 5 cm，外面疏被短柔毛或无毛，内面具紫褐色、黄色斑纹，檐部二唇形，上唇 2 裂，下唇 3 裂；能育雄蕊 4，花药成对连着，花丝疏被腺状短柔毛，花盘环状，边缘波状；子房狭长圆形，长约 1.2 cm，花柱长

1.5 ～ 2 mm，柱头 2，长圆形。蒴果倒披针形，长 3.4 ～ 7 cm；种子小，多数。花期 10 月，果期翌年 1 月。

| 生境分布 | 生于海拔 600 ～ 1 700 m 的阴湿岩石上。湖北有分布。

| 采收加工 | **全草：**全年均可采收，晒干或鲜用。

| 功能主治 | 益气，强筋骨，生肌。用于劳伤咳嗽，筋骨损伤，刀伤。

苦苣苔科 Gesneriaceae 粗筒苣苔属 Briggsia

川鄂粗筒苣苔
Briggsia rosthornii (Diels) Burtt

| 药 材 名 | 粗筒苣苔。

| 形态特征 | 多年生草本。叶全部基生，最外层叶有长柄；叶片卵圆形至椭圆形，长 2 ~ 13 cm，宽 1.2 ~ 7 cm，先端钝，基部浅心形至宽楔形，边缘具粗圆齿，上面除叶脉外，均被白色短柔毛，稀脉上被疏短柔毛，下面除叶片被短柔毛外，沿叶脉被锈色长柔毛；叶柄长达 8 cm，密被锈色长柔毛。聚伞花序，1 ~ 5，每花序具 1 ~ 4 花；花序梗长 10 ~ 20 cm，被锈色长柔毛；苞片 2，线状披针形至长圆形，长 2 ~ 4 mm，宽 1 ~ 2 mm，外面被锈色长柔毛；花梗长 1.5 ~ 3.5 cm，被锈色长柔毛和腺状柔毛；花萼 5 裂至近基部，裂片披针状长圆形至倒卵形，长 3 ~ 7 mm，宽 1.2 ~ 2 mm，先端渐尖，全缘，外面

被锈色长柔毛，内面无毛，具 3 ~ 5 脉；花冠淡紫色或淡紫红色，下方肿胀，长 3.2 ~ 5 cm，外面被短柔毛，有深红色或紫红色斑纹，花冠筒长 3 cm，直径 1.5 cm，上唇长 6 mm，2 浅裂，裂片半圆形，长约 2 mm，宽 1 ~ 1.2 mm，下唇长 1.1 ~ 1.3 mm，3 裂至中部之下，裂片长圆形，长 7 ~ 9 mm；上雄蕊长 1 ~ 1.5 cm，着生于距花冠基部 4 mm 处，下雄蕊长 1.4 ~ 2 cm，着生于距花冠基部 4 ~ 5 mm 处，花丝被短柔毛，花药肾形，长约 2 mm，先端汇合；退化雄蕊长 1 ~ 1.2 mm，着生于距花冠基部 2 ~ 4 mm 处；花盘环状，高 1.2 ~ 2 mm；雌蕊被腺状柔毛，子房狭长圆形，长 9 ~ 12 mm，直径约 1.5 mm，花柱长 2 ~ 4 mm，柱头 2，近圆形，长约 1 mm。蒴果线状长圆形，长 5 ~ 6.5 cm，直径 4 ~ 6 mm，被疏柔毛至近无毛。

| 生境分布 | 生于海拔 800 ~ 2 000 m 的林下潮湿岩石上。湖北有分布。

| 采收加工 | **全草：**夏、秋季采收，洗净，鲜用或晒干。

| 功能主治 | 舒筋活血，消炎止痛。

苦苣苔科 Gesneriaceae 唇柱苣苔属 Chirita

牛耳朵

Chirita eburnea Hance

| 药 材 名 | 牛耳朵。

| 形态特征 | 多年生草本，具粗根茎。叶均基生，肉质；叶片卵形或狭卵形。花萼长 0.9 ~ 1 cm，5 裂达基部，裂片狭披针形，宽 2 ~ 2.5 mm，外面被短柔毛及腺毛，内面被疏柔毛；花冠紫色或淡紫色，有时白色，喉部黄色，长 3 ~ 4.5 cm，两面疏被短柔毛，与上唇 2 裂片相对有 2 纵条毛，花冠筒长 2 ~ 3 cm，口部直径 1 ~ 1.4 cm，上唇长 5 ~ 9 mm，2 浅裂，下唇长 1.2 ~ 1.8 cm，3 裂；雄蕊的花丝着生于距花冠基部 1.2 ~ 1.6 cm 处，长 9 ~ 10 mm，下部宽，被疏柔毛，向上变狭，并膝状弯曲，花药长约 5 mm，退化雄蕊 2，着生于距花冠基部 1.1 ~ 1.5 mm 处，长 4 ~ 6 mm，有疏柔毛；花盘斜，高约

2 mm，边缘有波状齿；雌蕊长 2.2 ～ 3 cm，子房及花柱下部密被短柔毛，柱头 2 裂。蒴果长 4 ～ 6 cm，直径约 2 mm，被短柔毛。花期 4 ～ 7 月。

| 生境分布 | 生于海拔 400 ～ 1 200 m 的山地或林下石上。湖北有分布。

| 采收加工 | **全草或根茎**：全年均可采收，鲜用或晒干。

| 功能主治 | 清肺止咳，凉血止血，解毒消痈。用于阴虚肺热，咳嗽咯血，崩漏带下，痈肿疮毒，外伤出血。

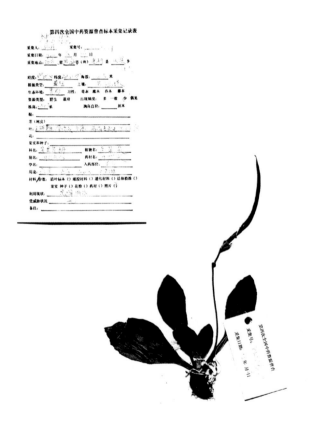

采集号： 科名：

学　名：

鉴定人： 鉴定日期： 年 月 日

苦苣苔科 Gesneriaceae 珊瑚苣苔属 Corallodiscus

珊瑚苣苔 Corallodiscus cordatulus (Craib) B. L. Burtt

| 药 材 名 | 珊瑚苣苔。

| 形态特征 | 多年生草本。叶基生，莲座状，外层叶具长柄，内层叶无柄；叶片革质，长圆形或卵形，长 1 ~ 3 cm，宽 1 ~ 2.2 cm，先端圆形，边缘微钝，基部楔形，边缘具细圆齿，上面平展，有时具不明显的折皱，稀呈泡状，疏被淡褐色长柔毛，老叶上面无毛，下面沿叶脉密被锈色绒毛。聚伞花序 2 ~ 3 回分枝，每花序具 3 ~ 10 花，花序梗长 4 ~ 14 cm，疏被淡褐色长柔毛至无毛；苞片不存在；花萼 5 裂至近基部，裂片狭卵形，外面被疏毛至无毛；花冠筒状，淡紫色或紫蓝色，长 9 ~ 11 mm，檐部二唇形，上唇短，2 浅裂，下唇 3 裂，内面下唇一侧具带髯毛的斑纹；能育雄蕊 4，内藏，花药成对连着，

基部极叉开；雌蕊无毛，子房长圆形，花柱与子房等长或稍短于子房，柱头头状，微凹。蒴果线形，长约 2 cm，无毛。花期 5 ~ 8 月，果期 8 ~ 10 月。

| 生境分布 | 生于海拔 700 ~ 1 500 m 的山地阴处岩石上。湖北有分布。

| 采收加工 | **全草**：夏、秋季采收，鲜用或晒干。

| 功能主治 | 健脾，化瘀，止血。用于疳积，跌打损伤，刀伤出血。

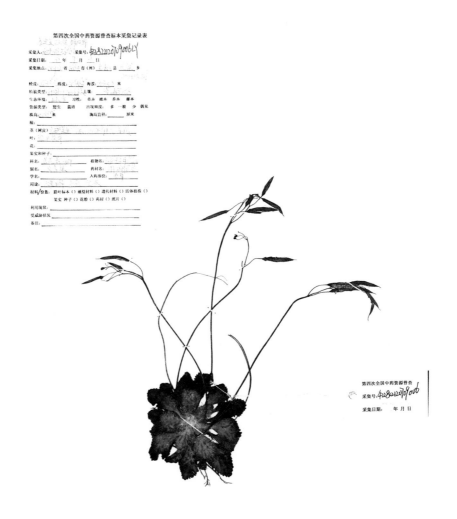

苦苣苔科 Gesneriaceae 半蒴苣苔属 Hemiboea

半蒴苣苔

Hemiboea henryi C. B. Clarke

| **药 材 名** | 半蒴苣苔。

| **形态特征** | 多年生草本。茎上升，高 10 ~ 40 cm，具 4 ~ 8 节，不分枝，肉质，散生紫斑，无毛或上部疏生短柔毛。叶对生；叶片椭圆形或倒卵状椭圆形，先端急尖或渐尖，基部下延。聚伞花序假顶生或腋生；萼片 5，长圆状披针形，长（0.9 ~）1 ~ 1.2 cm，宽 3 ~ 4.5 mm，无毛，干时膜质；花冠白色，具紫斑，长 3.5 ~ 4 cm，外面疏被腺状短柔毛，花冠筒长 3 ~ 3.4 cm，内面基部上方 6 ~ 7 mm 处具 1 毛环，口部直径 10 ~ 15 mm，上唇长 5 ~ 7 mm，2 浅裂，裂片半圆形，下唇长 7 ~ 9 mm，3 深裂，裂片卵圆形；雄蕊的花丝狭线形，先端连着，退化雄蕊 3，中间 1 雄蕊长 2 ~ 6 mm，侧面 2 雄蕊长 4 ~ 7 mm，

先端小头状，连着或分离；花盘环状，高 1 ~ 1.2 mm；雌蕊长 3 ~ 4 cm，无毛，柱头钝，略宽于花柱。蒴果线状披针形，多少弯曲，长 1.5 ~ 2.5 cm，基部宽 3 ~ 4 mm，无毛。花期 8 ~ 10 月，果期 9 ~ 11 月。

| 生境分布 | 生于海拔 350 ~ 1 800 m 的山谷林下或沟边阴湿处。湖北有分布。

| 采收加工 | 全草：夏、秋季采收，晒干或鲜用。

| 功能主治 | 清热，利湿，解毒。用于湿热黄疸，咽喉肿痛，毒蛇咬伤，烫火伤。

苦苣苔科 Gesneriaceae 半蒴苣苔属 Hemiboea

降龙草

Hemiboea subcapitata C. B. Clarke

| 药 材 名 | 降龙草。

| 形态特征 | 多年生草本。茎高 10 ~ 40 cm，肉质，无毛或疏生白色短柔毛，散生紫褐色斑点，不分枝。聚伞花序腋生或假顶生，具（1 ~）3 ~ 10花或更多，花序梗长 2 ~ 4（~ 13）cm，无毛；总苞球形，先端具突尖，无毛，开裂后呈船形；花梗粗壮，长 2 ~ 5 mm，无毛；萼片 5，长椭圆形，长 6 ~ 9 mm，宽 3 ~ 4 mm，无毛，干时膜质；花冠白色，具紫斑，口部直径 13 ~ 15 mm，基部上方直径 5 ~ 6 mm，上唇长 5 ~ 6 mm，2 浅裂，裂片半圆形，下唇长 6 ~ 8 mm，3 浅裂，裂片半圆形；雄蕊的花丝着生于距花冠基部 14 ~ 15 mm 处，长 8 ~ 13 mm，狭线形，无毛，花药呈椭圆形，长 3 ~ 4 mm，先端连着，

退化雄蕊 3，中央 1 雄蕊小，长 2 mm，侧面 2 雄蕊长 5 ~ 8 mm，先端小头状，分离；花盘环状，高 1 ~ 1.2 mm；雌蕊长 3.2 ~ 3.5 cm，子房线形，无毛，柱头钝，略宽于花柱。蒴果线状披针形，多少弯曲，长 1.5 ~ 2.2 cm，基部宽 3 ~ 4 mm，无毛。花期 9 ~ 10 月，果期 10 ~ 12 月。

| 生境分布 | 生于海拔 100 ~ 2 100 m 的山谷林下石上或沟边阴湿处。湖北有分布。

| 采收加工 | **全草：**秋季采收，晒干或鲜用。

| 功能主治 | 用于外感暑湿，痈肿疮疖，蛇咬伤。

苔苣苔科 Gesneriaceae 金盏苣苔属 *Isometrum*

裂叶金盏苣苔

Isometrum pinnatilobatum K. Y. Pan

| 药 材 名 | 裂叶金盏苣苔。

| 形态特征 | 多年生草本。叶全部基生，具长柄；叶片长圆形，长 1.5 ~ 5 cm，宽 0.8 ~ 1.5 cm，先端钝，基部渐狭成楔形，边缘羽状浅裂，裂片长 5 ~ 7 mm，宽 3 ~ 3.5 mm，全缘，上面被灰白色柔毛，下面被淡褐色柔毛，侧脉每边 3 ~ 5，下面隆起；叶柄长 1.5 ~ 3.5 cm，被淡褐色长柔毛。聚伞花序 2 次分枝，4 ~ 8，每花序具 4 ~ 6 花；花序梗长 4 ~ 6 cm，短于叶，与花梗被褐色长柔毛和腺状短柔毛；苞片线形，长 1.8 ~ 2 mm，被褐色长柔毛，具小苞片；花梗长 8 ~ 12 mm。花萼裂片相等，披针形，长 2.5 ~ 3 mm，宽 1 mm，先端渐尖，全缘，外面被短柔毛，内面无毛。花冠细筒状，蓝紫色，

长 1.2 ～ 1.4 cm，外面疏被短柔毛，内面无毛；花冠筒长约 8 mm，约为檐部的 2 倍，直径 3 ～ 4 mm；上唇长 5 mm，裂片圆形，长约 2.5 mm，下唇长 4 mm，侧裂片长 3 mm，中央裂片长 3.5 mm。雄蕊无毛，上雄蕊长约 3 mm，着生于距花冠基部 3.5 mm 处，下雄蕊长 2.5 mm，着生于距花冠基部 4 mm 处，花丝扁平，花药长 0.6 mm；退化雄蕊长 0.8 ～ 1.2 mm，着生于距花冠基部 3 ～ 3.5 mm 处。花盘高约 1 mm。雌蕊无毛，子房狭长圆形，长约 3 mm，直径约 1.2 mm，花柱略短于子房，长约 2.5 mm，柱头 2。蒴果未见。花期 5 月。

| 生境分布 | 生于海拔 600 ～ 1 600 m 的山坡路旁岩壁上。湖北有分布。

| 采收加工 | 全草：夏、秋季采收，扎把晒干或鲜用。

| 功能主治 | 清热利湿，消炎止血。用于湿热肾炎，小便不利，外伤出血。

苦苣苔科 Gesneriaceae 吊石苣苔属 Lysionotus

吊石苣苔 *Lysionotus pauciflorus* Maxim.

| 药 材 名 | 石吊兰。

| 形态特征 | 常绿小灌木。叶对生或3～5轮生,叶片革质,线状披针形或狭长圆形,长1.5～5.8 cm,宽0.4～2 cm,先端急尖或钝,两面无毛。花单生或2～4集生成聚伞花序状,顶生或腋生;花萼5深裂;花冠白色、淡红色或带淡紫色条纹,长3.5～4.8 cm,檐部二唇形,上唇2裂,下唇3裂;能育雄蕊2,退化雄蕊2;雌蕊长2～3.4 cm,子房线形。蒴果线形;种子纺锤形,先端具长毛。花期7～10月,果期9～11月。

| 生境分布 | 生于林中阴处石上。湖北有分布。

| **采收加工** | 夏、秋季采收，晒干。

| **功能主治** | 祛风除湿，化痰止咳，祛瘀通经。用于风湿痹痛，咳喘痰多，月经不调，痛经，
跌打损伤。

苦苣苔科 Gesneriaceae 马铃苣苔属 Oreocharis

长瓣马铃苣苔
Oreocharis auricula (S. Moore) C. B. Clarke

| 药 材 名 | 长瓣马铃苣苔。

| 形态特征 | 多年生草本。叶全部基生，具柄，柄长 2 ~ 4 cm，密被褐色绢状绵毛；叶片长圆状椭圆形，长 2 ~ 8.5 cm，宽 1 ~ 5 cm，先端微尖或钝，基部圆形或稍呈心形，具钝齿至近全缘，上面被贴伏短柔毛，下面被淡褐色绢状绵毛至近无毛，侧脉 7 ~ 9 对，在下面隆起，密被褐色绢状绵毛。聚伞花序 2 ~ 5，2 回分枝，每花序具 4 ~ 11 花，花序梗长 6 ~ 12 cm；苞片长圆状披针形，密被褐色绢状绵毛；花梗长约 1 cm；花萼 5 裂至近基部，裂片相等，长圆状披针形，外面被绢状绵毛，内面近无毛；花冠细筒状，蓝紫色，外被短柔毛，筒长 1.2 ~ 1.5 cm，与檐部等长或稍长，喉部缢缩，近基部稍膨大，

檐部二唇形，上唇 2 裂，下唇 3 裂，5 裂片近相等，近狭长圆形，长 7 ~ 10 mm，宽约 3 mm；能育雄蕊 4，分生；花盘环状；雌蕊无毛，子房线状长圆形，长 7 ~ 10 mm，花柱长 2 ~ 3 mm，柱头 1，盘状。蒴果倒披针形，长约 4.5 cm。花期 6 ~ 7 月，果期 8 月。

| 生境分布 | 生于海拔 400 ~ 1 500 m 的山谷、沟边及林下潮湿岩石上。湖北有分布。

| 采收加工 | 全草：全年均可采收，晒干或鲜用。

| 功能主治 | 凉血止血，清热解毒。用于各种出血，湿热带下，痈疽疮疖。

苦苣苔科 Gesneriaceae 蛛毛苣苔属 *Paraboea*

厚叶蛛毛苣苔 *Paraboea crassifolia* (Hemsl.) Burtt

| 药 材 名 | 厚叶蛛毛苣苔。

| 形态特征 | 多年生草本。根茎圆柱形，长 0.5 ~ 1.5 cm，直径 5 ~ 9 mm，具多数须根。叶全部基生，近无柄；叶片厚而肉质，狭倒卵形、倒卵状匙形。聚伞花序 2 ~ 4，伞状，每花序具 4 ~ 12 花；花萼长约3 mm，5 裂至近基部，裂片相等，狭线形，外面被淡褐色短绒毛；花冠紫色，无毛，长 1 ~ 1.4 cm，直径约 9 mm，筒短而宽，长 6 ~ 7 mm，直径约 6 mm，檐部二唇形，上唇 2 裂，裂片相等，长 3 ~ 4 mm，下唇 3 裂，裂片近圆形，长 3 ~ 4 mm；雄蕊 2，着生于花冠近基部，内藏，花丝狭线形，长 5.5 ~ 7 mm，无毛，上部稍膨大，呈直角弯曲，花药大，狭长圆形，两端尖，长 2.5 ~ 3 mm，宽

1 ～ 1.2 mm，先端连着，药室汇合，退化雄蕊 2，长 2 ～ 2.5 mm，着生于距花
冠基部 1.5 mm 处；无花盘；雌蕊无毛，长 8 ～ 10 mm，子房长圆形，比花柱短，
长 3 ～ 4 mm，直径 0.8 ～ 1 mm，花柱纤细，长 5.5 ～ 6 mm，柱头 1，头状。
蒴果未见。花期 6 ～ 7 月。

| 生境分布 | 生于海拔约 700 m 的山地石崖上。湖北有分布。

| 采收加工 | **全草**：5 ～ 6 月采收，晒干。

| 功能主治 | 滋补强壮，止血，止咳。用于肝脾虚弱，劳伤吐血，内伤咯血，肺病咳喘，带下，
无名肿毒等。

苦苣苔科 Gesneriaceae 蛛毛苣苔属 Paraboea

蛛毛苣苔 *Paraboea sinensis* (Oliv.) Burtt

| 药 材 名 |　蛛毛苣苔。

| 形态特征 |　小灌木。茎常弯曲，高达 30 cm，幼枝具褐色毡毛，节间短。叶对生，具叶柄；叶片长圆形、长圆状倒披针形或披针形。花萼绿白色，常带紫色，5 裂至近基部，裂片相等，倒披针状匙形，先端圆形，全缘，两面近无毛；花冠紫蓝色，长 1.5 ~ 2 cm，直径约 1.5 cm，外面无毛，筒长 1 ~ 1.3 cm，檐部广展，稍二唇形，上唇比下唇略短，2 裂，裂片相等，近圆形；雄蕊 2，着生于花冠下方一侧近基部，花丝上部膨大似囊状，下部弯曲变细而扁平，无毛，花药大，狭长圆形，两端尖，先端连着，退化雄蕊 1 或 3，着生于距花冠基部 2 mm 处；无花盘；雌蕊无毛，内藏，长 6.5 ~ 10 mm，子房长圆形，长

约 5 mm，直径约 1.2 mm，花柱圆柱形，长约 5 mm，柱头 1，头状。蒴果线形，无毛，螺旋状卷曲；种子狭长圆形。花期 6 ~ 7 月，果期 8 月。

| 生境分布 | 生于海拔 400 ~ 1 200 m 的山坡林下石缝中或陡崖上。湖北有分布。

| 采收加工 | 春、夏季采收，洗净，鲜用或晒干。

| 功能主治 | 清热利湿，止咳平喘，凉血止血。用于痢疾，肝炎，咳嗽，哮喘，荨麻疹，外伤出血。

苦苣苔科 Gesneriaceae 石山苣苔属 Petrocodon

石山苣苔 *Petrocodon dealbatus* Hance

| 药 材 名 | 石山苣苔。

| 形态特征 | 多年生草本。根茎直,具柄。叶片纸质或薄革质,椭圆状倒卵形、椭圆形或长圆形,长 1.5 ~ 16 cm,宽 0.8 ~ 6.8 cm,先端微尖或渐尖,基部宽楔形或楔形,边缘在中部之上有小浅齿,或呈波状而全缘,或有时有小牙齿,上面疏被短伏毛,下面沿脉密被短伏毛,侧脉每侧 4 ~ 5;叶柄长 0.5 ~ 11 cm,被短伏毛。聚伞花序 1 ~ 3,近伞状,每花序有 4 ~ 11 花,花序梗长 7.5 ~ 11 cm,被近贴伏的短毛;苞片线形,长 3 ~ 7 mm,疏被短伏毛;花梗细,长 3 ~ 6 mm,密被短糙伏毛;花萼长 2 ~ 5 mm,5 裂至基部,裂片披针状狭线形,宽 0.2 ~ 0.3 mm,两面疏被短糙毛;花冠白色,坛状粗筒形,

长 5.5 ~ 8 mm，外面上部被短柔毛，内面无毛，筒长 4 ~ 5 mm，口部直径约 2.5 mm，上唇长 0.8 ~ 2 mm，2 裂近基部，裂片正三角形，下唇长 1.8 ~ 3 mm，3 裂至中部或稍超过，裂片正三角形或卵形；雄蕊无毛，花丝着生于距花冠基部 1.5 ~ 2 mm 处，狭线形，长 2 mm，花药椭圆形，长 1.8 ~ 2.2 mm，退化雄蕊 2，着生于距花冠基部 0.3 ~ 1 mm 处，线形，长 0.3 mm，无毛；花盘高 0.4 ~ 0.6 mm；雌蕊长 6.5 ~ 8.5 mm，无毛，子房长 2.8 ~ 3.5 mm，有短柄，花柱长 3.8 ~ 4.8 mm，柱头小。蒴果长 1.2 ~ 2.2 cm，宽约 1.5 mm，无毛。花期 6 ~ 9 月。

| 生境分布 |　生于海拔 500 ~ 1 050 m 的山谷阴处石上或石山林中。湖北有分布。

| 功能主治 |　用于肺热咳嗽，吐血，肿痛，出血。

▨▨爵床科▨▨ Acanthaceae ▨▨白接骨属▨▨ *Asystasiella*

白接骨
Asystasiella neesiana (Wall.) Lindau

| 药 材 名 | 白接骨。

| 形态特征 | 多年生草本，高 25 ~ 45 cm。地下茎白色，质脆，带方形，有白色黏液。茎直立，略呈四棱形，分枝，节部膨大，棱上疏被白色短毛或光滑。

叶对生；叶片长卵形至椭圆状长圆形，长 6 ~ 12 cm，宽 2 ~ 4.5 cm，先端渐尖或尾尖，基部渐窄，呈楔形下延至叶柄，边缘微波状或具稀疏而不明显的锯齿，上面深绿色，下面淡绿色。穗状花序或基部有分枝，顶生，长 6 ~ 12 cm，花单生或双生，常偏于一侧，苞片微小，长约 2 mm，有腺毛；花萼 5 裂达基部，长约 6 mm，有腺毛；花冠淡紫红色，漏斗状，外面疏生腺毛，花冠筒细长，长约 4 cm，檐部 5 裂，略不等，长约 1.5 cm；雄蕊 4，二强，着生于花冠喉部；子房上位，每室有 2 胚珠。蒴果长椭圆形，长约 2 cm，上部具种子 4，下部实心细长似柄。花期 7 ~ 8 月，果期 10 ~ 11 月。

| 生境分布 | 生于海拔 400 ~ 1 800 m 的林下或溪边。湖北有分布。

| 采收加工 | **全草**：夏、秋季采收，晒干或鲜用。

| 功能主治 | 化瘀止血，续筋接骨，利尿消肿，清热解毒。用于吐血，便血，外伤出血，跌打瘀肿，扭伤骨折，风湿肢肿，腹水，疮疡溃烂，疖肿，咽喉肿痛。

■ 爵床科 ■ Acanthaceae ■ 杜根藤属 ■ *Calophanoides*

杜根藤

Calophanoides quadrifaria (Nees) Ridl.

| 药 材 名 | 大青草。

| 形态特征 | 直立或披散状草本，高达 50 cm。叶对生；叶片椭圆形至矩圆状披针形，长 2 ~ 12 cm，先端渐尖，基部渐窄成短柄，全缘，侧脉 4 对。花 1 至多数，密集生于叶腋内；苞片倒卵状匙形，长约 7 mm，小苞片缺；花萼裂片 5，条状披针形，长约 7 mm，被毛；花冠白色，筒状，外被微毛，长 8 ~ 12 mm，冠檐二唇形，上唇近舟状，下唇 3 浅裂；雄蕊 2，药室 2，不等高，其中 1 室在下，有尾。蒴果棒状，长约 8 mm，上部具种子 4，下部实心；种子有小瘤状突起。

| 生境分布 | 生于海拔 1 300 m 以下的林缘、山地路旁及溪沟边。湖北有分布。

| 采收加工 | 全草：夏、秋季采收，洗净，鲜用或晒干。

| 功能主治 | 清热解毒。用于时行热毒，丹毒，口舌生疮，黄疸。

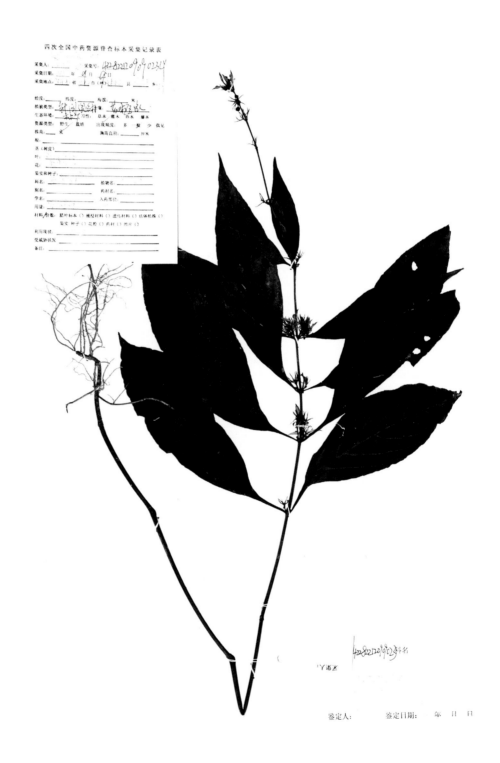

爵床科 Acanthaceae 黄猄草属 *Championella*

黄猄草
Championella tetrasperma (Champ. ex Benth.) Bremek.

| 药 材 名 | 岩冬菜。

| 形态特征 | 直立或匍匐草本。茎细瘦，近无毛。叶纸质，卵形或近椭圆形，先端钝，基部渐狭或稍收缩，边缘具圆齿，长 2 ~ 7 cm，宽 1 ~ 2.5 cm；侧脉每边 3 ~ 4；叶柄长 5 ~ 25 mm。穗状花序短而紧密，通常仅有花数朵；苞片叶状，倒卵形或匙形，具羽状脉，长约 15 mm，和 2 线形、长 5 ~ 6 mm 的小苞片及花萼裂片均被扩展、流苏状缘毛；花萼 5 裂，裂片长 6 ~ 7 mm，稍钝头；花冠淡红色或淡紫色，长约 2 cm，外面被短柔毛，内被长柔毛，冠檐裂片几相等，直径约 3 mm，被缘毛；雄蕊 4，二强，花丝基部有膜相连，有 1 退化雄蕊残迹，花粉粒圆球形具种阜形纹饰。蒴果长约 10 mm，顶部被柔毛。

花期秋季。

| 生境分布 | 生于密林中。湖北有分布。

| 采收加工 | **全草**：夏季采收，鲜用或晒干。

| 功能主治 | 祛风除湿，壮腰，截疟。用于风湿痹痛，肾虚腰痛，疟疾。

爵床科 Acanthaceae 狗肝菜属 Dicliptera

狗肝菜 *Dicliptera chinensis* (L.) Juss.

| 药 材 名 | 狗肝草。

| 形态特征 | 一年生或二年生草本，高 30 ～ 80 cm。茎直立或近基部外倾，节常膨大成膝状，被疏毛。叶对生，柄长 5 ～ 25 mm；叶片纸质，卵状椭圆形，长 2.5 ～ 6 cm，宽 1.5 ～ 3.5 cm，先端短渐尖，基部阔楔形或稍下延。花序腋生或顶生，聚伞式，多个簇生，稀单生；总苞片阔倒卵形或近圆形，稀披针形，长约 4 mm；花萼 5 裂，钻形，长约 4 mm；花冠淡紫红色，长约 10 mm，被柔毛，二唇形，上唇阔卵状，近圆形，全缘，有紫红色斑点，下唇长圆形，3 浅裂；雄蕊 2，着生于花冠喉部，花药 2 室，2 药室 1 上 1 下，花丝被柔毛；子房 2 室。蒴果长约 6 mm，被柔毛；种子坚硬，扁圆形，褐色。花期 10 ～ 11 月，

果期翌年 2 ~ 3 月。

| **生境分布** | 生于海拔 1 200 m 以下的旷野或疏林中。湖北有分布。

| **采收加工** | **全草**：夏、秋季采收，洗净，鲜用或晒干。

| **功能主治** | 清热凉血，利湿解毒。用于感冒发热，热病发斑，吐衄，便血，尿血，崩漏，肺热咳嗽，咽喉肿痛，肝热目赤，小儿惊风，小便淋沥，带下，带状疱疹，痈肿疔疖，蛇犬咬伤。

水蓑衣
Hygrophila salicifolia (Vahl) Nees

| 药 材 名 | 水蓑衣。

| 形态特征 | 草本，高 80 cm。茎四棱形，幼枝被白色长柔毛，不久脱落近无毛或无毛。叶近无柄，纸质，长椭圆形、披针形、线形，长 4 ~ 11.5 cm，宽 0.8 ~ 1.5 cm，两端渐尖，先端钝，两面被白色长硬毛，背面脉上毛较密，侧脉不明显。花簇生于叶腋，无梗；苞片披针形，长约 10 mm，宽约 6.5 mm，基部圆形，外面被柔毛，小苞片细小，线形，外面被柔毛，内面无毛；花萼圆筒状，长 6 ~ 8 mm，被短糙毛，5 深裂至中部，裂片稍不等大，渐尖，被通常皱曲的长柔毛；花冠淡紫色或粉红色，长 1 ~ 1.2 cm，被柔毛，上唇卵状三角形，下唇长圆形，喉凸上有疏而长的柔毛，花冠管稍长于裂片；后雄蕊的花药比前雄

蕊的小一半。蒴果比宿存萼长 1/4 ~ 1/3，干时淡褐色，无毛。花期秋季。

| **生境分布** | 生于海拔 600 m 以下的溪沟边或阴湿地的草丛中。湖北有分布。

| **采收加工** | **全草**：夏、秋季采收，洗净，鲜用或晒干。

| **功能主治** | 清热解毒，散瘀消肿。用于时行热毒，丹毒，黄疸，口疮，咽喉肿痛，乳痈，吐衄，跌打伤痛，骨折，毒蛇咬伤。

爵床科 Acanthaceae 观音草属 Peristrophe

九头狮子草
Peristrophe japonica (Thunb.) Bremek.

| 药 材 名 | 九头狮子草。

| 形态特征 | 草本。高 20 ~ 50 cm。叶卵状矩圆形，长 5 ~ 12 cm，宽 2.5 ~ 4 cm。花序顶生或腋生于上部叶腋，由 2 ~ 10 聚伞花序组成，每个聚伞花序下托以 2 总苞状苞片，1 大 1 小，卵形，全缘，近无毛，内有 1 至少数花；花萼裂片 5，钻形，长约 3 mm；花冠粉红色至微紫色，长 2.5 ~ 3 cm，外面疏生短柔毛，二唇形，下唇 3 裂；雄蕊 2，花丝细长，伸出。蒴果长 1 ~ 1.2 cm，疏生短柔毛，开裂时胎座不弹起，上部具 4 种子，下部实心；种子有小疣状突起。

| 生境分布 | 生于路边、草地。湖北有分布。

| 采收加工 | 全草：夏、秋季采收，晒干。

| 功能主治 | 祛风清热，凉肝定惊，散瘀解毒。用于感冒发热，肺热咳喘，肝热目赤，小儿惊风，咽喉肿痛，痈肿疔毒，乳痈，聤耳，瘰疬，痔疮，蛇虫咬伤，跌打损伤。

爵床科 Acanthaceae 马蓝属 Pteracanthus

翅柄马蓝

Pteracanthus alatus (Nees) Bremek.

| 药 材 名 | 翅柄马蓝。

| 形态特征 | 多年生草本。具横走茎，节上生根，多分枝，茎纤细，四棱形，无毛或在棱上被微柔毛。叶卵圆形，略具不等叶性，长 3.5 ～ 8（～ 10）cm，先端长渐尖，基部楔形，渐狭，边缘具 4 ～ 5（～ 7）圆锯齿，上面略被微柔毛或无毛，钟乳体细条状，侧脉 5 ～ 6 对，叶柄长约 1.5 cm，向叶片具翅。穗状花序偏向一侧，呈 "之" 字形曲折，花单生或成对；苞片叶状，卵圆形或近心形，向上变小，具 3 脉或羽状脉，小苞片线状长圆形，微小或无；花萼长 1 ～ 1.5 cm，果时增大达 2 cm，5 裂，裂片线形，极无毛，细条状钟乳体纵列；花冠淡紫色或蓝紫色，近直伸，长约 3.5 cm，花冠管圆柱形，与膨

胀部分等长，冠檐裂片 5，短小，圆形，花丝与花柱无毛。蒴果长 1.2 ～ 1.8 cm，无毛，具种子 4；种子卵圆形，被微柔毛，基区小。

| **生境分布** | 生于海拔 1 000 ～ 1 600 m 的山坡竹林或铁杉冷杉林。湖北有分布。

| **采收加工** | **根**：夏、秋季采挖，洗净，切段，晒干。

叶：夏、秋季采收，鲜用。

| **功能主治** | 清热解毒，活血止痛。用于痈肿疮毒，劳伤疼痛。

爵床科 Acanthaceae 爵床属 Rostellularia

爵床

Rostellularia procumbens (L.) Nees

| 药 材 名 | 爵床。

| 形态特征 | 草本。高 20 ~ 50 cm。叶椭圆形至椭圆状长圆形，长 1.5 ~ 3.5 cm，宽 1.3 ~ 2 cm，先端锐尖或钝，基部宽楔形，两面被短硬毛。穗状花序顶生或生于上部叶腋，长 1 ~ 3 cm，宽 6 ~ 12 mm；小苞片 2，披针形，长 4 ~ 5 mm，有缘毛；花萼裂片 4，线形，约与苞片等长，有膜质边缘和缘毛；花冠粉红色，长 7 mm，二唇形，下唇 3 浅裂；雄蕊 2，药室不等高。蒴果长约 5 mm，上部具 4 种子，下部实心似柄状；种子表面有瘤状皱纹。

| 生境分布 | 生于山坡、路旁。湖北有分布。

| 采收加工 | **全草**：夏、秋季采收，晒干。

| 功能主治 | 清热解毒，利湿消积，活血止痛。用于感冒发热，咳嗽，咽喉肿痛，目赤肿痛，疳积，湿热泻痢，疟疾，黄疸，浮肿，小便淋浊，筋骨疼痛，跌打损伤，痈疽疔疮，湿疹。

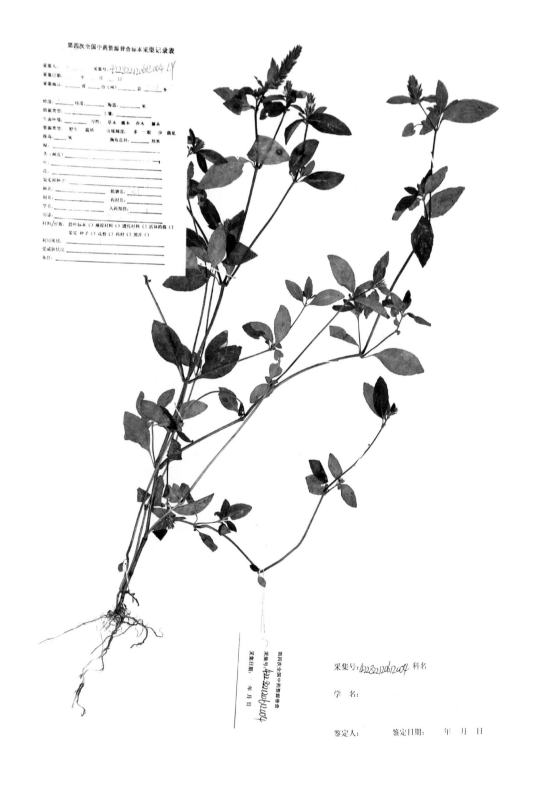

北美透骨草 *Phryma leptostachya* L.

| **药 材 名** | 北美透骨草。

| **形态特征** | 多年生草本。高（10 ~ ）30 ~ 80（ ~ 100）cm。茎直立，四棱形，不分枝或于上部有带花序的分枝，分枝叉开，绿色或淡紫色，遍布倒生短柔毛或于茎上部有开展的短柔毛，少数近无毛。叶对生；叶片卵状长圆形、卵状披针形、卵状椭圆形至卵状三角形或宽卵形，草质，长（1 ~ ）3 ~ 11（ ~ 16）cm，宽（1 ~ ）2 ~ 8 cm，先端渐尖、尾状急尖或急尖，稀近圆形，基部楔形、圆形或截形，中、下部叶基部常下延，边缘有（3 ~ ）5 或多数钝锯齿、圆齿或圆齿状牙齿，两面散生但沿脉被较密的短柔毛，侧脉每侧 4 ~ 6；叶柄长0.5 ~ 4 cm，被短柔毛，有时上部叶柄极短或无。穗状花序生茎顶

及侧枝先端，被微柔毛或短柔毛；花序梗长 3 ～ 20 cm；花序轴纤细，长（5 ～）10 ～ 30 cm；苞片钻形至线形，长 1 ～ 2.5 mm；小苞片 2，生于花梗基部，与苞片同形但较小，长 0.5 ～ 2 mm；花通常多数，疏离，出自苞腋，在花序轴上对生或于下部互生，具短梗，于花蕾期直立，开放时斜展至平展，花后反折；花萼筒状，有 5 纵棱，外面常有微柔毛，内面无毛，萼齿直立，花期上萼齿与萼筒约等长，萼筒长 2 ～ 2.2 mm，于果期长 4 ～ 6 mm；花冠漏斗状筒形，长 6.5 ～ 7.5 mm，蓝紫色、淡红色至白色，外面无毛，内面于筒部远轴面被短柔毛，筒部长 4 ～ 4.5 mm，口部直径约 1.5 mm，基部上方直径约 0.7 mm，檐部二唇形，上唇直立，长 1.3 ～ 2 mm，先端近全缘或微凹，下唇平伸，长 2.5 ～ 3 mm，3 浅裂，中央裂片较大；雄蕊 4，着生于花冠筒内面基部上方 2.5 ～ 3 mm 处，无毛，花丝狭线形，长 1.5 ～ 1.8 mm，远轴 2 较长，花药肾状圆形，长 0.3 ～ 0.4 mm，宽约 0.5 mm；雌蕊无毛，子房斜长圆状披针形，长 1.9 ～ 2.2 mm，花柱细长，长 3 ～ 3.5 mm，柱头二唇形，下唇较长，长圆形。瘦果狭椭圆形，包藏于棒状宿存花萼内，反折并贴近花序轴，萼筒长 4.5 ～ 6 mm，上方 3 萼齿长 1.2 ～ 2.3 mm；种子 1，基生，种皮薄膜质，与果皮合生。花期 6 ～ 10 月，果期 8 ～ 12 月。

| 生境分布 | 生于 380 ～ 2 800 m 的山坡、山谷、草地、林下。湖北有分布。

| 功能主治 | 祛风除湿，温胜寒湿。

透骨草科 Phrymaceae 透骨草属 Phryma

透骨草

Phryma leptostachya L. subsp. *asiatica* (Hara) Kitamura

| 药 材 名 |

透骨草。

| 形态特征 |

多年生草本。高（10～）30～80（～100）cm。茎直立，四棱形，不分枝或于上部有带花序的分枝，分枝叉开，绿色或淡紫色，遍布倒生短柔毛或于茎上部有开展的短柔毛，少数近无毛。叶对生；叶片卵状长圆形、卵状披针形、卵状椭圆形至卵状三角形或宽卵形，草质，长3～11 cm，宽2～8 cm，先端渐尖、尾状急尖或急尖，稀近圆形，基部楔形、圆形或截形，中、下部叶基部常下延，边缘有5至多数钝锯齿、圆齿或圆齿状牙齿，两面散生但沿脉被较密的短柔毛；侧脉每侧4～6。花通常多数，疏离，出自苞腋，在花序轴上对生或于下部互生，具短梗，于花蕾期直立，开放时斜展至平展，花后反折；花萼筒状，有5纵棱，外面常有微柔毛，内面无毛，萼齿直立；花期萼筒长2.5～3.2 mm；上方萼齿3，钻形，长1.2～2.3 mm，先端多少钩状，下方萼齿2，三角形，长约0.3 mm。瘦果狭椭圆形，包藏于棒状宿存花萼内，反折并贴近花序轴；种子1，基生，种皮薄膜质，与果皮合生。

| **生境分布** | 生于海拔 380 ～ 2 800 m 的阴湿山谷或林下。分布于湖北宜昌。

| **功能主治** | 祛风除湿，解毒止痛。用于风湿关节痛；外用于疮疡肿毒。

车前
Plantago asiatica L.

药材名

车前草。

形态特征

二年生或多年生草本。须根多数。根茎短，稍粗。叶基生，呈莲座状，平卧、斜展或直立；叶片薄纸质或纸质，宽卵形至宽椭圆形，长 4 ~ 12 cm，宽 2.5 ~ 6.5 cm，两面疏生短柔毛；脉 5 ~ 7；叶柄长 2 ~ 15 cm，基部扩大成鞘，疏生短柔毛。花序 3 ~ 10，直立或弓曲上升；花序梗长 5 ~ 30 cm，有纵条纹，疏生白色短柔毛；穗状花序细圆柱状，长 3 ~ 40 cm，紧密或稀疏，下部常间断；苞片狭卵状三角形或三角状披针形，长 2 ~ 3 mm，长过于宽，龙骨突宽厚，无毛或先端疏生短毛；花具短梗；花萼长 2 ~ 3 mm；花冠白色，无毛，花冠筒与萼片约等长，裂片狭三角形，长约 1.5 mm，先端渐尖或急尖，具明显的中脉，于花后反折；雄蕊着生于花冠筒内面近基部，与花柱明显外伸，花药卵状椭圆形，长 1 ~ 1.2 mm，先端具宽三角形突起，白色，干后变淡褐色；胚珠 7 ~ 15。蒴果纺锤状卵形、卵球形或圆锥状卵形，长 3 ~ 4.5 mm，于基部上方周裂；种子 5 ~ 6，卵状椭圆形或椭圆形，长 1.5 ~ 2 mm，具角，黑褐色至黑色，背腹面微隆起；子叶背腹向排列。

| **生境分布** | 生于海拔 3 ~ 3 100 m 的草地、沟边、河岸湿地、田边、路旁或村边空旷处。湖北各地均有分布。

| **资源状况** | 野生资源丰富，栽培资源广泛。

| **功能主治** | 利水渗湿，祛痰，镇咳，平喘。用于小便不利，淋浊带下，水肿胀满，暑湿泻痢，目赤障翳，痰热咳喘。

车前科 Plantaginaceae 车前属 Plantago

平车前
Plantago depressa Willd.

| 药 材 名 | 平车前子。

| 形态特征 | 一年生或二年生草本。直根长，具多数侧根，多少肉质。根茎短。叶基生，呈莲座状，平卧、斜展或直立；叶片纸质，长 3 ~ 12 cm，宽 1 ~ 3.5 cm，先端急尖或微钝，边缘具浅波状钝齿、不规则锯齿或牙齿，基部宽楔形至狭楔形，下延至叶柄，脉 5 ~ 7；叶柄长 2 ~ 6 cm，基部扩大成鞘状。花序 3 ~ 10 余；花序梗长 5 ~ 18 cm，有纵条纹，疏生白色短柔毛；穗状花序细圆柱状，长 6 ~ 12 cm；苞片三角状卵形，长 2 ~ 3.5 mm，内凹，无毛，龙骨突宽厚，宽于两侧苞片，不延至或延至先端；花萼长 2 ~ 2.5 mm，无毛，龙骨突宽厚，不延至先端；花冠白色，无毛，花冠筒等长或略长于萼片，

长 0.5 ～ 1 mm，于花后反折；雄蕊着生于花冠筒内面近先端，同花柱明显外伸，花药卵状椭圆形或宽椭圆形，长 0.6 ～ 1.1 mm，先端具宽三角状小突起，新鲜时白色或绿白色，干后变淡褐色；胚珠 5。蒴果卵状椭圆形至圆锥状卵形，长 4 ～ 5 mm，于基部上方周裂；种子 4 ～ 5，椭圆形，腹面平坦，长 1.2 ～ 1.8 mm，黄褐色至黑色；子叶背腹向排列。

| **生境分布** | 生于海拔 5 ～ 3 100 m 的草地、河滩、沟边、草甸、田间及路旁。分布于湖北郧西、兴山、利川、建始、神农架，以及十堰、宜昌、咸宁。

| **资源状况** | 野生资源丰富，栽培资源丰富。

| **功能主治** | 清热利尿，渗湿通淋，清肝明目。用于淋病，尿闭，暑湿泄泻，目赤肿痛，痰多咳嗽，视物昏花。

车前科 Plantaginaceae 车前属 Plantago

大车前 *Plantago major* L.

| **药 材 名** | 大车前。 |

| **形态特征** | 二年生或多年生草本。须根多数。根茎粗短。叶基生，呈莲座状；叶片草质、薄纸质或纸质，宽卵形至宽椭圆形，先端钝尖或急尖，边缘波状，疏生不规则牙齿或近全缘，两面疏生短柔毛或近无毛，少数被较密的柔毛，脉 3 ~ 5；叶柄长 3 ~ 10 cm，基部鞘状，常被毛。花序 1 至数个；花序梗直立或弓曲上升，长 5 ~ 18 cm，有纵条纹，被短柔毛或柔毛；穗状花序细圆柱状，长 3 ~ 20 cm，基部常间断；苞片宽卵状三角形，长 1.2 ~ 2 mm，宽与长约相等或宽略超过长，无毛或先端疏生短毛，龙骨突宽厚；花无梗；花萼长 1.5 ~ 2.5 mm，萼片先端圆形，无毛或疏生短缘毛，前对萼片椭圆形至宽椭圆形， |

后对萼片宽椭圆形至近圆形，花冠白色，长 1 ~ 1.5 mm，雄蕊着生于花冠筒内面近基部，与花柱明显外伸，花药椭圆形，长 1 ~ 1.2 mm，通常初为淡紫色，稀白色，干后变淡褐色；胚珠 12 至 40 余。蒴果近球形、卵球形或宽椭圆球形，长 2 ~ 3 mm，于中部或稍低处周裂；种子 12 ~ 24，卵形、椭圆形或菱形，长 0.8 ~ 1.2 mm，具角，腹面隆起或近平坦，黄褐色；子叶背腹向排列。

| 生境分布 | 生于海拔 800 ~ 2 800 m 的草地、草甸、河滩、沟边、沼泽地、山坡路旁等。湖北有栽培。

| 采收加工 | 全草：秋季采收，洗净泥沙，除去枯叶，晒干。

| 功能主治 | 清热利尿，祛痰，凉血，解毒。用于水肿，尿少，热淋涩痛，暑湿泻痢，痰热咳嗽，吐血，痈肿疮毒。

车前科 Plantaginaceae 车前属 Plantago

北美车前
Plantago virginica L.

| 药 材 名 | 北美车前。

| 形态特征 | 一年生或二年生草本。直根纤细,有细侧根。根茎短。叶基生,呈莲座状,平卧至直立;叶片倒披针形至倒卵状披针形,长 3 ~ 8 cm,宽 0.5 ~ 4 cm,先端急尖或近圆形,边缘波状、疏生牙齿或近全缘,基部狭楔形,下延至叶柄,两面及叶柄散生白色柔毛,脉 3 ~ 5;叶柄长 0.5 ~ 5 cm,具翅或无翅,基部鞘状。花序 1 至多数;花序梗直立或弓曲上升,长 4 ~ 20 cm;穗状花序细圆柱状,长 3 ~ 18 cm;苞片披针形或狭椭圆形,长 2 ~ 2.5 mm,龙骨突宽厚,宽于侧片,背面及边缘有白色疏柔毛;萼片与苞片等长或略短于苞片,两侧片较宽;花冠淡黄色,无毛,长 1.5 ~ 2.5 mm,直立;雄蕊着生于花

冠筒内面先端，雄蕊与花柱明显外伸，花药宽椭圆形，长 1 ~ 1.1 mm，淡黄色，干后黄褐色，具三角形小尖头；胚珠 2。蒴果卵球形，长 2 ~ 3 mm，于基部上方周裂；种子 2，长 1.4 ~ 1.8 mm，腹面凹陷呈船形，黄褐色至红褐色，有光泽；子叶背腹向排列。

| **生境分布** | 生于低海拔的草地、路边、湖畔。湖北有分布。

| **功能主治** | 利尿，清热，明目，祛痰。用于小便不通，淋浊，带下，尿血，黄疸，水肿，热痢，泄泻，鼻衄，目赤肿痛，喉痹，咳嗽，皮肤溃疡等。

茜草科 Rubiaceae 水团花属 Adina

水团花

Adina pilulifera (Lam.) Franch. ex Drake

药材名

水团花。

形态特征

常绿灌木至小乔木，高达 5 m。顶芽不明显，由开展的托叶疏松包裹。叶对生，厚纸质，椭圆形至椭圆状披针形，长 4 ~ 12 cm，宽 1.5 ~ 3 cm，先端短尖至渐尖而钝头，基部钝或楔形，有时渐狭窄，上面无毛；侧脉 6 ~ 12 对，脉腋窝陷有稀疏的毛；叶柄长 2 ~ 6 mm，无毛或被短柔毛；托叶 2 裂，早落。头状花序明显腋生，极稀顶生，直径不计花冠 4 ~ 6 mm，花序轴单生，不分枝；小苞片线形至线状棒形，无毛；总花梗长 3 ~ 4.5 cm，中部以下有轮生小苞片 5；花萼管基部有毛，上部有疏散的毛，萼裂片线状长圆形或匙形；花冠白色，窄漏斗状，花冠管被微柔毛，花冠裂片卵状长圆形；雄蕊 5，花丝短，着生于花冠喉部；子房 2 室，每室有胚珠多数，花柱伸出，柱头小，球形或卵圆球形。果序直径 8 ~ 10 mm；小蒴果楔形，长 2 ~ 5 mm；种子长圆形，两端有狭翅。花期 6 ~ 7 月。

| 生境分布 | 生于海拔 200 ～ 350 m 的山谷疏林下或旷野路旁、溪边水畔。湖北有分布。

| 资源状况 | 野生资源丰富，栽培资源丰富。

| 采收加工 | 枝、叶：全年均可采收，切碎。
花、果：夏季采摘，洗净，鲜用或晒干。

| 功能主治 | 花球：用于细菌性痢疾，风火牙痛。
鲜茎、叶：用于湿热浮肿，湿疹。

茜草科 Rubiaceae 水团花属 Adina

细叶水团花

Adina rubella Hance

| 药 材 名 | 细叶水团花。

| 形态特征 | 落叶小灌木，高 1 ～ 3 m。小枝延长，具赤褐色微毛，后无毛；顶芽不明显，被开展的托叶包裹。叶对生，近无柄，薄革质，卵状披针形或卵状椭圆形，全缘，长 2.5 ～ 4 cm，宽 8 ～ 12 mm，先端渐尖或短尖，基部阔楔形或近圆形；侧脉 5 ～ 7 对，被稀疏或稠密的短柔毛；托叶小，早落。头状花序不计花冠直径 4 ～ 5 mm，单生，顶生或兼有腋生，总花梗略被柔毛；小苞片线形或线状棒形；花萼管疏被短柔毛，萼裂片匙形或匙状棒形；花冠管长 2 ～ 3 mm，5 裂，花冠裂片三角状，紫红色。果序直径 8 ～ 12 mm；小蒴果长卵状楔形，长 3 mm。花果期 5 ～ 12 月。

| 生境分布 | 生于溪边、河旁、沙滩等。湖北有分布。

| 资源状况 | 野生资源丰富。

| 采收加工 | 夏、秋季采挖根，洗净，切片，鲜用或晒干。

| 功能主治 | 清热解表，活血解毒。用于感冒发热，咳嗽，腮腺炎，咽喉肿痛，肝炎，风湿关节痛，创伤出血等。

风箱树

Cephalanthus tetrandrus (Roxb.) Ridsd. et Bakh. f.

| 药 材 名 | 风箱树花。

| 形态特征 | 落叶灌木或小乔木。高 1 ~ 5 m。嫩枝近四棱柱形，被短柔毛；老枝圆柱形，褐色，无毛。叶对生或轮生，近革质，卵形至卵状披针形，长 10 ~ 15 cm，宽 3 ~ 5 cm，先端短尖，基部圆形至近心形，上面无毛至疏被短柔毛，下面无毛或密被柔毛；侧脉 8 ~ 12 对，脉腋常有毛窝；叶柄长 5 ~ 10 mm，被毛或近无毛；托叶阔卵形，长 3 ~ 5 mm，顶部骤尖，常有 1 黑色腺体。头状花序不计花冠直径 8 ~ 12 mm，顶生或腋生；总花梗长 2.5 ~ 6 cm，不分枝或有 2 ~ 3 分枝，有毛；小苞片棒形至棒状匙形；花萼管长 2 ~ 3 mm，疏被短柔毛，基部常有柔毛，萼裂片 4，先端钝，密被短柔毛，边缘裂口

处常有 1 黑色腺体；花冠白色，花冠管长 7 ~ 12 mm，外面无毛，内面有短柔毛，花冠裂片长圆形，裂口处通常有 1 黑色腺体；柱头棒形，伸出于花冠外。坚果长 4 ~ 6 mm，顶部有宿存萼檐，果序直径 10 ~ 20 mm；种子褐色，具翅状苍白色假种皮。花期春末夏初。

| 生境分布 |　　生于背阴的水沟旁或溪畔。湖北有分布。

| 功能主治 |　　清热利湿，收敛止泻。用于泄泻，痢疾。

茜草科 Rubiaceae 流苏子属 Coptosapelta

流苏子

Coptosapelta diffusa (Champ. ex Benth.) Van Steenis

| 药材名 |

流苏子根。

| 形态特征 |

藤本或攀缘灌木。长 2 ~ 5 m。枝多数,圆柱形,节明显,被柔毛或无毛,幼嫩时密被黄褐色倒伏的硬毛。叶坚纸质至革质,卵形或卵状长圆形至披针形,长 2 ~ 9.5 cm,宽 0.8 ~ 3.5 cm,先端短尖或渐尖至尾状渐尖,基部圆形,干时黄绿色,上面稍光亮,两面无毛,稀被长硬毛,中脉在两面均有疏长硬毛,边缘有疏睫毛或无毛;侧脉 3 ~ 4 对,纤细,在下面明显或稍明显;叶柄长 2 ~ 5 mm,有硬毛,稀无毛;托叶披针形,长 3 ~ 7 mm,脱落。花单生于叶腋,常对生;花梗纤细,长 3 ~ 18 mm,有柔毛或无毛,常在上部有 1 对长约 1 mm 的小苞片;花萼长 2.5 ~ 3.5 mm,有柔毛或无毛,萼管卵形,檐部 5 裂,裂片卵状三角形,长 0.8 ~ 1 mm;花冠白色或黄色,高脚碟状,外面被绢毛,长 1.2 ~ 2 cm,花冠管圆筒形,长 0.8 ~ 1.5 cm,宽约 1.5 mm,内面上部有柔毛,裂片 5,长圆形,长 4 ~ 6 mm,宽约 1.5 mm,内面中部有柔毛,开放时反折;雄蕊 5,花丝短,花药线状披针形,

长 3.5 ~ 4 mm，伸出；花柱长约 13 mm，无毛，柱头纺锤形，长 2.5 ~ 3 mm，伸出。蒴果稍扁球形，中间有 1 浅沟，直径 5 ~ 8 mm，长 4 ~ 6 mm，淡黄色，果皮硬，木质，顶部有宿存萼裂片，果柄纤细，长可达 2 cm；种子多数，近圆形，薄而扁，棕黑色，直径 1.5 ~ 2 mm，边缘流苏状。花期 5 ~ 7 月，果期 5 ~ 12 月。

| 生境分布 | 生于海拔 100 ~ 1 450 m 的山地或丘陵的林中及灌丛中。湖北有分布。

| 功能主治 | 祛风除湿，止痒。用于皮炎，湿疹瘙痒，荨麻疹，风湿痹痛，疥疮。

茜草科 Rubiaceae 虎刺属 Damnacanthus

虎刺
Damnacanthus indicus Gaertn. f.

| 药 材 名 | 虎刺。

| 形态特征 | 具刺灌木，高 0.3 ～ 1 m。具肉质链珠状根。茎下部少分枝，上部密集多回二叉分枝，幼嫩枝密被短粗毛，有时具 4 棱，节上托叶腋常生 1 针状刺；刺长 0.4 ～ 2 cm。叶常大小叶对相间，大叶长 1 ～ 3 cm，宽 1 ～ 1.5 cm，小叶长可小于 0.4 cm，卵形、心形或圆形，先端锐尖，全缘，基部常歪斜，钝、圆、平截或心形；中脉在上面隆起，在下面凸出，侧脉极细，每边 3 ～ 4，上面光亮，无毛，下面仅脉处有疏短毛；叶柄长约 1 mm，被短柔毛；托叶生于叶柄间，初时 2 ～ 4 浅裂至深裂，后合生成三角形或戟形，易脱落。花两性，1 ～ 2 花生于叶腋，2 朵者花梗基部常合生，有时在顶部叶腋可 6 朵排成具

短总梗的聚伞花序；花梗长 1 ~ 8 mm，基部两侧各具苞片 1；苞片小，披针形或线形；花萼钟状，长约 3 mm，绿色或具紫红色斑纹，几无毛，裂片 4，常大小不一，三角形或钻形，长约 1 mm，宿存；花冠白色，管状漏斗形，长 0.9 ~ 1 cm，外面无毛，内面自喉部至冠管上部密被毛，檐部 4 裂，裂片椭圆形，长 3 ~ 5 mm；雄蕊 4，着生于冠管上部，花丝短，花药紫红色，内藏或稍外露；子房 4 室，每室具胚珠 1，花柱外露或有时内藏，顶部 3 ~ 5 裂。核果红色，近球形，直径 4 ~ 6 mm，具分核（1 ~）2 ~ 4。花期 3 ~ 5 月，果期冬季至翌年春季。

| 生境分布 | 生于山地和丘陵的疏林、密林下和石岩灌丛中。分布于湖北恩施、神农架，以及宜昌。

| 采收加工 | **全草或根**：全年均可采收，洗净，切碎，晒干。

| 功能主治 | 祛风利湿，活血消肿。用于痛风，风湿痹痛，痰饮咳嗽，肺痈，水肿，痞块，黄疸，经闭，疳积，荨麻疹，跌打损伤。

柳叶虎刺

Damnacanthus labordei (H. Lév.) H. S. Lo

| 药 材 名 | 小黄连、鹅嘴花根。

| 形态特征 | 无刺小灌木。高 0.4 ~ 2 m。根肉质，链珠状。枝具 4 棱角，黄色至淡棕色，无毛。叶薄纸质，干时淡黑色，披针形至披针状线形，长 5 ~ 21 cm，宽 0.6 ~ 2.1 cm，初时下面脉处有疏短毛，后变为两面无毛，先端渐尖，基部楔形或急尖，全缘或具波状细齿；中脉在下面凸出，在上面线状凸出，侧脉多数，通常超过 14 对，与中脉成直角或锐角，两面凸出，网脉两面不明显或在下面明显；叶柄长 3 ~ 6 mm，无毛；托叶生于叶柄间，初时上部 2 裂，后合生加厚成三角形，早落。花 1 ~ 2 对生于叶腋的短总梗上，有时 1 或 3，托叶叶腋常可生 1 ~ 2 花，顶生花（4 ~）6（~ 10），其中两侧托叶

叶腋各 1；苞片小，鳞片状；花梗长约 2 mm；花萼钟状，长约 1.5 mm，檐部近平截，具裂齿（3 ~）4，钝三角形，宿存；花冠管状漏斗形，革质，白色，长约 12 mm，外面近无毛，内面自冠管上部至喉部和冠檐裂片下部被柔毛，其余部分无毛，檐部具裂片 4，卵形；雄蕊 4，着生于冠管上部，花丝短，花药蕾时长圆形，开裂后近线形，长约 2 mm，内藏或顶部外露；子房 4 室，每室胚珠 1，着生于隔膜中部，花柱内藏或外伸，顶部 4 深裂，裂片披针形，开放时外卷。核果红色，近球形，直径约 8 mm；分核（1 ~）2 ~ 4，稍三棱形，具种子 1。花期 2 ~ 3 月，果期 9 ~ 12 月。

| **生境分布** | 生于海拔 800 ~ 1 800 m 的山地疏林或密林下及灌丛中。分布于湖北神农架，以及宜昌、恩施等。

| **采收加工** | **全草或根**：全年均可采收，洗净，切碎，晒干。

| **功能主治** | 祛风利湿，活血消肿。用于痛风，风湿痹痛，痰饮咳嗽，肺痛，水肿，痞块，黄疸，闭经，疳积，荨麻疹，跌打损伤。

茜草科 Rubiaceae 虎刺属 *Damnacanthus*

四川虎刺
Damnacanthus officinarum Huang

| 药 材 名 | 四川虎刺。

| 形态特征 | 无刺灌木，高 1 ~ 2.5 m。具链珠状肉质根。嫩枝略扁，后变圆柱状，无毛。叶革质，上部叶常呈椭圆形、长圆形或长圆状披针形，茎下部近地面叶常线形，长 5 ~ 13（~ 16）cm，宽 2 ~ 4（~ 6）cm，两面无毛，干后上面棕色或草黄色，下面草黄色或榄绿色，先端渐尖，基部楔形，全缘，具反卷线；中脉在下面脊状凸出，在上面线状凸出，侧脉 6 ~ 8 对，在近边缘处弯拱联结，上面平，下面稍凸起，网脉在两面均不可见；叶柄长约 5 mm；托叶生于叶柄间，三角形，早落。花通常 1 对，着生于叶腋和顶部叶腋的总梗上，有时可因其中 1 朵脱落而成单朵腋生，有时数花两两成对，排成短的聚

伞花序；苞片小，鳞片状；花梗长约 2 mm；花萼杯状，长 2 ~ 3 mm，顶波状，具阔三角形、短尖裂片 4，或平截，具短尖细齿 4；花冠（未盛开）淡绿色，长 10 ~ 12 mm，外面无毛，内面喉部密被柔毛，檐部 4 裂；雄蕊 4，着生于冠管中部，花药长圆形，长约 2.2 mm，背着，花丝长约 3 mm；子房 4 室，花柱内藏，顶部具裂条 4。核果红色，近球形，直径 6 ~ 7 mm；分核（2 ~ 3）~ 4，三棱形，内具种子 1。花期冬季至翌年春季，果期 10 ~ 12 月。

| **生境分布** | 生于海拔 700 ~ 900 m 的山地灌丛中或林下。分布于湖北恩施。

| **采收加工** | **根：** 春、秋季采挖根，洗净，除去须根，晒至六七成干，轻轻捶打，晒干。

| **功能主治** | 补肾壮阳，强筋骨。用于肾虚腰痛，阳痿，遗精，筋骨痿软，水肿等。

茜草科 Rubiaceae 香果树属 Emmenopterys

香果树

Emmenopterys henryi Oliv.

| 药 材 名 | 香果树。

| 形态特征 | 落叶大乔木，高达 30 m，胸径达 1 m。树皮灰褐色，鳞片状；小枝
有皮孔，粗壮，扩展。叶纸质或革质，阔椭圆形、阔卵形或卵状椭
圆形，长 6 ~ 30 cm，宽 3.5 ~ 14.5 cm，先端短尖或骤然渐尖，稀钝，
基部短尖或阔楔形，全缘，上面无毛或疏被糙伏毛，下面较苍白，
被柔毛或仅沿脉上被柔毛，或无毛而脉腋内常有簇毛；侧脉 5 ~ 9 对，
在下面凸起；叶柄长 2 ~ 8 cm，无毛或有柔毛；托叶大，三角状卵
形，早落。圆锥状聚伞花序顶生；花芳香，花梗长约 4 mm；萼管长
约 4 mm，裂片近圆形，具缘毛，脱落，变态的叶状萼裂片白色、淡
红色或淡黄色，纸质或革质，匙状卵形或广椭圆形，长 1.5 ~ 8 cm，

宽 1 ~ 6 cm，有纵平行脉数条，有长 1 ~ 3 cm 的柄；花冠漏斗形，白色或黄色，长 2 ~ 3 cm，被黄白色绒毛，裂片近圆形，长约 7 mm，宽约 6 mm；花丝被绒毛。蒴果长圆状卵形或近纺锤形，长 3 ~ 5 cm，直径 1 ~ 1.5 cm，无毛或有短柔毛，有纵细棱；种子多数，小而有阔翅。花期 6 ~ 8 月，果期 8 ~ 11 月。

| 生境分布 | 生于常绿阔叶林中，或常绿、落叶阔叶混交林内。分布于湖北巴东、兴山、神农架。

| 采收加工 | 全年均可采收，切片，晒干。

| 功能主治 | 温中和胃，降逆止呕。用于反胃，呕吐，呃逆。

茜草科 Rubiaceae 拉拉藤属 Galium

拉拉藤

Galium aparine L. var. *echinospermum* (Wallroth) Cuf.

| 药 材 名 | 拉拉藤。

| 形态特征 | 多枝、蔓生或攀缘状草本，通常高 30 ~ 90 cm。茎有 4 棱角；棱上、叶缘、叶脉上均有倒生的小刺毛。叶纸质或近膜质，6 ~ 8 轮生，稀为 4 ~ 5，带状倒披针形或长圆状倒披针形，长 1 ~ 5.5 cm，宽 1 ~ 7 mm，先端有针状凸尖头，基部渐狭，两面常有紧贴的刺状毛，常呈萎软状，干时常卷缩，具 1 脉，叶近无柄。聚伞花序腋生或顶生，少至多花，花小，4 数，有纤细的花梗；花萼被钩毛，萼檐近平截；花冠黄绿色或白色，辐状，裂片长圆形，长不及 1 mm，镊合状排列；子房被毛，花柱 2 裂至中部，柱头头状。果实干燥，有 1 或 2 近球状的分果爿，直径达 5.5 mm，肿胀，密被钩毛，果柄直，

长可达 2.5 cm，较粗，每一爿有 1 平凸的种子。花期 3 ~ 7 月，果期 4 ~ 11 月。

| **生境分布** | 生于海拔 20 ~ 3 100 m 的山坡、旷野、沟边、河滩、田中、林缘、草地。分布于湖北大部分地区。

| **采收加工** | 5 ~ 8 月采收，割下地上部分，或连根拔起全株，除去泥沙，晒干或鲜用。

| **功能主治** | 清湿热，散瘀，消肿，解毒。用于淋浊，尿血，跌打损伤，肠痈，疖肿，中耳炎。

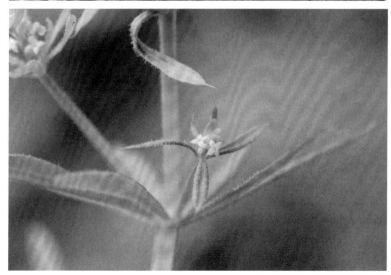

茜草科 Rubiaceae 拉拉藤属 Galium

猪殃殃
Galium aparine L. var. *tenerum* (Gren. et Godr.) Reichb.

| 药 材 名 | 猪殃殃。

| 形态特征 | 多枝、蔓生或攀缘状草本。茎4棱，棱上、叶缘及叶下面中脉上均有倒生的小刺毛。叶4～8轮生，近无柄，叶片条状倒披针形，长1～3 cm，先端有凸尖头。聚伞花序腋生或顶生，单生或2～3簇生，有黄绿色小花数朵；花瓣4，有纤细梗；花萼上有钩毛；花冠辐射状，裂片矩圆形，长不及1 mm。果实干燥，密被钩毛，每一果室有1平凸的种子。

| 生境分布 | 生于海拔20～3 100 m的山坡、旷野、沟边、河滩、田中、林缘、草地。分布于湖北大部分地区。

| **采收加工** | 5～8月采收，割下地上部分，或连根拔起全株，除去泥沙，晒干或鲜用。 |

| **功能主治** | 清湿热，散瘀，消肿，解毒。用于淋浊，尿血，跌打损伤，肠痈，疖肿，中耳炎。 |

六叶葎

Galium asperuloides Edgew. subsp. *hoffmeisteri* (Klotzsch) Hara

| **药材名** | 车叶葎。

| **形态特征** | 一年生草本。常直立，有时呈披散状，高 10 ~ 60 cm，近基部有分枝。根红色，丝状。茎直立，柔弱，具 4 角棱，具疏短毛或无毛。叶片薄，纸质或膜质，生于茎中部以上的叶常 6 轮生，生于茎下部的叶常 4 ~ 5 轮生，叶片长圆状倒卵形、倒披针形、卵形或椭圆形，长 1 ~ 3.2 cm，宽 4 ~ 13 mm，先端钝圆而具凸尖，稀短尖，基部渐狭或呈楔形，上面散生糙伏毛，常在近边缘处毛较密，下面有时散生糙伏毛；中脉上有倒向的刺或无，边缘有时有刺状毛，具 1 中脉，近无柄或有短柄。聚伞花序顶生和生于上部叶腋处，少花，2 ~ 3 次分枝，常广歧式叉开；总花梗长可达 6 cm，无毛；苞片常成对，小，披针形；

花小；花梗长 0.5 ～ 1.5 mm；花冠白色或黄绿色，裂片卵形，长约 1.3 mm，宽约 1 mm；雄蕊伸出；花柱顶部 2 裂，长约 0.7 mm。果爿近球形，单生或双生，密被钩状毛；果柄长达 1 cm。花期 4 ～ 8 月，果期 5 ～ 9 月。

| 生境分布 | 生于海拔 920 ～ 3 100 m 的山坡、沟边、河滩、草地的草丛中、灌丛中或林下。分布于湖北神农架，以及宜昌、恩施等。

| 采收加工 | 全草：夏、秋季花期采收，鲜用或晒干。

| 功能主治 | 清热，利尿，消瘀，解毒。用于淋病，小便不利，疟疾，腹泻，痢疾，肺结核，肺脓肿，肺炎，癞疮，痔疮，痈毒，瘰疬。

茜草科 Rubiaceae 拉拉藤属 Galium

四叶葎

Galium bungei Steud.

| **药 材 名** | 四叶葎。

| **形态特征** | 多年生丛生直立草本。高 5 ~ 50 cm，有红色丝状根；茎有 4 棱，不分枝或稍分枝，常无毛或节上有微毛。叶纸质，4 叶轮生，叶形变化较大，常在同一株内上部与下部的呈不同叶形，卵状长圆形、卵状披针形、披针状长圆形或线状披针形，长 0.6 ~ 3.4 cm，宽 2 ~ 6 mm，先端尖或稍钝，基部楔形，中脉和边缘常有刺状硬毛，有时两面亦有糙伏毛，具 1 脉，近无柄或有短柄。聚伞花序顶生和腋生，稠密或稍疏散，总花梗纤细，常 3 歧分枝，再形成圆锥状花序；花小；花梗纤细，长 1 ~ 7 mm；花冠黄绿色或白色，辐状，直径 1.4 ~ 2 mm，无毛，花冠裂片卵形或长圆形，长 0.6 ~ 1 mm。果爿近球状，直径 1 ~ 2 mm，通常双生，有小疣点、小鳞片或短钩毛，

稀无毛；果柄纤细，常比果实长，长可达 9 mm。花期 4 ～ 9 月，果期 5 ～ 7 月。

| 生境分布 |　生于海拔 50 ～ 2 520 m 的山地、丘陵、旷野、田间、沟边的林中、灌丛或草地。分布于湖北兴山、江夏，以及荆门等地。

| 采收加工 |　**全草**：夏、秋季花期采收，鲜用或晒干。

| 功能主治 |　清热解毒，利尿消肿。用于尿路感染，痢疾，咯血，赤白带下，疳积，痈肿疔毒，跌打损伤，毒蛇咬伤，脑脊髓膜炎，脓毒败血症，恶性肿瘤。

茜草科 Rubiaceae 拉拉藤属 Galium

狭叶四叶葎

Galium bungei Steud. var. *angustifolium* (Loesen.) Cuf.

| 药 材 名 | 狭叶四叶葎。

| 形态特征 | 多年生草本。高 30 ~ 50 cm。须根多数，红色。茎直立，丛生状，多分枝，四棱形，近无毛。4 叶轮生，线形或线状披针形，长 5 ~ 12 mm，宽 1.5 ~ 2.5 mm，先端急尖，基部钝，具 1 脉，边缘及下面脉上有刺毛；无叶柄。聚伞花序顶生或腋生，花疏生排列在细弱的总花梗上；花小，淡绿色，4 基数；花梗纤细。果瓣双生，密被鳞片。花期 5 ~ 9 月，果期 7 ~ 9 月。

| 生境分布 | 生于海拔 400 ~ 1 600 m 的山坡林下或路边草丛中。分布于湖北丹江口，以及宜昌、咸宁。

| **资源情况** | 野生资源较丰富，栽培资源一般。药材来源于野生和栽培。

| **采收加工** | **全草**：夏季花期采收，鲜用或晒干。

| **功能主治** | 清热解毒，利尿，止血，消食。用于痢疾，尿路感染，疳积，带下，咯血，毒蛇咬伤。

茜草科 Rubiaceae 拉拉藤属 Galium

小红参

Galium elegans Wall. ex Roxb.

| **药 材 名** | 小红参。

| **形态特征** | 多年生攀缘草本，长 1 ~ 2 m。根簇生、细长、肥厚、圆柱形而微弯，外皮红褐色。茎四棱形，棱上被毛。叶近革质，4 叶轮生；无柄或近无柄；叶片倒卵形，长 1.3 ~ 2 cm，宽 0.5 ~ 1.5 cm，先端锐尖，基部宽楔形，全缘有刺毛，下面色较淡，微粗糙，脉 3 出。聚伞花序顶生和腋生，总花梗及分枝均纤细；花小，5 数，绿黄色，直径约 0.3 cm，裂片狭卵形，先端尖锐，稍硬而内弯。浆果小，直径约 5 mm，黑色。花期夏季。

| **生境分布** | 生于海拔 650 ~ 3 100 m 的山地、溪边、旷野的林中、灌丛、草地或岩石上。湖北有栽培。

| **资源状况** | 野生资源稀少，栽培资源一般。

| **采收加工** | **根**：秋、冬季采挖，洗净泥沙，晒干或烘干。

| **功能主治** | 调经活血，祛瘀生新。用于月经不调，痛经，血虚经闭，肾虚腰痛。

茜草科 Rubiaceae 拉拉藤属 *Galium*

湖北拉拉藤 *Galium hupehense* Pamp.

| **药 材 名** | 湖北拉拉藤。

| **形态特征** | 多年生草本。根茎细弱，横走。茎直立，有棱，全部被毛，棱上

毛更为显著。叶 4 轮生，节间长 5 cm；叶有短柄或近无柄；叶片披针形，长
3 ~ 5 cm，宽 7 ~ 12 mm，先端渐尖，稍钝头，基出脉 3，上面脉被糙伏毛，
下面脉具柔毛。花序梗及小花梗三叉分枝，长约 6 cm，宽约 3 cm，被糙毛，小
花梗上具 3 花；总梗短，近无毛；花小，干后呈黄绿色，宽 2 mm，花冠裂片卵形，
先端急尖，反折；子房无毛。

| 生境分布 |　生于海拔 1 950 m 的山地。分布于湖北宜昌。

| 功能主治 |　清热解毒，消肿止痛。

茜草科 Rubiaceae 拉拉藤属 Galium

显脉拉拉藤 *Galium kinuta* Nakai et Hara

| 药 材 名 |

显脉拉拉藤。

| 形态特征 |

多年生草本。高 20 ~ 60 cm。茎直立，通常不分枝，有 4 角棱，通常无毛，在节上有短柔毛。叶较薄，纸质或薄纸质，4 轮生，披针形或卵状披针形至卵形，长 2 ~ 8 cm，宽 0.4 ~ 2 cm，先端渐尖或长渐尖，稀稍钝，基部钝圆至短尖，边缘不反卷，两面被极疏的糙伏毛或无毛，叶脉和边缘有向上的糙硬毛或疏短毛，稀近无毛，下面有时有棕色小条纹，脉 3，在两面稍凸起或在上面平整；叶柄长 1 ~ 2 mm 或近无。圆锥花序式聚伞花序，通常顶生，长达 25 cm，宽达 15 cm，多花而疏；总花梗纤细，无毛；苞片线形或卵形；花直径 2 ~ 2.5 mm；花梗纤细，长 2 ~ 3 mm；花冠白色或紫红色，裂片 4，卵形，先端渐尖，具 3 脉，无毛；雄蕊 4，短，着生于花冠喉部；花柱 2 裂至基部，短，柱头头状，子房球形，无毛。果实无毛，直径 2.5 mm；果爿近球形，双生或单生；果柄纤细。花期 6 ~ 7 月，果期 8 ~ 9 月。

| 生境分布 | 生于海拔 550 ~ 2 100 m 的山坡林下、水旁岩石上、空旷草地。湖北有分布。

| 功能主治 | 清热解毒，消肿止痛，利尿，散瘀。用于淋浊，尿血，跌打损伤，肠痈，疖肿，中耳炎等。

茜草科 Rubiaceae 拉拉藤属 Galium

车轴草
Galium odoratum (L.) Scop.

| 药 材 名 |　车轴草。

| 形态特征 |　多年生草本。高 10 ~ 60 cm。茎直立，少分枝，具 4 角棱，无毛，仅在节上具 1 环白色刚毛。叶纸质，6 ~ 10 轮生，倒披针形、长圆状披针形或狭椭圆形，长 1.5 ~ 6.5 cm，宽 4.5 ~ 17 mm，在下部的叶较小，长 6 ~ 15 mm，宽 3 ~ 5 mm，先端短尖、渐尖或钝而有短尖头，基部渐狭，沿边缘或下面沿脉具短而向上的刚毛，或在两面被稀薄紧贴的刚毛，具 1 脉，具极短的柄或无柄。伞房花序式聚伞花序顶生，长达 9 cm；花序基部具 4 ~ 6 苞片，苞片在分枝处常成对，最小的苞片长 1.5 ~ 2 mm，披针形；花直径 3 ~ 7 mm；花梗长 2 ~ 3 mm，与总花梗均无毛；花冠白色或蓝白色，短漏斗状，长

约 4.5 mm，花冠裂片 4，长圆形，长 2.5 mm，比花冠管长；雄蕊 4，具短的花丝；花柱短，2 深裂，柱头球形。果爿双生或单生，球形，直径约 2 mm，密被钩状毛；果柄长约 4 mm。花果期 6 ～ 9 月。

| 生境分布 | 生于海拔 1 580 ～ 2 800 m 的山地林中或灌丛中。湖北有分布。

| 功能主治 | 止咳平喘。

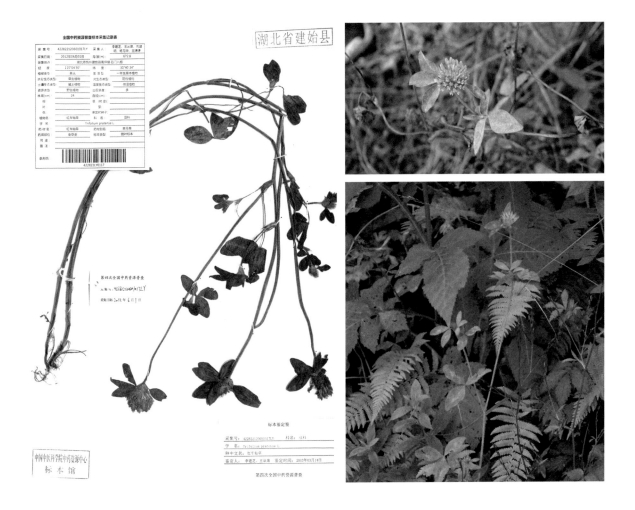

茜草科 Rubiaceae 拉拉藤属 Galium

林猪殃殃 *Galium paradoxum* Maxim.

| 药 材 名 |

林猪殃殃。

| 形 态 特 征 |

多年生矮小草本，高 4 ～ 25 cm。有红色丝状根。茎柔弱，直立，通常不分枝，无毛或有粉状微柔毛。叶膜质，4 轮生，极稀为 5，其中 2 叶较大，其余小的叶常缩小成托叶状，在茎下部有时 2 叶，卵形或近圆形至卵状披针形，长 0.7 ～ 3 cm，宽 0.5 ～ 2.3 cm，先端短尖，稍渐尖或钝圆而有小凸尖，基部钝圆而急剧下延成柄，两面有倒伏的刺状硬毛，常近边缘较密，边上有小刺毛，羽状脉，中脉明显，侧脉通常 2 对，纤细而疏散，不很明显；叶柄长短不一，在下部的叶柄最长，约与叶片近等长，至上部渐短，最上部的长 2 ～ 3 mm，通常无毛。聚伞花序顶生和生于上部叶腋，常三叉分枝，分枝常叉开，少花，每一分枝有 1 ～ 2 花；花小；花梗长 1 ～ 3 mm，无毛；花萼密被黄棕色钩毛；花冠白色，辐状，直径 2.5 ～ 3 mm，裂片卵形，稍钝，长约 1.3 mm，宽约 1 mm；花柱长约 0.7 mm，先端 2 裂。果爿单生或双生，近球形，直径 1.5 ～ 2 mm，密被黄棕色钩毛；果柄长 1.5 ～ 8 mm。花期 5 ～ 8 月，

果期 6 ~ 9 月。

| **生境分布** | 生于海拔 1 280 ~ 3 100 m 的山谷阴湿地、水边、林下、草地。湖北有分布。

| **采收加工** | 夏、秋季采收，鲜用或晒干。

| **功能主治** | 清热解毒，利尿，止血，消食。用于小便涩痛，热淋，消化不良，积食，疮痈肿毒，跌打损伤，无名肿毒等。

茜草科 Rubiaceae 拉拉藤属 Galium

麦仁珠

Galium tricorne Stokes

| 药 材 名 | 麦仁珠。

| 形态特征 | 一年生草本，高 5 ~ 80 cm，茎具 4 角棱，棱上有倒生的刺，少分枝。叶坚纸质，6 ~ 8 轮生，带状倒披针形，长 1 ~ 3.2 cm，宽 2 ~ 6 mm，先端锐尖，基部渐狭，常呈萎软状，干时常卷缩，两面无毛，在下面中脉和边缘均有倒生的小刺，具 1 脉，在下面凸起，叶无柄。聚伞花序腋生，总花梗长或短于叶，稍粗壮，有倒生的小刺，通常具 3 ~ 5 花，常向下弯；花小，4 数；花梗长 3 ~ 7 cm，在花后较粗壮，具倒生的小刺，弓形下弯；花冠白色，辐状，直径 1 ~ 1.5 mm，花冠裂片卵形；雄蕊伸出，花丝短；花柱 2，柱头头状。分果爿近球形，单生或双生，直径 2 ~ 2.5 mm，有小瘤状突起，果柄较粗壮，弓形

下弯。花期 4 ~ 6 月，果期 5 月至翌年 3 月。

| **生境分布** | 生于海拔 450 ～ 3 100 m 的山坡草地、旷野、河滩、沟边。分布于湖北来凤、宣恩、咸丰、鹤峰、利川、建始、巴东、神农架、天门，以及武汉。

| **采收加工** | **全草**：夏、秋季采收，鲜用或晒干。

| **功能主治** | 清热解毒，利尿消肿，散瘀止血。用于疗疮疖肿毒，热毒痢，发热，水肿，小便不利，痛经，崩漏，跌打肿痛，便血，尿血，牙龈出血。

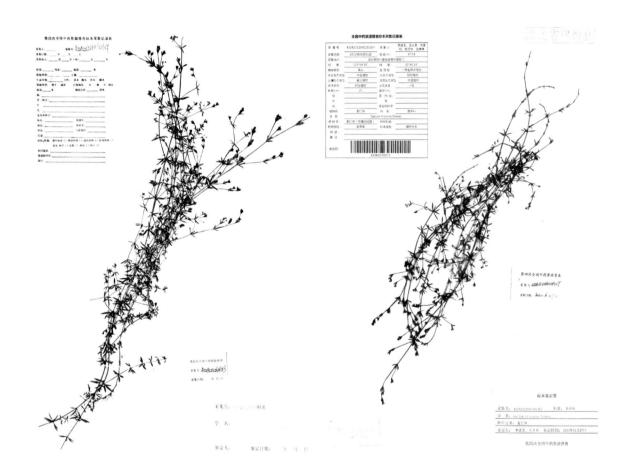

茜草科 Rubiaceae 拉拉藤属 Galium

小叶猪殃殃 *Galium trifidum* L.

| 药 材 名 | 小叶猪殃殃。

| 形态特征 | 多年生丛生草本，高 15 ~ 50 cm。茎纤细，具 4 角棱，多分枝，常
交错纠结，近无毛。叶小，纸质，通常 4 或有时 5 ~ 6 轮生，倒披
针形，有时狭椭圆形，长 3 ~ 14 mm，宽 1 ~ 4 mm，先端圆或钝，
很少近短尖，基部渐狭，无毛或近无毛，有时在边缘有极微小的倒
生刺毛，具 1 脉，叶近无柄。聚伞花序腋生和顶生，不分枝或少分枝，
通常长 1 ~ 2 cm，有时长达 3.5 cm，通常有花 3 或 4；总花梗纤细；
花小，直径约 2 mm；花梗纤细，长 1 ~ 8 mm；花冠白色，辐状，
花冠裂片 3，稀 4 片，卵形，长约 1 mm，宽约 0.8 mm；雄蕊通常 3；
花柱长约 0.5 mm，顶部 2 裂。果小，果爿近球状，双生或有时单生，

直径 1 ~ 2.5 mm，干时黑色，光滑无毛；果柄纤细而稍长，长 2 ~ 10 mm。花果期 3 ~ 8 月。

| 生境分布 | 生于海拔 300 ~ 2 540 m 的旷野、沟边、山地林下、草坡、灌丛、沼泽地。分布于湖北南部。

| 采收加工 | **全草**：秋季采收，鲜用或晒干。

| 功能主治 | 清热解毒，活血化瘀。热解毒，通经活络，利尿消肿，安胎，抗肿瘤。用于胃痛，贫血，流产，恶性肿瘤，痈疮，跌打损伤。

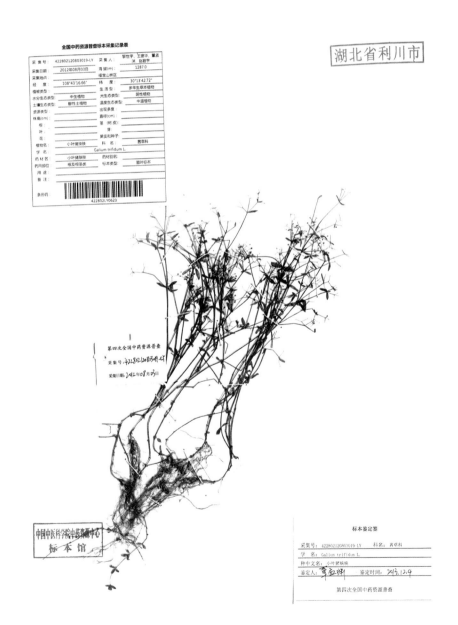

茜草科 Rubiaceae 拉拉藤属 *Galium*

蓬子菜
Galium verum L.

| 药 材 名 | 蓬子菜。

| 形态特征 | 多年生近直立草本。基部稍木质，高 25 ～ 45 cm。茎有 4 角棱，被
短柔毛或秕糠状毛。叶纸质，6 ～ 10 轮生，线形，通常长 1.5 ～ 3 cm，
宽 1 ～ 1.5 mm，先端短尖，边缘极反卷，常卷成管状，上面无毛，
稍有光泽，下面有短柔毛，稍苍白，干时常变为黑色，具 1 脉，无柄。
聚伞花序顶生和腋生，较大，多花，通常在枝顶部结成带叶的长可
达 15 cm、宽可达 12 cm 的圆锥状花序；总花梗密被短柔毛；花小，
稠密；花梗有疏短柔毛或无毛，长 1 ～ 2.5 mm；萼管无毛；花冠黄色，
辐状，无毛，直径约 3 mm，花冠裂片卵形或长圆形，先端稍钝，长
约 1.5 mm；花药黄色，花丝长约 0.6 mm；花柱长约 0.7 mm，顶部 2

裂。果实小；果片双生，近球状，直径约 2 mm，无毛。花期 4 ~ 8 月，果期 5 ~ 10 月。

| **生境分布** | 生于海拔 40 ~ 3 100 m 的山地、河滩、旷野、沟边、草地、灌丛中或林下。分布于湖北襄阳及郧阳等。

| **采收加工** | 夏、秋季采收全草，秋季采挖根，洗净，切碎，鲜用或晒干。

| **功能主治** | 清热解毒，活血通经，祛风止痒。用于肝炎，腹水，咽喉肿痛，疮疖肿毒，跌打损伤，闭经，带下，毒蛇咬伤，荨麻疹，稻田性皮炎。

栀子
Gardenia jasminoides Ellis

| 药 材 名 | 栀子。

| 形态特征 | 灌木。高达 3 m。叶对生或 3 轮生，长圆状披针形、倒卵状长圆形、倒卵形或椭圆形，长 3 ~ 25 cm，宽 1.5 ~ 8 cm，先端渐尖或短尖，基部楔形，两面无毛，侧脉 8 ~ 15 对；叶柄长 0.2 ~ 1 cm；托叶膜质，基部合生成鞘。花芳香，单朵生于枝顶，萼筒宿存；花冠白色或乳黄色，高脚碟状。果实卵形、近球形、椭圆形或长圆形，黄色或橙红色，长 1.5 ~ 7 cm，直径 1.2 ~ 2 cm，有翅状纵棱 5 ~ 9，宿存萼裂片长达 4 cm，宽 6 mm；种子多数，近圆形。

| 生境分布 | 生于海拔 200 ~ 300 m 的山坡或林缘。分布于湖北利川、巴东、赤壁、罗田、鹤峰等。湖北利川、巴东、来凤、鹤峰、长阳、宜恩、赤壁、

通山、崇阳、罗田及武汉等有栽培。

| 采收加工 | **成熟果实:** 9 ～ 11 月果实成熟呈红黄色时采收,除去果柄和杂质,蒸至上气或置沸水中略烫,取出,干燥。

| 功能主治 | 泻火除烦,清热利尿,凉血解毒。用于热病心烦,黄疸尿赤,血淋涩痛,血热吐衄,目赤肿痛,火毒疮疡;外用于扭挫伤痛。

茜草科 Rubiaceae 栀子属 *Gardenia*

白蟾

Gardenia jasminoides Ellis var. *fortuniana* (Lindl.) Hara

| **药 材 名** | 白蟾。

| **形态特征** | 灌木，高 0.3 ~ 3 m。嫩枝常被短毛，枝圆柱形，灰色。叶对生，革质，稀为纸质，少为 3 叶轮生，叶形多样，通常为长圆状披针形、倒卵状长圆形、倒卵形或椭圆形，长 3 ~ 25 cm，宽 1.5 ~ 8 cm，先端渐尖、骤然长渐尖或短尖而钝，基部楔形或短尖；叶柄长 0.2 ~ 1 cm，托叶膜质。花芳香，重瓣，通常单生于枝顶，花梗长 3 ~ 5 mm；萼管倒圆锥形或卵形，长 8 ~ 25 mm，有纵棱，萼檐管形，膨大，顶部 5 ~ 8 裂，通常 6 裂，裂片披针形或线状披针形，长 10 ~ 30 mm，宽 1 ~ 4 mm，结果时增长，宿存；花冠白色或乳黄色，高脚碟状，喉部有疏柔毛，冠管狭圆筒形，长 3 ~ 5 cm，宽 4 ~ 6 mm；花丝

极短，花药线形，长 1.5 ～ 2.2 cm，伸出；花柱粗厚，长约 4.5 cm，柱头纺锤形，伸出，长 1 ～ 1.5 cm，宽 3 ～ 7 mm；子房直径约 3 mm，黄色，平滑。果实卵形、近球形、椭圆形或长圆形，黄色或橙红色，长 1.5 ～ 7 cm，直径 1.2 ～ 2 cm，有翅状纵棱 5 ～ 9，顶部的宿存萼片长达 4 cm，宽达 6 mm；种子多数，扁，近圆形而稍有棱角，长约 3.5 mm，宽约 3 mm。花期 3 ～ 7 月，果期 5 月至翌年 2 月。

| 生境分布 | 生于阔叶林中、路边阴湿地、山谷林下、山坡、山坡灌丛、溪边。湖北有分布。

| 采收加工 | 果实、花：除去果柄及杂质，蒸至上汽或置沸水中略烫，取出，干燥，碾碎。

| 功能主治 | 果实：清热解毒，凉血，止血。
花：用于产后子宫收缩疼痛。

大黄栀子 *Gardenia sootepensis* Hutch.

| **药 材 名** | 大黄栀子。

| **形态特征** | 直立或攀缘状灌木。老枝四棱柱形，棕褐色；小枝近圆柱形，密被灰棕色长柔毛。叶对生，长圆形至卵形，长 12 ~ 14 cm，宽 8 ~ 9 cm，先端短尖，基部楔形，两面被疏散贴伏柔毛，脉上毛更密；叶柄极短或近无柄；托叶大，卵形，短尖，长约 1 cm，2 浅裂，密被棕色柔毛。聚伞花序；总花梗短；苞片大，长约 1 cm，2 ~ 3 深裂，裂片披针形，渐尖，密被长柔毛；花大，橙黄色，近无梗；花萼管钟形，长 3 mm，密被棕色柔毛，萼裂片近叶状，披针形，密被棕色柔毛，长 1 ~ 1.5 cm；花叶宽卵形或菱形，渐尖，薄膜质，白色，长 5 ~ 12 cm，有 7 纵脉，花叶叶柄长 3.7 cm，略被长柔毛；花冠管淡

绿色，长 1.7 cm，中部以上略膨大，密被柔毛，花冠裂片卵形，长 7 mm，渐尖，有硬尖头，外面疏被长柔毛，内面有稠密的黄色疣突，喉部有稠密的淡黄色棒状毛；雄蕊内藏；花柱内藏，柱头 2，线形。浆果深紫色，椭圆形，长 1 ~ 1.5 cm，被短柔毛。花期 6 ~ 7 月，果期 8 ~ 11 月。

| **生境分布** | 生于海拔 700 ~ 1 600 m 的山坡、村边或溪边林中。湖北有分布。

| **功能主治** | 清热解毒，止血，泻火，消肿，舒筋活血。用于充血性炎症，目赤热痛，吐血，衄血，血痢；外用于跌打损伤，痈疮肿毒。

茜草科 Rubiaceae 栀子属 Gardenia

狭叶栀子

Gardenia stenophylla Merr.

| 药 材 名 | 小果栀子。

| 形态特征 | 灌木。高 0.5 ~ 3 m。小枝纤弱。叶薄革质，狭披针形或线状披针形，长 3 ~ 12 cm，宽 0.4 ~ 2.3 cm，先端渐尖而尖端常钝，基部渐狭，常下延，两面无毛；侧脉纤细，9 ~ 13 对，在下面略明显；叶柄长 1 ~ 5 mm；托叶膜质，长 7 ~ 10 mm，脱落。花单生于叶腋或小枝顶部，芳香，盛开时直径 4 ~ 5 cm，具长约 5 mm 的花梗；萼管倒圆锥形，长约 1 cm，萼檐管形，顶部 5 ~ 8 裂，裂片狭披针形，长 1 ~ 2 cm，果时增长；花冠白色，高脚碟状，花冠管长 3.5 ~ 6.5 cm，宽 3 ~ 4 mm，顶部 5 ~ 8 裂，裂片盛开时外反，长圆状倒卵形，长 2.5 ~ 3.5 cm，宽 1 ~ 1.5 cm，先端钝；花丝短，花药线形，伸出，

长约 1.5 cm；花柱长 3.5 ~ 4 cm，柱头棒形，顶部膨大，长约 1.2 cm，伸出。果实长圆形，长 1.5 ~ 2.5 cm，直径 1 ~ 1.3 cm，有纵棱或棱不明显，成熟时黄色或橙红色，顶部有增大的宿存萼裂片。花期 4 ~ 8 月，果期 5 月至翌年 1 月。

| **生境分布** | 生于海拔 90 ~ 800 m 的山谷、溪边林中、岩石上、灌丛中或旷野河边。湖北有分布。

| **功能主治** | 清热利湿，凉血解毒。用于黄疸，感冒发热，吐血，衄血，尿血，肾炎性水肿，疖肿痈疽，烫火伤，跌打损伤。

茜草科 Rubiaceae 耳草属 Hedyotis

耳草
Hedyotis auricularia L.

| 药 材 名 | 耳草。

| 形态特征 | 多年生近直立或平卧的粗壮草本。高 30 ～ 100 cm。小枝被短硬毛，稀无毛，幼时近方柱形，老时呈圆柱形，通常节上生根。叶对生，近革质，披针形或椭圆形，长 3 ～ 8 cm，宽 1 ～ 2.5 cm，先端短尖或渐尖，基部楔形或微下延，上面平滑或粗糙，下面常被粉末状短毛；侧脉每边 4 ～ 6，与中脉成锐角斜向上伸；叶柄长 2 ～ 7 mm 或更短；托叶膜质，被毛，合生成 1 短鞘，顶部 5 ～ 7 裂，裂片线形或刚毛状。聚伞花序腋生，密集成头状；无总花梗；苞片披针形，微小；具长 1 mm 的花梗或无梗；萼管长约 1 mm，通常被毛，萼檐裂片 4，披针形，长 1 ～ 1.2 mm，被毛；花冠白色，花冠管长

1 ~ 1.5 mm，外面无毛，内面仅喉部被毛，花冠裂片4，长1.5 ~ 2 mm，广展；雄蕊生于花冠管喉部，花丝极短，花药突出，长圆形，比花丝稍短；花柱长1 mm，被毛，柱头2裂，裂片棒状，被毛。果实球形，直径1.2 ~ 1.5 mm，疏被短硬毛或近无毛，成熟时不开裂，宿存萼檐裂片长0.5 ~ 1 mm；种子每室2 ~ 6，种皮干后黑色，有小窝孔。花期3 ~ 8月。

| 生境分布 |　生于林缘、灌丛中、草地上。湖北有分布。

| 功能主治 |　清热解毒。

茜草科 Rubiaceae 耳草属 Hedyotis

金毛耳草

Hedyotis chrysotricha (Palib.) Merr.

| 药 材 名 | 金毛耳草。

| 形态特征 | 多年生披散草本，高约 30 cm。基部木质，被金黄色硬毛。叶对生，具短柄，薄纸质，阔披针形、椭圆形或卵形，长 20 ~ 28 mm，宽 10 ~ 12 mm，先端短尖或凸尖，基部楔形或阔楔形，上面疏被短硬毛，下面被浓密黄色绒毛，脉上被毛更密；侧脉每边 2 ~ 3，极纤细，仅在下面明显；叶柄长 1 ~ 3 mm；托叶短合生，上部长渐尖，边缘具疏小齿，被疏柔毛。聚伞花序腋生，有花 1 ~ 3，被金黄色疏柔毛，近无梗；花萼被柔毛，萼管近球形，长约 13 mm，萼檐裂片披针形，比萼管长；花冠白色或紫色，漏斗形，长 5 ~ 6 mm，外面被疏柔毛或近无毛，里面有髯毛，上部深裂，裂片线状长圆形，先端

渐尖，与冠管等长或略短于冠管；雄蕊内藏，花丝极短或缺；花柱中部有髯毛，柱头棒形，2裂。果实近球形，直径约2 mm，被扩展硬毛，宿存萼檐裂片长1～1.5 mm，成熟时不开裂，内有种子数粒。花期几乎全年。

| 生境分布 | 生于山谷杂木林下或山坡灌丛中。分布于湖北通城、通山。

| 采收加工 | **全草**：夏、秋季茎叶茂盛时采收，除去杂质，洗净，切段，干燥。

| 功能主治 | 清热利湿，消肿解毒，舒筋活血。用于外感风热，吐泻，痢疾，黄疸，急性肾炎，中耳炎，咽喉肿痛，小便淋痛，血崩，便血；外用于蛇虫咬伤，跌打损伤，外伤出血，疔疮肿毒，骨折，刀伤。

伞房花耳草 Hedyotis corymbosa (L.) Lam.

| 药 材 名 | 伞房花耳草。

| 形态特征 | 一年生柔弱披散草本，高 10 ～ 40 cm。茎和枝方柱形，无毛或棱上疏被短柔毛，分枝多，直立或蔓生。叶对生，近无柄，膜质，线形，罕有狭披针形，长 1 ～ 2 cm，宽 1 ～ 3 mm，先端短尖，基部楔形，干时边缘背卷。花序腋生，伞房花序式排列，有花 2 ～ 4，罕有退化为单花，具纤细如丝、长 5 ～ 10 mm 的总花梗；苞片微小，钻形，长 1 ～ 1.2 mm；花 4 数，有纤细、长 2 ～ 5 mm 的花梗；萼管球形，被极稀疏柔毛，基部稍狭，直径 1 ～ 1.2 mm，萼檐裂片狭三角形，长约 1 mm，具缘毛；花冠白色或粉红色，管形，长 2.2 ～ 2.5 mm，喉部无毛，花冠裂片长圆形，短于冠管；雄蕊生于冠管内，花丝极短，

花药内藏，长圆形，长 0.6 mm，两端平截；花柱长 1.3 mm，中部被疏毛，柱头 2 裂，裂片略阔，粗糙。蒴果膜质，球形，直径 1.2 ~ 1.8 mm，有不明显纵棱数条，顶部平，宿存萼檐裂片长 1 ~ 1.2 mm，成熟时顶部室背开裂；种子每室 10 以上，有棱，种皮平滑，干后深褐色。花果期几乎全年。

| **生境分布** | 生于沟边草丛、河边、开阔地、林缘草甸、路边、山坡、田边。分布于湖北松滋。

| **资源状况** | 野生资源较少。

| **采收加工** | **全草**：除去杂质，喷潮，略润，切长段，干燥，筛去灰屑。

| **功能主治** | 清热解毒。用于疟疾，肠痈，肿毒，烫伤。

茜草科 Rubiaceae 耳草属 Hedyotis

白花蛇舌草

Hedyotis diffusa Willd.

| **药 材 名** | 白花蛇舌草。

| **形态特征** | 一年生草本，高 15 ~ 50 cm。茎纤弱，略带方形或圆柱形，秃净无毛。叶对生，具短柄或无柄；叶片线形至线状披针形，长 1 ~ 3.5 cm，宽 1 ~ 3 mm，革质；托叶膜质，基部合生成鞘状，长 1 ~ 2 mm，先端有细齿。花单生或 2 生于叶腋，无柄或近无柄；花萼筒状，4 裂，裂片边缘具短刺毛；花冠漏斗形，长约 3 mm，纯白色，先端 4 深裂，秃净；雄蕊 4；子房 2 室，柱头 2 浅裂，呈半球状。蒴果扁球形，直径 2 ~ 3 mm，室背开裂，花萼宿存；种子棕黄色，极细小。花期 7 ~ 9 月，果期 8 ~ 10 月。

| **生境分布** | 生于海拔 800 m 的山地岩石上、水田、田埂和湿润的空旷地。分布

于湖北罗田、英山、黄梅、通城，以及武汉。

| **资源状况** | 由于用量大，野生资源逐年减少。

| **采收加工** | **全草**：9 ~ 10 月果实成熟后，割取地上茎叶，除去杂质和泥土，晒至半干时，捆成小把，继续晒至全干。

| **功能主治** | 清热解毒，利湿。用于肺热喘咳，咽喉肿痛，肠痛，疖肿疮疡，毒蛇咬伤，热淋涩痛，水肿，痢疾，湿热黄疸，恶性肿瘤。

茜草科 Rubiaceae 耳草属 Hedyotis

牛白藤

Hedyotis hedyotidea (DC.) Merr.

| 药 材 名 | 牛白藤。

| 形态特征 | 粗壮藤状灌木。高 3 ~ 5 m，触之粗糙。幼枝四棱形，密被粉末状柔毛。叶对生；叶柄长 3 ~ 10 mm；托叶长 4 ~ 6 mm，有 4 ~ 6 刺毛；叶片卵形或卵状披针形，长 4 ~ 10 cm，宽 2.5 ~ 4 cm，先端渐尖，基部阔楔形，上面粗糙，下面被柔毛，全缘，膜质。花序球形，腋生或顶生；总花梗长 1.5 ~ 2.5 cm；花细小，白色，具短梗；萼筒陀螺状，裂片 4，线状披针形；花冠长 1.5 cm，裂片披针形，长 4 ~ 4.5 mm，外反；雄蕊二型，伸出或内藏。蒴果近球形，直径约 2 mm，先端极隆起，有宿存萼裂片，开裂。花期秋季。

| 生境分布 | 生于山谷、坡地、林下、灌丛中。湖北有分布。

| **资源情况** | 野生资源稀少。

| **采收加工** | **根、藤、叶：** 全年均可采收，鲜用或切段晒干。

| **功能主治** | 清热解毒。用于风热感冒，肺热咳嗽，中暑高热，肠炎，湿疹，带状疱疹，痈疮肿毒。

茜草科 Rubiaceae 耳草属 Hedyotis

纤花耳草
Hedyotis tenelliflora Blume

| 药 材 名 |　纤花耳草。

| 形态特征 |　柔弱披散多分枝草本，高 15 ~ 40 cm。全株无毛。枝的上部方柱形，
有 4 锐棱，下部圆柱形。叶对生，无柄，薄革质，线形或线状披针形，
长 2 ~ 5 cm，宽 2 ~ 4 mm，先端短尖或渐尖，基部楔形，微下延，
边缘干后反卷，上面变黑色，密被圆形、透明的小鳞片，下面光滑，
颜色较淡；中脉在上面压入，侧脉不明显；托叶长 3 ~ 6 mm，基部
合生，略被毛，顶部撕裂，裂片刚毛状。花无梗，1 ~ 3 花簇生于
叶腋内，有针形、长约 1 mm、边缘有小齿的苞片；萼管倒卵状，长
约 1 mm，萼檐裂片 4，线状披针形，长约 1.8 mm，具缘毛；花冠白色，
漏斗形，长 3 ~ 3.5 mm，冠管长约 2 mm，裂片长圆形，长 1 ~ 1.5 mm，

先端钝；雄蕊着生于冠管喉部，花丝长约 1.5 mm，花药伸出，长圆形，两端钝，比花丝略短；花柱长约 4 mm，柱头 2 裂，裂片极短。蒴果卵形或近球形，长 2～2.5 mm，直径 1.5～2 mm，宿存萼檐裂片仅长 1 mm，成熟时仅顶部开裂；种子每室多数，微小。花期 4～11 月。

| 生境分布 | 生于山谷两旁坡地或田埂上。分布于湖北恩施。

| 资源状况 | 野生资源丰富，栽培资源较少。

| 采收加工 | **全草**：夏、秋季采挖，洗净，鲜用或晒干。

| 功能主治 | 清热解毒，消肿止痛。用于恶性肿瘤，阑尾炎，痢疾；外用于跌打损伤，蛇咬伤。

茜草科 Rubiaceae 耳草属 Hedyotis

长节耳草

Hedyotis uncinella Hook. et Arn.

| 药 材 名 | 长节耳草。

| 形态特征 | 多年生直立草本。植株除花冠喉部和萼檐裂片外，全部无毛。茎通常单生，粗壮，呈四棱柱形，节间距离长。叶对生，纸质，具柄或近无柄，卵状长圆形或长圆状披针形，长 3.5 ~ 7.5 cm，宽 1 ~ 3 cm，先端渐尖，基部渐狭或下延；侧脉每边 4 ~ 5，纤细，与中脉成锐角向上斜伸，小脉不明显；托叶三角形，长 12 mm，基部合生，边缘有疏长齿或深裂。花序顶生和腋生，密集成头状，直径 12 ~ 15 mm；无总花梗；花 4 基数，具极短的梗或无梗；萼管近球形，长约 3 mm，萼檐裂片长圆状披针形，长约 3 mm，先端钝，具小缘毛或无毛；花冠白色或紫色，长约 5 mm，花冠管长约 3 mm，喉部

被绒毛，花冠裂片长圆状披针形，比花冠管短，先端近短尖；雄蕊生于花冠管喉部，花丝极短，花药内藏，线形，长约 3 mm，两端平截；花柱长 2 mm，柱头 2 裂，裂片近椭圆形，粗糙。蒴果阔卵形，长 2 mm，直径 1.8 ~ 2 mm，顶部平，宿存萼檐裂片长 3 mm，成熟时开裂为 2 果爿，果爿腹部直裂；种子数粒，具棱，浅褐色。花期 4 ~ 6 月。

| 生境分布 | 生于干旱旷地上。湖北有分布。

| 功能主治 | 祛风，散寒，除湿。用于风湿关节疼痛。

茜草科 Rubiaceae 耳草属 Hedyotis

粗叶耳草

Hedyotis verticillata (L.) Lam.

| 药 材 名 | 粗叶耳草。

| 形态特征 | 一年生披散草本。高 25 ~ 30 cm。枝常平卧，上部方柱形，下部近圆柱形，密被或疏被短硬毛。叶对生，具短柄或无柄，纸质或薄革质，椭圆形或披针形，长 2.5 ~ 5 cm，宽 6 ~ 20 mm，先端短尖或渐尖，基部楔形或钝，两面均被短硬毛，触之刺手，干后边缘反卷；无侧脉，仅具 1 中脉，中脉在上面压入；托叶略被毛，基部与叶柄合生成鞘，顶部分裂成数条刺毛，刺毛长 3 ~ 4 mm。团伞花序腋生；无总花梗；苞片披针形，长 3 ~ 4 mm；无花梗；萼管倒圆锥形，长约 1 mm，被硬毛，萼檐裂片 4，披针形，长 1 ~ 1.5 mm；花冠白色，近漏斗形，除花冠裂片先端有髯毛外，余均无毛，花冠长 3.8 ~ 4 mm，花

冠管长约 2 mm，顶部 4 裂，裂片披针形，长 1.8 ～ 2 mm；雄蕊生于花冠管喉部，花丝长约 2 mm，花药伸出，长圆形，两端钝，长仅 1 mm；花柱长 4 ～ 4.5 mm，先端膨大，头状，粗糙。蒴果卵形，长 1.5 ～ 2.5 mm，直径 1.5 ～ 2 mm，被硬毛，成熟时仅顶部开裂，宿存萼檐裂片长 1.5 ～ 2.5 mm；种子每室多数，具棱，干时浅褐色。花期 3 ～ 11 月。

| **生境分布** | 生于低海拔至中海拔的丘陵地带的草丛、路旁或疏林下。湖北有分布。

| **功能主治** | 清热解毒，消肿止痛。用于小儿麻痹症，风湿痹痛，感冒发热，咽喉痛，胃肠炎，蛇虫咬伤，疔疮疖肿。

茜草科 Rubiaceae 野丁香属 Leptodermis

野丁香 *Leptodermis potanini* Batal.

| 药 材 名 | 野丁香。

| 形态特征 | 多年生灌木。茎直立，高 2 ~ 4 m。叶对生，长倒卵形或长椭圆形，长 7 ~ 17 cm，宽 1.5 ~ 5.5 cm，先端渐尖，基部楔形，全缘或略波状，上面绿色，无毛，下面粉绿色，仅中脉有伏贴柔毛。顶生伞房花序状圆锥花序，花白色至玫瑰红色；花萼杯状，缘 5 裂，裂片倒披针形，长约 1.3 cm，似叶状；花冠高脚碟状，5 裂，裂片广展，直径约 3 cm，花冠管长 3 cm；雄蕊 5；子房下位，2 室。蒴果卵形，长约 2 cm，木质，先端宿存杯状花盘；种子有翅。花期 5 ~ 7 月。

| 生境分布 | 生于海拔 500 ～ 3 100 m 的山坡较阴湿的杂木林中。分布于湖北宜昌。

| 采收加工 | 叶、花、果、根：5 月花未开放时采收，阴干。

| 功能主治 | 温胃止呕。用于呕逆，呕吐。

巴戟天
Morinda officinalis How

| 药 材 名 |

巴戟天。

| 形态特征 |

藤本。嫩枝被长短不一的粗毛,后脱落变粗糙;老枝无毛,具棱,棕色或蓝黑色。叶薄或稍厚,纸质,干后棕色,长圆形、卵状长圆形或倒卵状长圆形,长 6 ~ 13 cm,宽3 ~ 6 cm,先端急尖或具小短尖,基部钝、圆或楔形,全缘,有时具稀疏短缘毛,上面初时被稀疏、紧贴的长粗毛,后变无毛;叶柄长 4 ~ 11 mm,下面密被短粗毛;托叶长3 ~ 5 mm,顶部平截,干膜质,易碎落。3 ~ 7 花序呈伞形排列于枝顶;花序梗长5 ~ 10 mm,被短柔毛,基部常具 1 卵形或线形总苞片;头状花序具花 4 ~ 10;无花梗;花萼倒圆锥状,下部与邻近花萼合生;花冠白色,近钟状,稍肉质,长 6 ~ 7 mm,花冠管长 3 ~ 4 mm,顶部收狭成壶状,檐部通常 3 裂,有时 2 或 4 裂,裂片卵形或长圆形,顶部向外隆起,向内钩状弯折,外面被疏短毛,内面中部以下至喉部密被髯毛;雄蕊与花冠裂片同数,着生于裂片侧基部,花丝极短,花药背着,长约 2 mm。种子成熟时黑色,略呈三棱形,无毛。花期 5 ~ 7 月,果期 10 ～ 11 月。

| **生境分布** | 生于山地疏林、密林下或灌丛中，常攀缘于灌木或树干上。湖北有分布。

| **资源情况** | 野生资源稀少。

| **采收加工** | **根：**全年均可采挖，洗净，除去须根，晒至六七成干，轻轻捶扁，晒干。

| **功能主治** | 补肾阳，强筋骨，祛风湿。用于阳痿遗精，宫冷不孕，月经不调，少腹冷痛，风湿痹痛，筋骨痿软。

茜草科 Rubiaceae 玉叶金花属 *Mussaenda*

展枝玉叶金花 *Mussaenda divaricata* Hutch.

| 药 材 名 | 白常山。

| 形态特征 | 直立攀缘灌木。小枝被稀疏的短柔毛，后近无毛。叶对生，薄纸质或近膜质，椭圆形或卵状椭圆形，长 7 ~ 12 cm，宽 5 ~ 7 cm，先端骤渐尖，基部楔形或短尖，上面淡绿色，下面浅灰色，两面有极稀疏的短柔毛，脉上被毛较密；侧脉 9 ~ 11 对，向上弧曲，在两面均明显，细脉稠密，近平行；叶柄长 0.5 ~ 1 cm，被粗毛；托叶三角状，2 深裂，长 7 mm，裂片钻形，渐尖，被稀疏的硬毛。聚伞花序具疏花；花萼管陀螺形，疏被硬毛，长 2.5 ~ 3 mm，萼裂片钻形，短尖，长 4.5 ~ 5 mm，被短柔毛；花叶广椭圆形或卵圆形，长 4 ~ 6 cm，宽 3 ~ 5 cm，先端短渐尖，基部楔形，两面仅在脉上被

微柔毛，通常有纵脉 7，花叶叶柄长 2.5 cm；花冠黄色，外面被较密的短柔毛，内面的上部密被黄色棒状毛，花冠管长 2 ～ 2.5 cm，向上膨大，花冠裂片卵形，短尖，长 3.5 mm，内面有密生的黄色小疣突；花药长 5 mm，内藏；花柱极短，长 3 mm，无毛，柱头 2 裂。浆果椭圆形，外面被稀疏的毛，有细纵条纹，长 1 ～ 1.2 cm，直径 4 ～ 6 mm；果柄长 6 mm，密被毛。花期 6 ～ 9 月。

| 生境分布 | 生于沿河的灌丛中或田野中。分布于湖北宜昌。湖北有栽培。

| 采收加工 | **根：** 8 ～ 10 月采挖，晒干。

| 功能主治 | 解热抗疟。用于疟疾。

黐花
Mussaenda esquirolii H. Lév.

| 药 材 名 | 黐花。

| 形态特征 | 直立或攀缘灌木，高 1 ~ 3 m。嫩枝密被短柔毛。叶对生，薄纸质，广卵形或广椭圆形，长 10 ~ 20 cm，宽 5 ~ 10 cm，先端骤渐尖或短尖，基部楔形或圆形，上面淡绿色，下面浅灰色，幼嫩时两面有稀疏贴伏毛，脉上毛较稠密，老时两面均无毛；侧脉 9 对，向上拱曲；叶柄长 1.5 ~ 3.5 cm，有毛；托叶卵状披针形，常 2 深裂或浅裂，短尖，长 8 ~ 10 mm，外面疏被贴伏短柔毛。聚伞花序顶生，有花序梗，花疏散；苞片托叶状，较小，小苞片线状披针形，渐尖，长 5 ~ 10 mm，被短柔毛；花梗长约 2 mm；花萼管陀螺形，长约 4 mm，被贴伏的短柔毛，萼裂片近叶状，白色，披针形，长渐尖或

短尖，长达 1 mm，宽 2 ~ 2.5 mm，外面被短柔毛；花叶倒卵形，短渐尖，长 3 ~ 4 mm，近无毛，柄长 5 mm；花冠黄色，花冠管长 1.4 cm，上部略膨大，外面密被贴伏短柔毛，膨大部内面密被棒状毛，花冠裂片卵形，有短尖头，长 2 mm，基部宽 3 mm，外面有短柔毛，内面密被黄色小疣状突起；雄蕊着生于花冠管中部，花药内藏；花柱无毛，柱头 2 裂，略伸出花冠外。浆果近球形，直径约 1 cm。花期 5 ~ 7 月，果期 7 ~ 10 月。

| **生境分布** | 生于海拔约 400 m 的山地疏林下或路边。分布于湖北宜昌及恩施。

| **采收加工** | **茎、叶、根**：6 ~ 8 月采收茎、叶，7 ~ 10 月采挖根，切碎，晒干或鲜用。

| **功能主治** | 清热解毒，解暑利湿。用于中暑高热，咽喉肿痛，痢疾，泄泻，小便不利，无名肿毒，毒蛇咬伤。

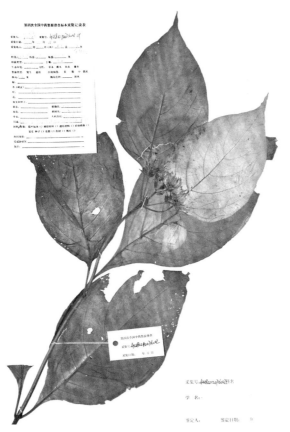

玉叶金花
Mussaenda pubescens Ait. f.

| 药 材 名 | 玉叶金花。

| 形态特征 | 攀缘灌木。嫩枝被贴伏短柔毛。叶对生或轮生，膜质或薄纸质，卵状长圆形或卵状披针形，长 5 ~ 8 cm，宽 2 ~ 2.5 cm，先端渐尖，基部楔形，上面近无毛或疏被毛，下面密被短柔毛；叶柄长 3 ~ 8 mm，被柔毛；托叶三角形，长 5 ~ 7 mm，2 深裂，裂片钻形，长 4 ~ 6 mm。聚伞花序顶生，花密集；苞片线形，有硬毛，长约 4 mm；花梗极短或无梗；花萼管陀螺形，长 3 ~ 4 mm，被柔毛，萼裂片线形，通常比花萼管长 2 倍以上，基部密被柔毛，向上毛渐稀疏；花叶阔椭圆形，长 2.5 ~ 5 cm，宽 2 ~ 3.5 cm，有纵脉 5 ~ 7，先端钝或短尖，基部狭窄，柄长 1 ~ 2.8 cm，两面被柔毛；花冠黄色，

花冠管长约 2 cm，外面被贴伏短柔毛，内面喉部密被棒状毛，花冠裂片长圆状披针形，长约 4 mm，渐尖，内面密生金黄色小疣状突起；花柱短，内藏。浆果近球形，长 8 ~ 10 mm，直径 6 ~ 7.5 mm，疏被柔毛，顶部有萼檐脱落后的环状疤痕，干时黑色，果柄长 4 ~ 5 mm，疏被毛。花期 6 ~ 7 月。

| 生境分布 | 生于灌丛、溪谷、山坡或村旁。分布于湖北恩施（巴东）。

| 采收加工 | **藤、根：** 全年均可采收，除去泥土、杂质，鲜用或晒干。

| 功能主治 | 清热解暑，凉血解毒。用于中毒，感冒，支气管炎，扁桃体炎，咽喉炎，肾炎性水肿，肠炎，子宫出血，毒蛇咬伤。

| 附　注 | 本种的茎叶亦作山甘草用。

乌檀
Nauclea officinalis (Pierre ex Pit.) Merr. & Chun

| 药 材 名 | 胆木。

| 形态特征 | 乔木。高 4 ~ 12 m。小枝纤细，光滑。顶芽倒卵形。叶纸质，椭圆形，稀倒卵形，长 7 ~ 9 cm，宽 3.5 ~ 5 cm，先端渐尖，略具钝头，基部楔形，干时上面深褐色，下面浅褐色；侧脉 5 ~ 7 对，纤细，近叶缘处联结，两面微隆起；叶柄长 10 ~ 15 mm；托叶早落，倒卵形，长 6 ~ 10 mm，先端圆形。头状花序单个顶生；总花梗长 1 ~ 3 cm；中部以下的苞片早落。果序中的小果实融合，成熟时黄褐色，直径 9 ~ 15 mm，表面粗糙；种子长 1 mm，椭圆形，一面平坦，一面拱凸，种皮黑色，有光泽，有小窝孔。花期夏季。

| 生境分布 | 生于高山近山顶或半山腰的阴凉潮湿处。湖北有栽培。

| 功能主治 | 清热解毒，消肿止痛。用于感冒发热，支气管炎，肺炎，急性扁桃体炎，咽喉炎，乳腺炎，肠炎，细菌性痢疾，尿路感染，胆囊炎，下肢溃疡，脚气感染，疖肿脓疡，湿疹。

茜草科 Rubiaceae 蛇根草属 *Ophiorrhiza*

广州蛇根草

Ophiorrhiza cantoniensis Hance

| 药 材 名 | 朱砂草。

| 形态特征 | 草本或亚灌木，高 30 ~ 50 cm 或更高。茎基部匍地，节上生根，上部直立，通常仅花序和嫩枝被短柔毛，枝干后稍压扁，褐色或暗褐色，有时灰褐色。叶片纸质，通常长圆状椭圆形，有时卵状长圆形或长圆状披针形，长 12 ~ 16 cm，有时较小，先端渐尖或骤然渐尖，基部楔形或渐狭，很少近圆钝，全缘，干时上面灰褐色或灰绿色，下面淡绿色或黄褐色，有时两面或下面变红色或淡红褐色，通常两面无毛或上面散生稀疏短糙毛，有时上面或两面被很密的糙硬毛；中脉在上面压入，呈沟状，在下面压扁，侧脉每边 9 ~ 12，极少 15，在上面明显或不很明显，在下面微凸起，压扁，网状小脉通常两面

均不很明显；叶柄长 1.5 ~ 4 cm，压扁；托叶早落，未见。花序顶生，圆锥状或伞房状，通常极多花，疏松，总花梗长 2 ~ 7 cm，和多个螺状的分枝均被极短的锈色或带红色的柔毛；花二型，花柱异长；长柱花花梗长 0.5 ~ 1.5 mm，或近无梗，密被短柔毛；小苞片钻形或线形，长约 2.5 mm 或过之；花萼被短柔毛，极少近无毛，萼管陀螺状，长 1.3 ~ 1.5 mm，宽约 2 mm，有 5 直棱，裂片 5，近三角形，长 0.4 ~ 0.5 mm，钝头；花冠白色或微红色，干时变黄色或有时变淡红色，近管状，外面近无毛或有时被柔毛，质地稍厚，冠管长通常 1 ~ 1.2 cm，偶有达 1.5 cm，喉部稍扩大，里面中部有 1 环白色长柔毛，裂片 5，近三角形，长 3 ~ 4 mm 或稍过之，盛开时反折，先端内弯呈喙状，背部有阔或稍阔的翅，翅的顶部向上延伸，超出花冠裂片先端 0.3 ~ 0.4 mm，里面被鳞片状毛；雄蕊 5，生于冠管中部稍低处，花丝短，花药披针状线形，长约 2.5 mm；花盘高凸，2 全裂；花柱与冠管近等长，柱头多少露出管口外，2 裂，裂片圆卵形，薄或稍粗厚，长 1 ~ 1.5 mm。短柱花花萼、花冠和花盘均同长柱花；雄蕊生于花冠喉部下方，花丝长约 2.5 mm，花药与花丝近等长，顶部露出管口外；花柱长约 3.5 mm，柱头裂片披针形，长约 3 mm。蒴果僧帽状，长 3 ~ 4 mm，宽 7 ~ 9 mm，近无毛；种子很多，细小而有棱角。花期冬、春季，果期春、夏季。

| **生境分布** | 生于密林下沟谷边。分布于湖北恩施（巴东）。

| **采收加工** | **根茎**：秋季采挖，洗净，除去须根，鲜用或晒干。

| **功能主治** | 清热止咳，镇静安神，消肿止痛。用于劳伤咳嗽，霍乱吐泻，神经衰弱，月经不调，跌打损伤。

茜草科 Rubiaceae 蛇根草属 Ophiorrhiza

中华蛇根草 *Ophiorrhiza chinensis* Lo

| 药 材 名 | 中华蛇根草。

| 形态特征 | 草本或亚灌木状。高 20 ~ 40 cm，有时可达 80 cm。茎圆柱状，干时草黄色，无毛。嫩枝干时常变为紫黑色，近无毛或被短柔毛。叶纸质，披针形至卵形，长 3.5 ~ 12 cm，稀长 14 ~ 15 cm，先端渐尖，基部楔尖，稀钝圆，全缘，通常两面无毛或近无毛，干时多少变为淡红色；侧脉纤细，每边 9 ~ 10，在上面明显，在下面凸起，有时在两面近同等凸起；叶柄长 1 ~ 4 cm；托叶早落。花序顶生，通常多花，总花梗长 1.5 ~ 3.5 cm，分枝长 1 ~ 3.5 cm，螺状，初时弯卷，后变直立，均密被极短柔毛；花二型。长柱花花梗长 1 ~ 2 mm，被极短柔毛；小苞片无或极小，早落；萼管近陀螺形，高 1.2 ~ 1.4 mm，

宽约 2.5 mm，有 5 棱，被粉状微柔毛，裂片 5，近三角形，长 0.4 ~ 0.5 mm；花冠白色或微染紫红色，管状漏斗形，长 18 ~ 20 mm，外面近无毛或被粉状微柔毛，内面被疏柔毛，喉部被鳞片状毛，近中部有 1 圈稠密的白色长柔毛，裂片 5，三角状卵形，长 2.5 ~ 3 mm，内面被鳞片状毛，先端内弯，兜状，有喙，背面有龙骨状狭翅，近顶部有角状附属体；雄蕊 5，生于花冠管中部稍下，花丝极短，花药长 2.5 ~ 3 mm；花柱长 16 ~ 18 mm，被疏柔毛，柱头 2 深裂，裂片粗厚，阔椭圆形，长 1.5 ~ 2 mm，微露出。短柱花花萼和花冠外形同长柱花；花冠中部无毛环；雄蕊生于喉部下方，花丝长约 2.5 mm，花药长 2.5 ~ 3 mm；花柱长 3.5 ~ 4 mm，柱头裂片薄，长圆形，长约 4 mm。果序常粗壮，总柄长 3 ~ 5 cm 或更长，分枝长 5 ~ 6 cm，果柄粗壮，长 3 ~ 4 mm，近无毛；种子小，多数，有棱角。花期冬季至翌年春季，果期翌年春、夏季。

| 生境分布 | 生于阔叶林下的潮湿肥沃土壤中。湖北有分布。

| 功能主治 | 止渴祛痰，活血调经。用于肺结核咯血，气管炎，月经不调；外用于扭挫伤。

茜草科 Rubiaceae 蛇根草属 Ophiorrhiza

日本蛇根草

Ophiorrhiza japonica Bl.

| 药材名 | 蛇根草。

| 形态特征 | 草本，高 20 ～ 40 cm 或过之。茎下部匍地生根，上部直立，近圆柱状，上部干时稍压扁，有 2 列柔毛。叶片纸质，卵形、椭圆状卵形或披针形，有时狭披针形，长通常 4 ～ 8 cm，有时可达 10 cm 或稍过之，宽 1 ～ 3 cm，先端渐尖或短渐尖，基部楔形或近圆钝，干时上面淡绿色，下面变红色，有时两面变红色，亦有两面变绿黄色，通常两面光滑无毛，有时上面散生短糙毛，下面中脉和侧脉上被柔毛；中脉在上面近平坦，在下面压扁，侧脉每边 6 ～ 8，纤细，弧状上升，末端近叶缘分枝处消失，在上面不很明显，在下面微凸起；叶柄压扁，长通常 1 ～ 2 cm，有时可达 3 cm 或过之，无毛或被柔毛；

托叶脱落，未见。花序顶生，有花多朵，总梗长通常 1 ～ 2 cm，多少被柔毛，分枝通常短，螺状；花二型，花柱异长；长柱花花梗长 1 ～ 2 mm，常被短柔毛；小苞片披针状线形或线形，长 4 ～ 6 mm，渐尖，近无毛或被稀疏缘毛；花萼近无毛或被短柔毛，萼管近陀螺状，长约 1.3 mm，宽约 1.4 mm，有 5 棱，裂片三角形或近披针形，长 0.7 ～ 1.2 mm；花冠白色或粉红色，近漏斗形，外面无毛，花冠管长 1 ～ 1.3 cm，喉部扩大，里面被短柔毛，裂片 5，三角状卵形，长 2.5 ～ 3 mm，先端内弯，喙状，里面被鳞片状毛，背面有翅，翅的顶部向上延伸成新月形；雄蕊 5，着生在冠管中部之下，花丝无毛，长 2 ～ 2.5 mm，花药线形，长 2.5 ～ 3 mm；花柱长 9 ～ 11 mm，被疏柔毛，柱头 2 裂，裂片近圆形或阔卵形，长约 1 mm，不伸出。短柱花花萼和花冠同长柱花；雄蕊生于喉部下方，花丝长

2 ～ 2.5 mm，花药长 2.5 mm，不伸出；花柱长约 3 mm，柱头裂片披针形，长约 3 mm。蒴果近僧帽状，长 3 ～ 4 mm，宽 7 ～ 9 mm，近无毛。花期冬、春季，果期春、夏季。

| **生境分布** | 生于山坡、常绿阔叶林下的沟谷沃土上。分布于湖北恩施、神农架，以及宜昌。

| **采收加工** | 全草：夏、秋季采收，晒干或鲜用。

| **功能主治** | 活血散瘀，祛痰，调经，止血。用于支气管炎，劳伤咳嗽，月经不调，跌打损伤，风湿筋骨痛，肺结核咯血，扭伤，脱臼。

蛇根草 *Ophiorrhiza mungos* L.

| 药 材 名 | 蛇根草。

| 形态特征 | 多年生草本，高 10 ~ 25 cm。全株常呈紫绿色。幼枝具棱，老枝

圆柱形。根茎蔓延地下。叶对生；叶柄长 1 ~ 3 cm，纤细；托叶短小，早落；叶片狭卵形、长椭圆状斜卵形或卵形，长 2.5 ~ 7.5 cm，宽 1.5 ~ 3.2 cm，先端钝或稍钝尖，基部圆形或楔形，全缘，上面近无毛，下面脉上有毛，干后常变淡红紫色，侧脉 7 ~ 10 对。聚伞花序生于枝顶；花梗长 2 ~ 5 cm；苞片条形，长 3 ~ 7 mm；萼筒短，裂片 5，宿存；花冠筒状，淡红色，先端 5 裂；雄蕊 5，着生于喉部以下；花盘肉质，环状；子房下位，2 室，柱头 2 裂。蒴果倒三角形，长约 4 mm，上端宽约 1 cm；种子小，椭圆形。

| 生境分布 | 生于山坡路边、林下阴湿处、草丛中及水沟边。分布于湖北恩施等。

| 采收加工 | **全草：** 全年均可采收，洗净，晒干或鲜用。

| 功能主治 | 祛痰止咳，活血调经。用于咳嗽，劳伤吐血，大便下血，痛经，月经不调，筋骨疼痛，扭挫伤。

茜草科 Rubiaceae 鸡矢藤属 Paederia

臭鸡矢藤 *Paederia foetida* L.

| 药 材 名 |

臭鸡矢藤。

| 形态特征 |

藤状灌木，无毛或被柔毛。叶对生，膜质，卵形或披针形，长 5 ~ 10 cm，宽 2 ~ 4 cm，先端短尖或削尖，基部浑圆，有时心形，叶上面无毛，在下面脉上被微毛；侧脉每边 4 ~ 5，在上面柔弱，在下面凸起；叶柄长 1 ~ 3 cm；托叶卵状披针形，长 2 ~ 3 mm，顶部 2 裂。圆锥花序腋生或顶生，长 6 ~ 18 cm，扩展；小苞片微小，卵形或锥形，有小睫毛；花有小梗，生于柔弱的 3 歧常作蝎尾状的聚伞花序上；花萼钟形，萼檐裂片钝齿形；花冠紫蓝色，长 12 ~ 16 mm，通常被绒毛，裂片短。果实阔椭圆形，压扁，长和宽均 6 ~ 8 mm，光亮，顶部冠以圆锥形的花盘和微小宿存的萼檐裂片；小坚果浅黑色，具 1 阔翅。花期 5 ~ 6 月。

| 生境分布 |

分布于湖北老河口等。

| 功能主治 |

祛风利湿，止痛解毒，消食化积，活血消肿。

用于风湿筋骨痛，跌打损伤，外伤疼痛，肝胆及胃肠绞痛，消化不良，疳积，支气管炎；外用于皮炎，湿疹，疮疡肿毒。

茜草科 Rubiaceae 鸡矢藤属 Paederia

鸡矢藤 *Paederia scandens* (Lour.) Merr.

| 药 材 名 | 鸡屎藤、鸡屎藤果。

| 形态特征 | 藤本，长 3 ~ 5 m。基部木质，多分枝。叶对生；叶柄长 1.5 ~ 7 cm；托叶三角形，长 2 ~ 3 mm，早落；叶片卵形、椭圆形、长圆形至披针形，长 5 ~ 15 cm，宽 1 ~ 6 cm，先端急尖至渐尖，基部宽楔形，两面无毛或下面稍被短柔毛；叶纸质，新鲜揉之有臭气。聚伞花序排成顶生带叶的大圆锥花序，或腋生而疏散少花；花紫色，几无梗；花萼狭钟状；花冠筒长 7 ~ 10 mm，先端 5 裂，镊合状排列，内面红紫色，被粉状柔毛；雄蕊 5；子房下位，2 室。浆果球形，直径 5 ~ 7 mm，成熟时光亮，草黄色。花期 7 ~ 8 月，果期 9 ~ 10 月。

| 生境分布 | 生于海拔 200 ~ 2 000 m 的山坡、林中、林缘、沟谷边灌丛中。分

布于湖北武昌、竹溪、房县、丹江口、兴山、秭归、五峰、保康、京山、钟祥、江陵、罗田、蕲春、黄梅、麻城、崇阳、通山、利川、建始、巴东、宣恩、咸丰、鹤峰、神农架、松滋、宜昌。

| 资源状况 | 野生资源较丰富。药材来源于野生。

| 采收加工 | **全草或根**：9 ~ 10 月割取地上部分，晒干或晾干；或秋季采挖根，洗净，切片，晒干。
果实：9 ~ 10 月采摘，鲜用或晒干。

| 功能主治 | **鸡屎藤**：祛风除湿，消食化积，解毒消肿，活血止痛。用于风湿痹痛，食积腹胀，疳积，腹泻，痢疾，中暑，黄疸，肝炎，肝脾肿大，咳嗽，瘰疬，肠痈，无名肿毒，脚湿肿烂，烫火伤，湿疹，皮炎，跌打损伤，蛇咬蝎蛰。
鸡屎藤果：解毒生肌。用于毒虫蛰伤，冻疮。

茜草科 Rubiaceae 鸡矢藤属 Paederia

毛鸡矢藤
Paederia scandens (Lour.) Merr. var. *tomentosa* (Bl.) Hand.-Mazz.

| 药 材 名 | 毛鸡屎藤。

| 形态特征 | 藤本。茎长 3 ~ 5 m，小枝被柔毛或绒毛。叶对生，纸质或近革质，形状变化很大，卵形、卵状长圆形至披针形，长 5 ~ 9（~ 15）cm，宽 1 ~ 4（~ 6）cm，先端急尖或渐尖，基部楔形或近圆形或平截，有时浅心形，叶上面被柔毛或无毛，下面被小绒毛或近无毛；侧脉每边 4 ~ 6，纤细；叶柄长 1.5 ~ 7 cm；托叶长 3 ~ 5 mm，无毛。圆锥花序式的聚伞花序腋生和顶生，花序常被小柔毛，扩展，分枝对生，末次分枝上着生的花常呈蝎尾状排列；小苞片披针形，长约 2 mm；花具短梗或无；萼管陀螺形，长 1 ~ 1.2 mm，萼檐裂片 5，裂片三角形，长 0.8 ~ 1 mm；花冠浅紫色，花冠管长 7 ~ 10 mm，

外面常有海绵状白毛，里面被绒毛，顶部5裂，裂片长1～2 mm，先端急尖而直，花药背着，花丝长短不齐。果实球形，成熟时近黄色，有光泽，平滑，直径5～7 mm，顶冠以宿存的萼檐裂片和花盘；小坚果无翅，浅黑色。花期夏、秋季。

| **生境分布** | 生于海拔200～2 000 m的山坡、林中、林缘、沟谷边灌丛中。分布于湖北来凤、咸丰、鹤峰、利川、恩施、巴东、兴山、黄梅、江夏、竹溪、房县、丹江口、宣恩、神农架。

| **资源状况** | 野生资源一般。药材来源于野生。

| **采收加工** | **全草或根：** 夏季采收全草，秋季采挖根，洗净，晒干。

| **功能主治** | 祛风除湿，清热解毒，理气化积，活血消肿。用于偏头风，湿热黄疸，肝炎，痢疾，食积饱胀，跌打肿痛。

茜草科 Rubiaceae 茜草属 Rubia

金剑草
Rubia alata Roxb.

| 药 材 名 | 茜草。

| 形态特征 | 草质攀缘藤本，长 1 ~ 4 m 或更长。茎、枝干时灰色，有光泽，均有 4 棱或 4 翅，通常棱上或多或少有倒生皮刺，无毛或节上被白色短硬毛。叶 4 轮生，薄革质，线形、披针状线形或狭披针形，偶有披针形，长 3.5 ~ 9 cm 或稍过之，宽 0.4 ~ 2 cm，先端渐尖，基部圆形至浅心形，边缘反卷，常有短小皮刺，两面均粗糙；基出脉 3 或 5，在上面凹入，在下面凸起，均有倒生小皮刺，或侧生的 1 或 2 对上的皮刺不明显；叶柄 2 长 2 短，长的叶柄通常 3 ~ 7 cm，有时可达 10 cm，短的叶柄比长的叶柄约短 1/3 ~ 1/2，均有倒生皮刺，有时叶柄很短或无柄。花序腋生或顶生，通常比叶长，多回分枝的

圆锥花序式，花序轴和分枝均有明显的 4 棱，通常有小皮刺；花梗直，有 4 棱，长 2 ~ 3 mm；小苞片卵形，长 1 ~ 2 mm；萼管近球形，2 浅裂，直径约 0.7 mm；花冠稍肉质，白色或淡黄色，外面无毛，冠管长 0.5 ~ 1 mm，上部扩大，裂片 5，卵状三角形或近披针形，长 1.2 ~ 1.5 mm，先端尾状渐尖，里面和边缘均有密生微小乳凸状毛，脉纹几不可见；雄蕊 5，生于冠管中部，伸出，花丝长约 0.5 mm，花药长圆形，与花丝近等长；花柱粗壮，先端 2 裂，长约 0.5 mm，约 1/2 藏于肉质花盘内，柱头球状。浆果成熟时黑色，球形或双球形，长 0.5 ~ 0.7 mm。花期夏初至秋初，果期秋、冬季。

| **生境分布** | 生于海拔 1 500 m 以下的山坡林缘或灌丛中。分布于湖北竹溪、房县、丹江口、兴山、五峰、恩施、利川、巴东、宣恩、咸丰、来凤、鹤峰、神农架，以及宜昌。

| **资源状况** | 野生资源一般。药材来源于野生。

| **采收加工** | **根**：栽植 2 ~ 3 年后于 11 月采挖，洗净，晒干；野生茜草于春、秋季采挖，除去泥沙，晒干。

| **功能主治** | 凉血，祛瘀，止血，通经。用于吐血，衄血，崩漏，外伤出血，瘀阻经闭，关节痹痛，跌扑肿痛。

茜草科 Rubiaceae 茜草属 Rubia

东南茜草

Rubia argyi (H. Lév. et Vaniot) Hara ex L. A. Lauener et D. K.

| 药 材 名 | 茜根。

| 形态特征 | 多年生草质藤本。茎、枝均有 4 直棱或 4 狭翅，棱上有倒生钩状皮刺，无毛。叶 4 轮生，偶 6 轮生，通常 1 对较大，另 1 对较小，叶片纸质，心形至阔卵状心形，长 0.1 ~ 5 cm 或更长，宽 1 ~ 4.5 cm 或更宽，先端短尖或骤尖，基部心形，极少近圆形，边缘和叶背面的基出脉上通常有短皮刺，两面粗糙或兼有柔毛；基出脉通常 5 ~ 7，在上面凹陷，在下面多少凸起；叶柄通常长 0.5 ~ 5 cm，有时可达 9 cm，有直棱，棱上有许多皮刺。聚伞花序分枝，呈圆锥花序式，顶生和小枝上部腋生，有时结成顶生、带叶的大型圆锥花序；花序梗和总轴均有 4 直棱，棱上通常有小皮刺，多少被柔毛或近无毛；

小苞片卵形或椭圆状卵形，长 1.5 ~ 3 mm；花梗稍粗壮，长 1 ~ 2.5 mm，近无毛或稍被硬毛；萼管近球形，干时黑色；花冠白色，干时变为黑色，质地稍厚，冠管长 0.5 ~ 0.7 mm，裂片（4 ~）5，伸展，卵形至披针形，长 1.3 ~ 1.4 mm，外面稍被毛或近无毛，里面通常有许多微小乳突；雄蕊 5，花丝短，带状，花药通常微露出冠管口外；花柱粗短，2 裂，柱头 2，头状。浆果近球形（1 心皮发育），直径 5 ~ 7 mm，有时臀状（2 心皮均发育），宽达 9 mm，成熟时黑色。

| 生境分布 | 生于林缘、灌丛或村边园篱等处。分布于湖北房县、竹溪、松滋，以及荆门。

| 资源情况 | 野生资源稀少。药材来源于野生。

| 采收加工 | **根及根茎：** 秋季地上茎叶枯萎后采挖，去净泥土，晒干。

| 功能主治 | 凉血止血。用于吐血，衄血，崩漏下血，外伤出血，瘀阻经闭，跌扑肿痛。

茜草科 Rubiaceae 茜草属 Rubia

中国茜草

Rubia chinensis Regel et Maack

| **药 材 名** | 茜草。

| **形态特征** | 多年生直立草本。高 30 ~ 60 cm。具发达的紫红色须根。茎通常数
条丛生，较少单生，不分枝或少分枝，具 4 直棱，棱上被向上的钩
状毛，有时老茎上的毛脱落。叶 4 轮生，薄纸质或近膜质，卵形至
阔卵形或椭圆形至阔椭圆形，长 4 ~ 9 cm，宽 2 ~ 4 cm，先端短
渐尖或渐尖，基部圆形或阔楔尖，很少呈不明显心形，边缘有密缘
毛，上面近无毛或基出脉上被短硬毛，下面被白色柔毛；基出脉 5
或 7，纤细，在两面微凸起；叶柄长 0.5 ~ 2 cm，上部叶有时近无
柄。聚伞花序排成圆锥花序式，顶生和茎上部腋生，通常结成大型、
带叶的圆锥花序，长 15 ~ 30 cm；花序轴和分枝均较纤细，无毛或

被柔毛；苞片披针形，长 1.5 ～ 2 mm；花梗长 2 ～ 5 mm，稍纤细；萼管近球形，直径约 0.8 mm，干时黑色，无毛；花冠白色，干后变为黄色，质地薄，花冠管长 0.2 ～ 0.4 mm，裂片 5 ～ 6，卵形或近披针形，长 1.7 ～ 2 mm，有明显的 3 脉，先端尾尖；雄蕊 5 ～ 6，生于花冠管近基部，花丝长 0.1 ～ 0.2 mm，花药长 0.1 mm。浆果近球形，直径约 4 mm，黑色。花期 5 ～ 7 月，果期 9 ～ 10 月。

| 生境分布 |　生于林下、林缘及草甸。湖北有栽培。

| 采收加工 |　**根：**栽培者栽种 2 ～ 3 年后 11 月采挖，洗净，晒干。野生者春、秋季采挖，除去泥沙，晒干。

| 功能主治 |　凉血，祛瘀，止血，通经。用于吐血，衄血，崩漏，外伤出血，瘀阻经闭，关节痹痛，跌扑肿痛。

茜草科 Rubiaceae 茜草属 Rubia

茜草
Rubia cordifolia L.

| **药 材 名** | 茜草、茜草藤。

| **形态特征** | 草质攀缘藤木，长通常 1.5 ~ 3.5 m。根茎和其节上的须根均红色；茎数至多条，从根茎的节上发出，细长，方柱形，有 4 棱，棱上有倒生皮刺，中部以上多分枝。叶通常 4 轮生，纸质，披针形或长圆状披针形，长 0.7 ~ 3.5 cm，先端渐尖，有时钝尖，基部心形，边缘有齿状皮刺，两面粗糙，脉上有微小皮刺；基出脉 3，极少外侧有 1 对很小的基出脉；叶柄通常长 1 ~ 2.5 cm，有倒生皮刺。聚伞花序腋生和顶生，多回分枝，有花 10 余至数十朵，花序和分枝均细瘦，有微小皮刺；花冠淡黄色，干时淡褐色，盛开时花冠檐部直径 3 ~ 3.5 mm，花冠裂片近卵形，微伸展，长约 1.5 mm，外面无毛。

果实球形,直径通常 4 ~ 5 mm,成熟时橘黄色。花期 8 ~ 9 月,果期 10 ~ 11 月。

| 生境分布 | 生于疏林、林缘、灌丛或草地上。分布于湖北来凤、咸丰、宣恩、恩施、利川、鹤峰、建始、巴东、兴山、长阳、五峰、丹江口、房县、黄梅、通山、罗田、江夏、松滋、竹溪、南漳、神农架,以及宜昌。

| 资源状况 | 野生资源丰富。药材来源于野生。

| 采收加工 | **根及根茎:** 栽植 2 ~ 3 年后于 11 月采挖,洗净,晒干;野生茜草于春、秋季采挖,除去泥土,晒干。
地上部分: 夏、秋季采集,切断,鲜用或晒干。

| 功能主治 | **茜草:** 凉血,祛瘀,止血,通经。用于吐血,衄血,崩漏,外伤出血,瘀阻经闭,关节痹痛,跌扑肿痛。
茜草藤: 用于吐血,血崩,跌打损伤,风痹,腰痛,痈毒,疔肿。

| 附　注 | 目前市场上流通的茜草除收录于《中华人民共和国药典》的正品外,尚有多种同属植物的根及根茎亦作茜草入药。茜草属植物在我国有 36 种 2 变种,文献记载有 17 种作为茜草的地区、民间习用品,还有非同属、非同科的 7 种混作伪品。近年有药理研究表明,茜草的地上部分具有治疗结肠炎的作用,提示茜草除了传统的根及根茎入药外,茎、叶、花也可入药。

茜草科 Rubiaceae 茜草属 Rubia

长叶茜草
Rubia dolichophylla Schrenk

| 药 材 名 | 长叶茜草。

| 形态特征 | 草本，高达 1 m。全株无毛。茎、枝、叶缘、叶背中脉和花序轴上均有小皮刺。茎具 4 棱，不分枝或少分枝，干时黄灰色，微有光泽。叶 4 轮生，无柄或近无柄，叶片纸质，线形或披针状线形，长 5 ~ 12 cm，宽 0.5 ~ 1.4 cm 或稍过之，先端渐尖，基部楔尖，边缘反卷；中脉在上面平坦，在下面高凸，侧脉纤细，在下面明显，6 ~ 10 对，与中脉呈 30° ~ 45° 分叉。花序腋生，单生或有时双生，与叶近等长或稍短于叶，由多个小聚伞花序组成，总梗和分枝均纤细，第 1 对分枝处的苞片叶状，长达 2 cm，其余的线形，小，长 0.2 ~ 0.5 cm；花梗纤细而长，4 ~ 6 mm，无小苞片；花萼干时

黑色，近球形，直径 1 ～ 1.2 mm；花冠淡黄色，辐状，花冠管长约 0.6 mm，裂片 5 或有时 4，伸展，卵形，长约 2 mm，先端骤然收缩成喙状，内弯，边缘有极小的乳突，中脉和边脉明显，网脉稀疏；雄蕊 5 或有时 4，生于冠管中部之上，花丝短，花药稍弯曲，与花丝近等长；花柱 2，粗壮，长 0.2 ～ 0.3 mm，柱头头状。成熟果实未见。

| 生境分布 | 生于水边或芦苇地。分布于湖北武当山南麓的丘陵地带。

| 功能主治 | 行血止血，通经活络。用于脾脏疾病、血液疾病，皮肤疾病，溃疡，烧伤。

茜草科 Rubiaceae 茜草属 Rubia

卵叶茜草

Rubia ovatifolia Z. Y. Zhang

| **药材名** | 茜草。

| **形态特征** | 攀缘草本。长 1 ~ 2 m。茎、枝稍纤细，有 4 棱，无毛，有短皮刺或无。叶 4 轮生，叶片薄纸质，卵状心形至圆心形，侧枝上的有时呈卵形，长 4 ~ 8 cm，很少达 13 cm 或仅 2 cm，宽 2 ~ 5 cm，很少达 6.5 cm 或不及 1 cm，先端尾状渐尖，基部深心形，后裂片通常圆形，边缘有皮刺状缘毛或无毛，干时上面苍白绿色，下面粉绿色或苍白色，两面近无毛或粗糙，有时下面基出脉上有小皮刺；基出脉 5 ~ 7，纤细，在下面稍凸起，小脉在两面均不明显；叶柄细而长，通常长 2.5 ~ 6 cm，有时长 9 ~ 13 cm，无毛，有时覆有小皮刺。聚伞花序排成疏花圆锥花序式，腋生和顶生，通常比叶短；花序轴

和分枝均纤细，有直线棱，无毛，有时有稀疏小皮刺；小苞片线形或披针状线形，长 2 ~ 3.5 mm，渐尖，近无毛；萼管近扁球形，微 2 裂，宽约 1 mm，近无毛；花冠淡黄色或绿黄色，质稍薄，花冠管长 0.8 ~ 1 mm，裂片 5，明显反折，卵形，长约 1.4 mm，先端长尾尖，外面无毛或被稀疏硬毛，内面覆有许多微小颗粒；雄蕊 5，生于冠管口部，花丝和花药长均约 0.4 mm。浆果球形，直径 6 ~ 8 mm，有时双球形，成熟时黑色。花期 7 月，果期 10 ~ 11 月。

| 生境分布 | 生于海拔 1 300 ~ 2 700 m 的山坡、路旁、沟谷、田边、灌丛、林缘。湖北有栽培。

| 采收加工 | **根**：栽培者栽种 2 ~ 3 年后于 11 月采挖，洗净，晒干。野生者春、秋季采挖，除去泥沙，晒干。

| 功能主治 | 凉血，祛瘀，止血，通经。用于吐血，衄血，崩漏，外伤出血，瘀阻经闭，关节痹痛，跌扑肿痛。

茜草科 Rubiaceae 茜草属 Rubia

大叶茜草

Rubia schumanniana Pritzel

| 药 材 名 | 茜草。

| 形态特征 | 草本。通常近直立，高约1 m，很少呈攀缘状。茎和分枝均有4直棱和直槽，有时在棱上亦可见直槽，近无毛，平滑或有微小倒刺。叶4轮生，厚纸质至革质，披针形、长圆状卵形或卵形，有时阔卵形，长4～10 cm，宽2～4 cm，先端渐尖或近短尖，基部阔楔形、近钝圆形至浅心形，边缘稍反卷而粗糙，通常仅上面脉上生钩状短硬毛，有时上面或两面均被短硬毛，粗糙；基出脉3，如为5则靠近叶缘的1对脉纤细而不明显，通常在上面凹陷，在下面凸起，网脉在两面均不明显；叶柄近等长或2长2短，长0.5～1.5 cm，有时可达3 cm。聚伞花序多具分枝，排成圆锥花序式，顶生和腋生，腋生者

通常比叶稍短，顶生者较长；总花梗长 3 ～ 4 cm，有直棱，通常无毛；小苞片披针形，长 3 ～ 4 mm，有缘毛；花小，直径 3.5 ～ 4 mm；花冠白色或绿黄色，干后常变为褐色，裂片通常 5，很少 4 或 6，近卵形，渐尖或短尾尖，先端收缩，常内弯。浆果小，球状，直径 5 ～ 7 mm，黑色。

| 生境分布 | 生于海拔 2 600 ～ 3 000 m 的林中。分布于湖北武昌、鹤峰、神农架。

| 资源情况 | 野生资源较丰富。药材来源于野生。

| 采收加工 | **根**：栽培者栽种 2 ～ 3 年后于 11 月采挖，洗净，晒干。野生者春、秋季采挖，除去泥沙，晒干。

| 功能主治 | 凉血，祛瘀，止血，通经。用于吐血，衄血，崩漏，外伤出血，瘀阻经闭，关节痹痛，跌扑肿痛。

林生茜草
Rubia sylvatica (Maxim.) Nakai

| 药 材 名 | 林生茜草。

| 形态特征 | 多年生草质攀缘藤本。长 2 ～ 3.5 m 或更长。茎、枝细长，方柱形，有 4 棱，棱上有微小的皮刺。叶 4 ～ 10 轮生，很少 11 ～ 12 轮生，膜状纸质，卵圆形至近圆形，长 3 ～ 11 cm 或更长，宽 2 ～ 9 cm，先端长渐尖或尾尖，基部深心形，后裂片耳形，边缘有微小皮刺，干时褐黑色或带墨绿色，两面粗糙；基出脉 5 ～ 7，纤细，有微小皮

刺；叶柄长 2 ~ 11 cm 或更长，有微小皮刺。聚伞花序腋生和顶生，有花 10 余；总花梗、花序轴及其分枝均纤细，粗糙。果实球形，直径约 5 mm，成熟时黑色，单生或双生。花期 7 月，果期 9 ~ 10 月。

| 生境分布 | 生于较潮湿的林中或林缘。湖北有分布。

| 功能主治 | 凉血止血，祛瘀，通经。用于吐血，衄血，崩漏下血，外伤出血，瘀阻经闭，关节疼痛，跌打肿痛。

茜草科 Rubiaceae 茜草属 Rubia

紫参

Rubia yunnanensis Diels

| 药 材 名 | 紫参。

| 形态特征 | 草本。茎长 10 ～ 50 cm，近直立或呈披散状，有时平卧。根条状，稍肉质，根和茎基部均为红色。茎、枝均有 4 直棱或 4 狭翅，通常节部被硬毛，其余近无毛，很少微粗糙。叶纸质，形状和大小均多变异，线状披针形至卵形、倒卵形或长圆形至阔椭圆形，有时近圆形，长 1 ～ 4 cm，很少达 5 cm，宽 0.3 ～ 2 cm，先端渐尖至短尖，有时微骤尖，边缘常反卷，被短硬毛，两面近无毛或脉上被短硬毛，很少上面微粗糙；基出脉 3，很少 5，通常在上面凹陷，在下面凸起；叶柄几无或上部叶有极短柄。聚伞花序三歧分枝成圆锥花序状，腋生和顶生，通常比叶长，近无毛或被稀疏短硬毛；小苞片披

针形，长 2 ~ 5 mm，通常具 1 脉或花序下部的具 3 脉，近无毛或被疏毛；花梗长 1 ~ 3 mm；萼管近球形，直径 0.3 ~ 0.4 mm，先端平截；花冠黄色或淡黄色，干时近白色，稍肉质，无毛，冠管长约 0.5 mm 或稍长，裂片 5，不反折，近卵形，盛开时长 1.2 ~ 1.5 mm，有时可达 2 mm，先端增厚而稍硬，内弯成短喙状；花柱 2 裂几达基部，长 0.5 ~ 0.6 mm。花期夏、秋季，果期初冬。

| **生境分布** | 生于海拔 1 700 ~ 2 500 m 的灌丛、草坡或路边。湖北有分布。

| **功能主治** | 活血止血，祛瘀生新。用于衄血，吐血，尿血，崩漏，月经不调，风湿关节痛。

茜草科 Rubiaceae 白马骨属 Serissa

六月雪
Serissa japonica (Thunb.) Thunb.

| 药 材 名 | 白马骨。

| 形态特征 | 小灌木，高 60 ~ 90 cm，有臭气。叶革质，卵形至倒披针形，长 6 ~ 22 mm，宽 3 ~ 6 mm，先端短尖至长尖，全缘，无毛；叶柄短。花单生或数朵丛生于小枝顶部或腋生，有被毛、边缘波状的苞片；萼檐裂片细小，锥形，被毛；花冠淡红色或白色，长 6 ~ 12 mm，裂片扩展，先端 3 裂；雄蕊凸出于冠管喉部外；花柱长，凸出，柱头 2，直，略分开。花期 5 ~ 7 月。

| 生境分布 | 生于河溪边或丘陵的杂木林内。分布于湖北江夏、汉阳、秭归、巴东、松滋。

| 资源状况 | 野生资源丰富。药材来源于野生。

| 采收加工 | **全株**：4～6月采收茎叶，秋季采挖根，洗净，切段，鲜用或晒干。

| 功能主治 | 祛风利湿，清热解毒。用于感冒，黄疸性肝炎，肾炎性水肿，咳嗽，喉痛，角膜炎，肠炎，痢疾，腰腿疼痛，咯血，尿血，闭经，带下，疳积，惊风，风火牙痛，痈疽肿毒，跌打损伤。

白马骨
Serissa serissoides (DC.) Druce

| 药 材 名 | 白马骨。

| 形 态 特 征 | 小灌木，通常高达 1 m。枝粗壮，灰色，被短毛，后毛脱落变无毛，嫩枝被微柔毛。叶通常丛生，薄纸质，倒卵形或倒披针形，长 1.5 ~ 4 cm，宽 0.7 ~ 1.3 cm，先端短尖或近短尖，基部收狭成 1 短柄，除下面被疏毛外，其余无毛，侧脉每边 2 ~ 3，上举，在叶片两面均凸起，小脉疏散不明显；托叶具锥形裂片，长 2 mm，基部阔，膜质，被疏毛。花无梗，生于小枝顶部，有苞片；苞片膜质，斜方状椭圆形，长渐尖，长约 6 mm，具疏散小缘毛；花托无毛；萼檐裂片 5，坚挺延伸成披针状锥形，极尖锐，长 4 mm，具缘毛；花冠管长 4 mm，外面无毛，喉部被毛，裂片 5，长圆状披针形，长 2.5 mm；花药内藏，

长 1.3 mm；花柱柔弱，长约 7 mm，2 裂，裂片长 1.5 mm。花期 4 ~ 6 月。

| 生境分布 | 生于海拔 90 ~ 1 350 m 的山坡、路边或河边。分布于湖北汉阳、武昌、郧阳、竹山、竹溪、房县、丹江口、兴山、五峰、京山、罗田、英山、黄梅、嘉鱼、通城、崇阳、通山、恩施、利川、巴东、宣恩、咸丰、来凤、鹤峰、神农架，以及孝感。

| 资源状况 | 野生资源较丰富。药材来源于野生。

| 采收加工 | **全株**：4 ~ 6 月采收茎叶，秋季采挖根，洗净，切段，鲜用或晒干。

| 功能主治 | 祛风利湿，清热解毒。用于感冒，黄疸性肝炎，肾炎性水肿，咳嗽，喉痛，角膜炎，肠炎，痢疾，腰腿疼痛，咯血，尿血，闭经，带下，疳积，惊风，风火牙痛，痈疽肿毒，跌打损伤。

鸡仔木
Sinoadina racemosa (Sieb. et Zucc.) Ridsd

| 药 材 名 | 水冬瓜。

| 形态特征 | 半常绿或落叶乔木，高 4 ～ 12 m。未成熟的顶芽金字塔形或圆锥形。树皮灰色，粗糙；小枝无毛。叶对生，薄革质，宽卵形、卵状长圆形或椭圆形，长 9 ～ 15 cm，宽 5 ～ 10 cm，先端短尖至渐尖，基部心形或钝，有时偏斜，上面无毛，间或有稀疏的毛，下面无毛或有白色短柔毛；侧脉 6 ～ 12 对，无毛或有稀疏的毛，脉腋窝陷无毛或有稠密的毛；叶柄长 3 ～ 6 cm，无毛或有短柔毛；托叶 2 裂，裂片近圆形，跨褶，早落。头状花序不计花冠直径 4 ～ 7 mm，常约 10 个排成聚伞状圆锥花序式；花具小苞片；花萼管密被苍白色长柔毛，萼裂片密被长柔毛；花冠淡黄色，长 7 mm，外面密被苍白色微柔毛，

花冠裂片三角状，外面密被细绵毛状微柔毛。果序直径 11 ～ 15 mm；小蒴果倒卵状楔形，长 5 mm，有稀疏的毛。花果期 5 ～ 12 月。

| 生境分布 | 生于海拔 330 ～ 950 m 处的山林中或水边。分布于湖北巴东、宣恩、来凤，以及武汉。

| 资源状况 | 野生资源一般。药材来源于野生。

| 采收加工 | **全株**：全年均可采收，切段，鲜用。

| 功能主治 | 清热解毒，活血散瘀。用于感冒发热，肺热咳嗽，胃肠炎，痢疾，风火牙痛，痈疽肿毒，湿疹，跌打损伤，外伤出血。

茜草科 Rubiaceae 钩藤属 Uncaria

钩藤
Uncaria rhynchophylla (Miq.) Miq. ex Havil.

药 材 名

钩藤。

形态特征

藤本。嫩枝较纤细，方柱形或略有 4 棱角，无毛。叶纸质，椭圆形或椭圆状长圆形，长 5 ～ 12 cm，宽 3 ～ 7 cm，两面均无毛，干时褐色或红褐色，下面有时有白粉，先端短尖或骤尖，基部楔形至截形，有时稍下延；侧脉 4 ～ 8 对，脉腋窝陷有黏液毛；叶柄长 5 ～ 15 mm，无毛；托叶狭三角形，2 深裂达全长的 2/3，外面无毛，里面无毛或基部具黏液毛，裂片线形至三角状披针形。头状花序不计花冠直径 5 ～ 8 mm，单生于叶腋，总花梗具 1 节，苞片微小，或成单聚伞状排列，总花梗腋生，长 5 cm；小苞片线形或线状匙形；花近无梗；花萼管疏被毛，萼裂片近三角形，长 0.5 mm，疏被短柔毛，先端锐尖；花冠管外面无毛，或具疏散的毛，花冠裂片卵圆形，外面无毛或略被粉状短柔毛，边缘有时有纤毛；花柱伸出冠喉外，柱头棒形。果序直径 10 ～ 12 mm；小蒴果长 5 ～ 6 mm，被短柔毛，宿存萼裂片近三角形，长 1 mm，呈星状辐射。花果期 5 ～ 12 月。

| 生境分布 | 生于海拔 500 ~ 780 m 的山坡、沟边灌丛中。分布于湖北宣恩、利川、恩施、巴东、枣阳、崇阳、通山、通城、阳新。 |

| 资源状况 | 野生资源一般。药材来源于野生。 |

| 采收加工 | 带钩茎枝：秋、冬季采收，去叶，切短段，晒干或蒸后晒干。 |
| | 根：夏、秋季采收，洗净，切片，晒干。 |

| 功能主治 | 带钩茎枝：息风定惊，清热平肝。用于肝风内动，惊痫抽搐，高热惊厥，感冒夹惊，小儿惊啼，妊娠子痫，头痛眩晕。 |
| | 根：舒筋活络，清热消肿。用于痛风，半身不遂，癫证，水肿，跌扑损伤。 |

华钩藤
Uncaria sinensis (Oliv.) Havil.

| 药 材 名 | 钩藤。

| 形态特征 | 藤本。嫩枝较纤细，方柱形或有 4 棱角，无毛。叶薄纸质，椭圆形，长 9 ~ 14 cm，宽 5 ~ 8 cm，先端渐尖，基部圆或钝，两面均无毛；侧脉 6 ~ 8 对，脉腋窝陷有黏液毛；叶柄长 6 ~ 10 mm，无毛；托叶阔三角形至半圆形，有时先端微缺，外面无毛，内面基部有腺毛。头状花序单生于叶腋，总花梗具 1 节，节上苞片微小，或成单聚伞状排列，总花梗腋生，长 3 ~ 6 cm；头状花序不计花冠直径 10 ~ 15 mm，花序轴有稠密短柔毛；小苞片线形或近匙形；花近无梗，花萼管长 2 mm，外面有苍白色毛，萼裂片线状长圆形，长约 1.5 mm，有短柔毛；花冠管长 7 ~ 8 mm，无毛或有稀少微柔毛，

花冠裂片外面有短柔毛；花柱伸出冠喉外，柱头棒状。果序直径 20 ～ 30 mm；小蒴果长 8 ～ 10 mm，有短柔毛。花果期 6 ～ 10 月。

| 生境分布 | 生于海拔 800 ～ 1 800 m 的山坡路边、河边林中或灌丛中。分布于湖北鹤峰、宣恩、利川、恩施、巴东等。

| 资源状况 | 野生资源一般。药材来源于野生。

| 采收加工 | **带钩茎枝**：秋、冬季采收，去叶，切短段，晒干或蒸后晒干。

| 功能主治 | 息风定惊，清热平肝。用于肝风内动，惊痫抽搐，高热惊厥，感冒夹惊，小儿惊啼，妊娠子痫，头痛眩晕。

忍冬科 Caprifoliaceae 糯米条属 *Abelia*

六道木
Abelia biflora Turcz.

| 药 材 名 | 交翅木。

| 形态特征 | 落叶灌木，高 1 ~ 3 m；幼枝被倒生硬毛，老枝无毛。叶矩圆形至矩圆状披针形，长 2 ~ 6 cm，宽 0.5 ~ 2 cm，先端尖至渐尖，基部钝至渐狭成楔形，全缘或中部以上羽状浅裂而具 1 ~ 4 对粗齿，上面深绿色，下面绿白色，两面疏被柔毛，脉上密被长柔毛，边缘有睫毛；叶柄长 2 ~ 4 mm，基部膨大且成对相连，被硬毛。花单生于小枝叶腋，无总花梗；花梗长 5 ~ 10 mm，被硬毛；小苞片三齿状，齿 1 长 2 短，花后不落；萼筒圆柱形，疏生短硬毛，萼齿 4，狭椭圆形或倒卵状矩圆形，长约 1 cm；花冠白色、淡黄色或带浅红色，狭漏斗形或高脚碟形，外面被短柔毛，杂有倒向硬毛，4 裂，裂片

圆形, 筒为裂片长的 3 倍, 内密生硬毛; 雄蕊 4, 二强, 着生于花冠筒中部, 内藏, 花药长卵圆形; 子房 3 室, 仅 1 室发育, 花柱长约 1 cm, 柱头头状。果实具硬毛, 冠以 4 宿存而略增大的萼裂片; 种子圆柱形, 长 4 ~ 6 mm, 具肉质胚乳。早春开花, 8 ~ 9 月结果。

| **生境分布** | 生于海拔 1 000 ~ 2 000 m 的山坡灌丛、林下、石缝中及沟边。湖北仙桃等有栽培。

| **采收加工** | **果实**: 秋季采收, 鲜用或晒干。

| **功能主治** | 祛风除湿, 解毒消肿。用于风湿痹痛, 热毒痈疮。

忍冬科 Caprifoliaceae 糯米条属 Abelia

糯米条 *Abelia chinensis* R. Br.

| 药 材 名 | 糯米条。

| 形态特征 | 落叶多分枝灌木，高达 2 m；嫩枝纤细，红褐色，被短柔毛，老枝树皮纵裂。叶有时 3 叶轮生，圆卵形至椭圆状卵形，先端急尖或长渐尖，基部圆或心形，长 2 ~ 5 cm，宽 1 ~ 3.5 cm，边缘有稀疏圆锯齿，上面初时疏被短柔毛，下面基部主脉及侧脉密被白色长柔毛，花枝上部叶向上逐渐变小。聚伞花序生于小枝上部叶腋，由多数花序集合成 1 圆锥状花簇，总花梗被短柔毛，果期光滑；花芳香，具 3 对小苞片；小苞片矩圆形或披针形，具睫毛；萼筒圆柱形，被短柔毛，稍扁，具纵条纹，萼檐 5 裂，裂片椭圆形或倒卵状矩圆形，长 5 ~ 6 mm，果期变红色；花冠白色至红色，漏斗状，长 1 ~ 1.2 cm，

为萼齿的 1 倍，外面被短柔毛，裂片 5，圆卵形；雄蕊着生于花冠筒基部，花丝细长，伸出花冠筒外；花柱细长，柱头圆盘形。果实具宿存而略增大的萼裂片。

| **生境分布** | 生于海拔 170 ~ 1 500 m 的山地。分布于湖北巴东、建始、秭归、兴山、阳新、崇阳、赤壁、松滋。湖北武汉等有栽培。

| **资源情况** | 野生资源一般，栽培资源稀少。药材来源于野生和栽培。

| **采收加工** | 茎叶：春、夏、秋季均可采收，鲜用或切段晒干。

| **功能主治** | 清热解毒，凉血止血。用于湿热痢疾，痈疽疮疖，衄血，咯血，吐血，便血，流行性感冒，跌打损伤。

南方六道木
Abelia dielsii (Graebn.) Rehd.

| 药 材 名 | 南方六道木。

| 形态特征 | 落叶灌木，高 2 ～ 3 m；当年生小枝红褐色，老枝灰白色。叶长卵形、矩圆形、倒卵形、椭圆形至披针形，长 3 ～ 8 cm，宽 0.5 ～ 3 cm，嫩时上面散生柔毛，下面除叶脉基部被白色粗硬毛外，光滑无毛，先端尖或长渐尖，基部楔形、宽楔形或钝，全缘或有 1 ～ 6 对牙齿，具缘毛；叶柄长 4 ～ 7 mm，基部膨大，散生硬毛。花 2 生于侧枝顶部叶腋；总花梗长 1.2 cm；花梗极短或几无；苞片 3，形小而有纤毛，中央 1 长 6 mm，侧生 2 长 1 mm；萼筒长约 8 mm，散生硬毛，萼檐 4 裂，裂片卵状披针形或倒卵形，先端钝圆，基部楔形；花冠白色，后变浅黄色，4 裂，裂片圆，长为筒的 1/5 ～ 1/3，筒内有短柔毛；

雄蕊 4，二强，内藏，花丝短；花柱细长，与花冠等长，柱头头状，不伸出花冠筒外。果实长 1 ~ 1.5 cm；种子柱状。花期 4 月下旬至 6 月上旬，果熟期 8 ~ 9 月。

| 生境分布 | 生于海拔 800 ~ 3 100 m 的山坡灌丛、路边林下及草地。分布于湖北兴山、罗田、巴东、鹤峰、神农架。

| 资源情况 | 野生资源一般。药材来源于野生。

| 采收加工 | **果实**：秋季采收，晒干。

| 功能主治 | 祛风湿。用于风湿痹痛。

| 附　　注 | 本种与六道木 *Abelia biflora* Turcz. 的主要区别在于本种具明显的总花梗。

忍冬科 Caprifoliaceae 糯米条属 Abelia

蓪梗花

Abelia engleriana (Graebn.) Rehd.

| 药 材 名 | 紫荆丫。

| 形态特征 | 落叶灌木，高 1 ~ 2 m；幼枝红褐色，被短柔毛，老枝树皮呈条
裂状脱落。叶圆卵形、狭卵圆形、菱形、狭矩圆形至披针形，长
1.5 ~ 4 cm，宽 5 ~ 15 mm，先端渐尖或长渐尖，基部楔形或钝形，
边缘具稀疏锯齿，有时近全缘而具纤毛，两面疏被柔毛，下面基部
叶脉密被白色长柔毛；叶柄长 2 ~ 4 mm。花生于侧生短枝先端叶腋，
由未伸长的带叶花枝构成聚伞花序；萼筒细长，萼檐 2 裂，裂片椭

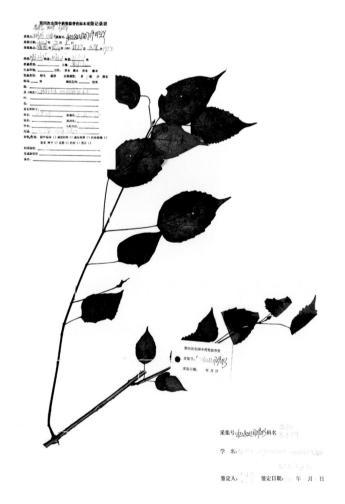

圆形，长约 1 cm，与萼筒等长；花冠红色，狭钟形，5 裂，稍呈二唇形，上唇 3 裂，下唇 2 裂，筒基部两侧不等，具浅囊；雄蕊 4，着生于花冠筒中部，花药长柱形，花丝白色；花柱与雄蕊等长，柱头头状，稍伸出花冠喉部。果实长圆柱形，冠以 2 宿存萼裂片。花期 5 ~ 6 月，果熟期 8 ~ 9 月。

| 生境分布 | 生于海拔 520 ~ 1 640 m 的沟边、灌丛、山坡林下或林缘。分布于湖北来凤、宣恩、鹤峰、利川、巴东、五峰、长阳、兴山、神农架、房县、郧西、丹江口、保康、崇阳。

| 资源情况 | 野生资源一般。药材来源于野生。

| 功能主治 | 祛风湿，解热毒。用于风湿筋骨疼痛，痈疮红肿。

| 附　　注 | 《新编中草药图谱及经典配方》记载本种的药用部位为根、果实。

二翅六道木
Abelia macrotera (Graebn. et Buchw.) Rehd.

| 药 材 名 | 空心树、二翅六道木。

| 形态特征 | 落叶灌木。高 1 ~ 2 m。幼枝红褐色，光滑。叶卵形至椭圆状卵形，长 3 ~ 8 cm，宽 1.5 ~ 3.5 cm，先端渐尖或长渐尖，基部钝圆形或阔楔形至楔形，边缘具疏锯齿及睫毛，上面绿色，叶脉下陷，疏生短柔毛，下面灰绿色，中脉及侧脉基部密生白色柔毛。聚伞花序常由未伸展的带叶花枝组成，含数朵花，生于小枝先端或上部叶腋；花大，长 2.5 ~ 5 cm；苞片红色，披针形；小苞片 3，卵形，疏被长柔毛；萼筒被短柔毛，萼裂片 2，长 1 ~ 1.5 cm，矩圆形、椭圆形或狭椭圆形，长为花冠筒的 1/3；花冠浅紫红色，漏斗状，长 3 ~ 4 cm，外面被短柔毛，内面喉部有长柔毛，裂片 5，略呈二唇形，

上唇 2 裂，下唇 3 裂，花冠筒基部具浅囊；雄蕊 4，二强，花丝着生于花冠筒中部；花柱与花冠筒等长，柱头头状。果实长 0.6 ～ 1.5 cm，被短柔毛，有 2 宿存而略增大的萼裂片。花期 5 ～ 6 月，果期 8 ～ 10 月。

| 生境分布 | 生于海拔 600 ～ 2 200 m 的山坡杂木林中或半山腰灌丛中。分布于湖北来凤、神农架、郧西，以及宜昌。

| 资源情况 | 野生资源一般。药材来源于野生。

| 采收加工 | **空心树：**全年均可采挖，鲜用或晒干。

| 功能主治 | **空心树：**祛风除湿，散瘀消肿。用于劳伤身痛，关节不利，四肢麻木，跌打损伤。
二翅六道木：祛风湿，解热毒，散瘀。用于痛经，带下。

忍冬科 Caprifoliaceae 糯米条属 *Abelia*

小叶六道木 *Abelia parvifolia* Hemsl.

| 药 材 名 | 紫荆桠。

| 形态特征 | 落叶灌木或小乔木，高 1 ~ 4 m；枝纤细，多分枝，幼枝红褐色，被短柔毛，夹杂散生的糙硬毛和腺毛。叶有时 3 叶轮生，革质，卵形、狭卵形或披针形，长 1 ~ 2.5 cm，先端钝或有小尖头，基部圆形至阔楔形，近全缘或具 2 ~ 3 对不明显的浅圆齿，边缘内卷，上面暗绿色，下面绿白色，两面疏被硬毛，下面中脉基部密生白色长柔毛；叶柄短。具 1 ~ 2 花的聚伞花序生于侧枝上部叶腋；萼筒被短柔毛，萼檐 2 裂，极少 3 裂，裂片椭圆形、倒卵形或矩圆形，长 5 ~ 7 mm；花冠粉红色至浅紫色，狭钟形，外被短柔毛及腺毛，基部具浅囊，花蕾时花冠弯曲，5 裂，裂片圆齿形，整齐至稍不整齐，最上面 1

裂片面对浅囊；雄蕊 4，二强，1 对着生于花冠筒基部，1 对着生于花冠筒中部，花药长柱形，花丝疏被柔毛；花柱细长，柱头达花冠筒喉部。果实长约 6 mm，被短柔毛，冠以 2 略增大的宿存萼裂片。花期 4～5 月，果熟期 8～9 月。

| 生境分布 | 生于海拔 240～2 000 m 的林缘、路边、草坡、山谷等处。分布于湖北来凤、利川、秭归，以及宜昌。

| 资源情况 | 野生资源一般。药材来源于野生。

| 采收加工 | 茎、叶：夏、秋季采收，鲜用或晒干。

| 功能主治 | 祛风，除湿，解毒。用于风湿痹痛，痈疽肿毒。

| 附　　注 | 本种药材现代临床用于风湿性关节炎和皮肤痈疖肿痛等。

忍冬科 Caprifoliaceae 糯米条属 *Abelia*

伞花六道木
Abelia umbellata (Graebn. et Buchw.) Rehd.

| **药 材 名** | 南方六道木。

| **形态特征** | 落叶灌木，高 2 m；枝开展，幼枝红褐色，被疏柔毛，节上因留有暗棕色芽鳞而膨大，老枝光滑，灰色或灰褐色。叶对生，卵状披针形、卵形或椭圆形，长 4 ~ 7 cm，宽 2 ~ 3.5 cm，先端尖或钝，基部楔形或阔楔形至近圆形，全缘或中部以上具疏牙齿，两面疏被硬毛，下面基部叶脉密被白色长柔毛，边缘被纤毛；叶柄长 2 ~ 5 mm，基部膨大且成对相连，成明显凸起的节。由 4 ~ 8 花组成的复聚伞花序生于侧枝先端；总花梗长 1 ~ 1.7 cm，被倒生长硬毛或无毛；苞片 2，狭披针形；萼筒长柱形，萼檐 4 裂，裂片几相等，倒卵状披针形，基部伸长而开展，几无毛，有 1 明显主脉；花冠黄色，高脚碟形，

4 裂；雄蕊 4，二强，着生于花冠筒中部，内藏，花丝短；花柱丝状，柱头头状。果实长 1.2 ～ 1.5 cm，稍弯曲，压扁，具 1 ～ 2 槽，冠以 4 宿存萼裂片。花期 5 ～ 6 月，果熟期 8 ～ 9 月。

| 生境分布 | 生于海拔 1 400 ～ 2 000 m 的林下和灌丛中。分布于湖北巴东、兴山、神农架、秭归，以及十堰。

| 功能主治 | 祛风除湿，消肿止痛。

忍冬科 Caprifoliaceae 双盾木属 Dipelta

双盾木 *Dipelta floribunda* Maxim.

| 药 材 名 |

双盾木。

| 形态特征 |

落叶灌木或小乔木，高达 6 m；枝纤细，初时被腺毛，后变光滑无毛；树皮剥落。叶卵状披针形或卵形，长 4 ~ 10 cm，宽 1.5 ~ 6 cm，先端尖或长渐尖，基部楔形或钝圆，全缘，有时先端疏生 2 ~ 3 对浅齿，上面初时被柔毛，后变光滑无毛，下面灰白色，侧脉 3 ~ 4 对，与主脉均被白色柔毛；叶柄长 6 ~ 14 mm。聚伞花序簇生于侧生短枝先端叶腋，花梗纤细，长约 1 cm；苞片条形，被微柔毛，早落；2 对小苞片形状、大小不等，紧贴萼筒的 1 对盾状，呈稍偏斜的圆形至矩圆形，宿存而增大，成熟时最宽处达 2 cm，干膜质，脉明显，下方 1 对为 1 前 1 后，均小，其中 1 小苞片卵形，具钝头，基部宽，紧裹花梗，长 1 cm，另 1 小苞片更小，狭椭圆形，长仅 6 mm；萼筒疏被硬毛，萼齿条形，等长，长 6 ~ 7 mm，具腺毛，毛坚硬而宿存；花冠粉红色，长 3 ~ 4 cm，筒中部以下狭细圆柱形，上部开展成钟形，稍呈二唇形，裂片圆形至矩圆形，长约 5 mm，下唇喉部橘黄色；花柱丝状，无毛。果实具棱角，连同萼齿为宿存而增大的小苞片所包被。花期 4 ~ 7 月，果熟期 8 ~ 9 月。

| 生境分布 | 生于海拔 650 ~ 2 200 m 的杂木林下或灌丛中。分布于湖北郧西、竹溪、房县、丹江口、兴山、五峰、保康、巴东、鹤峰、神农架，以及十堰、宜昌。

| 功能主治 | 散寒表汗。用于麻疹痘毒，湿热身痒，穿踝风。

忍冬科 Caprifoliaceae 忍冬属 Lonicera

淡红忍冬 *Lonicera acuminata* Wall.

| 药 材 名 |

金银花。

| 形态特征 |

落叶或半常绿藤本；幼枝、叶柄和总花梗均被疏或密、通常卷曲的棕黄色糙毛或糙伏毛，有时夹杂开展的糙毛和微腺毛，或仅着花小枝先端有毛，更或全然无毛。叶薄革质至革质，卵状矩圆形、矩圆状披针形至条状披针形，长 4 ~ 8.5（~ 14）cm，先端长渐尖至短尖，基部圆形至近心形，有时宽楔形或截形，两面被疏或密的糙毛或至少上面中脉有棕黄色短糙伏毛，有缘毛；叶柄长 3 ~ 5 mm。双花在小枝顶集合成近伞房状花序或单生于小枝上部叶腋，总花梗长 4 ~ 18（~ 23）mm；苞片钻形，比萼筒短或略长，有少数短糙毛或无毛；小苞片宽卵形或倒卵形，长为萼筒的 1/3 ~ 2/5，先端钝或圆，有时微凹，有缘毛；萼筒椭圆形或倒壶形，长 2.5 ~ 3 mm，无毛或有短糙毛，萼齿卵形、卵状披针形至狭披针形或狭三角形，长为萼筒的 1/4 ~ 2/5，边缘无毛或有疏或密的缘毛；花冠黄白色而有红晕，漏斗状，长 1.5 ~ 2.4 cm，外面无毛或有开展或半开展的短糙毛，有时还有腺毛，唇形，筒长 9 ~ 12 mm，与唇瓣等长或略长，内有短糙毛，基部有囊，上唇直立，裂片圆卵形，下唇反曲；雄蕊略高出花冠，花药长 4 ~ 5 mm，约为花丝的 1/2，花丝基部有短糙毛；花柱除先端外均有糙毛。果实蓝黑色，卵圆形，直径 6 ~ 7 mm；种子椭圆形至矩圆形，稍扁，长 4 ~ 4.5 mm，有细凹点，两面中部各有一凸起的脊。花期 6 月，果熟期 10 ~ 11 月。

| 生境分布 |　生于海拔（500 ~ ）1 000 ~ 3 100 m 的山坡和山谷的林中、林间空旷地或灌丛中。分布于湖北宣恩、鹤峰、利川、恩施、建始、巴东、兴山、神农架、保康。

| 功能主治 |　清热解毒，凉散风热。用于温病发热，热毒血痢，痈肿疔疮，喉痹，丹毒，风热感冒。

忍冬科 Caprifoliaceae 忍冬属 Lonicera

匍匐忍冬
Lonicera chrysantha Turcz.

| **药 材 名** | 毛金银花。

| **形态特征** | 常绿匍匐灌木，高达 1 m；幼枝密被淡黄褐色卷曲短糙毛，枝黑褐色，无毛；冬芽有数对鳞片。叶通常密集于当年生小枝的先端，革质，宽椭圆形至矩圆形，长 1 ~ 3.5（~ 6.3）cm，两端稍尖至圆形，先端有时具小凸尖或微凹缺，除上面中脉有短糙毛外，两面均无毛，边缘背卷，密生糙缘毛；叶柄长 3 ~ 8 mm，上面具沟，有短糙毛和缘毛。双花生于小枝梢叶腋，总花梗长 2 ~ 10（~ 14）mm，具短糙毛或无毛；苞片、小苞片和萼齿先端均有睫毛；苞片三角状披针形，先端稍钝，长为萼筒的 1/2 ~ 2/3；小苞片圆卵形，长约为苞片之半，先端圆；萼齿卵形，长约 1 mm，长为萼筒的 1/3 ~ 1/2，

先端钝；花冠白色，筒带红色，后变黄色，长约 2 cm，外面无毛，内被糙毛，筒基部一侧略肿大，唇瓣长约为筒的 1/2，上唇直立，有波状齿或短的卵形裂片，下唇反卷；雄蕊长与花冠几相等，花丝下部疏生糙毛；花柱远高出花冠，中上部以下有糙毛。果实黑色，圆形，直径 5 ~ 6 mm。花期 6 ~ 7 月，果熟期 10 ~ 11 月。

| 生境分布 |　生于海拔 900 ~ 1 700（~ 2 300）m 的沟溪旁、湿润的林缘岩壁或岩缝中。分布于湖北宣恩、利川、恩施、鹤峰、建始。

| 功能主治 |　用于风湿病。

北京忍冬 *Lonicera elisae* Franch.

| 药 材 名 |

北京忍冬。

| 形态特征 |

灌木,高达 3 m;幼枝无毛或连同叶柄和总花梗均被短糙毛、刚毛和腺毛,二年生小枝常有深色小瘤状突起;冬芽近卵圆形,有数对亮褐色、圆卵形外鳞片。叶纸质,卵状椭圆形至卵状披针形或椭圆状矩圆形,长(3~)5~9(~12.5)cm,先端尖或渐尖,两面被短硬伏毛,下面被较密的绢丝状长糙伏毛和短糙毛;叶柄长 3~7 mm。花与叶同时开放,总花梗出自二年生小枝先端苞腋,长 0.5~2.8 cm;苞片宽卵形至卵状披针形或披针形,长(5~)7~10 mm,下面被小刚毛;相邻两萼筒分离,有腺毛和刚毛或几无毛,萼檐长 1~2 mm,有不整齐钝齿,其中 1 钝齿较长,有硬毛及腺缘毛或无毛;花冠白色或带粉红色,长漏斗状,长(1.3~)1.5~2 cm,外被糙毛或无毛,筒细长,基部有浅囊,裂片稍不整齐,卵形或卵状矩圆形,长约为筒的 1/3;雄蕊不高出花冠裂片;花柱稍伸出,无毛。果实红色,椭圆形,长 10 mm,疏被腺毛和刚毛或无毛;种子淡黄褐色,稍扁,矩圆形或卵圆形,长 3.5~4 mm,

平滑。花期 4 ~ 5 月，果熟期 5 ~ 6 月。

| 生境分布 | 生于海拔 500 ~ 1 600 m 的沟谷、山坡丛林或灌丛中。分布于湖北巴东、保康。

| 功能主治 | 消炎，抗菌，利尿。用于中暑，肠炎等。

忍冬科 Caprifoliaceae 忍冬属 Lonicera

刚毛忍冬
Lonicera hispida Pall. ex Roem. et Schult.

| **药 材 名** | 刚毛忍冬。

| **形态特征** | 落叶灌木，高2（～3）m；幼枝常带紫红色，连同叶柄和总花梗均具刚毛或兼具微糙毛和腺毛，很少无毛，老枝灰色或灰褐色；冬芽长达1.5 cm，有1对具纵槽的外鳞片，外面有微糙毛或无毛。叶厚纸质，形状、大小和毛被变化很大，椭圆形、卵状椭圆形、卵状矩圆形至矩圆形或条状矩圆形，长（2～）3～7（～8.5）cm，先端

尖或稍钝，基部有时微心形，近无毛或下面脉上有少数刚伏毛或两面均有疏或密的刚伏毛和短糙毛，边缘有刚睫毛。总花梗长（0.5 ~）1 ~ 1.5（~ 2）cm；苞片宽卵形，长 1.2 ~ 3 cm，有时带紫红色，毛被与叶片同；相邻两萼筒分离，常具刚毛和腺毛，稀无毛，萼檐波状；花冠白色或淡黄色，漏斗状，近整齐，长（1.5 ~）2.5 ~ 3 cm，外面有短糙毛、刚毛或几无毛，有时夹有腺毛，筒基部具囊，裂片直立，短于筒；雄蕊与花冠等长；花柱伸出，至少下半部有糙毛。果实先为黄色，后变红色，卵圆形至长圆筒形，长 1 ~ 1.5 cm；种子淡褐色，矩圆形，稍扁，长 4 ~ 4.5 mm。花期 5 ~ 6 月，果熟期 7 ~ 9 月。

| 生境分布 | 生于海拔 1 700 ~ 3 100 m 的山坡林中、林缘灌丛中或高山草地上。分布于湖北十堰等。

| 功能主治 | 清热解毒。用于感冒，肺炎等。

忍冬科 Caprifoliaceae 忍冬属 Lonicera

红腺忍冬 *Lonicera hypoglauca* Miq.

药材名

山银花。

形态特征

幼枝、叶柄、叶下面和上面中脉及总花梗均密被上端弯曲的淡黄褐色短柔毛，有时还有糙毛。叶纸质，卵形至卵状矩圆形，长 6 ~ 9（~ 11.5）cm，先端渐尖或尖，基部近圆形或带心形，下面有时粉绿色，有无柄或具极短柄的黄色至橘红色蘑菇形腺；叶柄长 5 ~ 12 mm。双花至多花集生于侧生短枝上，或于小枝顶集合成总状，总花梗比叶柄短或较长；苞片条状披针形，与萼筒几等长，外面有短糙毛和缘毛；小苞片圆卵形或卵形，先端钝，很少卵状披针形而顶渐尖，长约为萼筒的 1/3，有缘毛；萼筒无毛或略有毛，萼齿三角状披针形，长为筒的 1/2 ~ 2/3，有缘毛；花冠白色，有时有淡红晕，后变黄色，长 3.5 ~ 4 cm，唇形，筒比唇瓣稍长，外面疏生倒微伏毛，并常具无柄或有短柄的腺；雄蕊与花柱均稍伸出，无毛。果实成熟时黑色，近圆形，有时具白粉，直径 7 ~ 8 mm；种子淡黑褐色，椭圆形，中部有凹槽及脊状突起，两侧有横沟纹，长约 4 mm。花期 4 ~ 5（~ 6）月，果熟期 10 ~ 11 月。

| 生境分布 | 生于海拔 200～700（～1500）m 的灌丛或疏林中。分布于湖北西南部。

| 功能主治 | 清热解毒。用于温病发热，热毒血痢，痈肿疔疮，喉痹，感染性疾病。

忍冬科 Caprifoliaceae 忍冬属 *Lonicera*

忍冬
Lonicera japonica Thunb.

| **药 材 名** | 金银花。

| **形态特征** | 幼枝暗红褐色，密被黄褐色、开展的硬直糙毛、腺毛和短柔毛，下部常无毛。叶纸质，卵形至矩圆状卵形、卵状披针形、圆卵形或倒卵形，极少有1至数个钝缺刻，长3~5（~9.5）cm，先端尖或渐尖，少有钝、圆或微凹缺，基部圆或近心形，有糙缘毛，上面深绿色，下面淡绿色，小枝上部叶通常两面均密被短糙毛，下部叶常平滑无毛而下面多少带青灰色；叶柄长4~8 mm，密被短柔毛。总花梗通常单生于小枝上部叶腋，与叶柄等长或稍短，下方者长2~4 cm，密被短柔毛，并夹杂腺毛；苞片大，叶状，卵形至椭圆形，长2~3 cm，两面均有短柔毛或近无毛；小苞片先端圆形或截

形，长约 1 mm，长为萼筒的 1/2 ~ 4/5，有短糙毛和腺毛；萼筒长约 2 mm，无毛，萼齿卵状三角形或长三角形，先端尖而有长毛，外面和边缘都有密毛；花冠白色，有时基部向阳面呈微红色，后变黄色，长（2 ~）3 ~ 4.5（~ 6）cm，唇形，筒稍长于唇瓣，很少近等长，外被多少倒生的开展或半开展糙毛和长腺毛，上唇裂片先端钝形，下唇带状而反曲；雄蕊和花柱均高出花冠。果实圆形，直径 6 ~ 7 mm，成熟时蓝黑色，有光泽；种子卵圆形或椭圆形，褐色，长约 3 mm，中部有一凸起的脊，两侧有浅的横沟纹。花期 4 ~ 6 月（秋季亦常开花），果熟期 10 ~ 11 月。

| 生境分布 | 生于海拔 1 500 m 以下的山坡灌丛或疏林中、乱石堆、山脚路旁及村庄篱笆边。湖北有分布。

| 采收加工 | **花蕾、初开的花：**5 ~ 6 月间采收，择晴天早晨露水刚干时摘取花蕾，置于芦席、石棚或场上摊开晾晒或通风阴干，以 1 ~ 2 天内晒干为好。晒花时切勿翻动，否则花色变黑而降低质量，至九成干，拣去枝叶即可。忌在烈日下暴晒，阴天可微火烘干，但花色较暗，不如晒干或阴干者佳。

| 功能主治 | 清热，解毒，疏风热。用于热毒血痢，风热感冒，发热，痈肿，喉痹，丹毒等。

女贞叶忍冬

Lonicera ligustrina Wall.

| **药 材 名** | 女贞叶忍冬。

| **形态特征** | 常绿或半常绿灌木，高 0.5 ~ 2（~ 3）m；老枝干皮灰褐色，呈条状剥落，幼枝黄褐色，密被短糙毛；冬芽具 4 棱角，芽鳞渐尖或长渐尖，具小缘毛。叶对生；叶片坚纸质或薄革质，卵形至卵状披针形，长 1 ~ 4（~ 8）cm，宽 0.7 ~ 1.3 cm，先端渐尖或长渐尖，且具尖或钝头，基部宽楔形至圆形，边缘软骨质且反卷，并有少数缘毛或无缘毛，叶面亮绿色，沿中脉密被短糙毛，叶背淡绿色，无毛，中脉在叶面至少在基部下陷，在叶背凸起，侧脉每边 5 ~ 7，在叶背多少明显；叶柄极短，长 1.2 mm，略被短糙毛或无毛。总花梗极短，长约 1 mm，密被短糙毛，腋生；苞片钻形，密被短糙毛，近等

长于萼筒，小苞片合生成杯状壳斗，包围 2 分离的萼筒，上部边缘为萼檐下延的帽边状突起所覆盖；萼筒长约 1 mm，萼齿小而尖，长约 0.5 mm，具糙缘毛；花冠白色至粉红色，漏斗形，长 8 ～ 12 mm，外被短糙毛，间有腺点，花冠筒基部具浅囊，内面有柔毛，裂片长约为花冠筒的 1/5；雄蕊 5，与花柱略伸出；花柱下部疏被糙毛。果实球形，直径约 5 mm，紫红色至紫黑色；种子卵圆形，长 2 mm，浅黄褐色，光滑。花期 5 ～ 6 月，果期 9 ～ 10 月。

| 生境分布 | 生于海拔（650 ～ ）1 000 ～ 2 000 m 的灌丛或常绿阔叶林中。分布于湖北西南部。

| 功能主治 | 清热解毒，消炎利湿，舒筋通络。

忍冬科 Caprifoliaceae 忍冬属 Lonicera

金银忍冬
Lonicera maackii (Rupr.) Maxim.

| 药 材 名 | 金银木。

| 形态特征 | 落叶灌木或大灌木，高 2 ~ 4 m；树皮灰褐色；小枝叉开，有短柔毛。叶卵状椭圆形至卵状披针形，长 5 ~ 8 cm，宽 2.5 ~ 4 cm，先端长渐尖，基部宽楔形，稀圆形，全缘；总花梗较叶柄短；花冠二唇形，长约 2 cm，初为白色，后变黄色。浆果红色。花期 5 ~ 6 月，果熟期 9 月。

| 生境分布 | 生于海拔 1 300 ~ 2 800 m 的林下、林缘、山坡、河岸及路旁。湖北有分布。

| 资源情况 | 野生资源丰富。

| **采收加工** | 花、茎叶：5 ~ 6 月采花，夏、秋季采茎叶，鲜用或切段晒干。

| **功能主治** | 祛风，清热，解毒。用于感冒，咳嗽，咽喉肿痛，目赤肿痛，肺痈，乳痈，湿疮。

灰毡毛忍冬

Lonicera macranthoides Hand.-Mazz.

| 药 材 名 | 灰毡毛忍冬。

| 形态特征 | 藤本；幼枝或其顶梢及总花梗有薄绒状短糙伏毛，有时兼具微腺毛，后变栗褐色，有光泽而近无毛，很少在幼枝下部有开展的长刚毛。叶革质，卵形、卵状披针形、矩圆形至宽披针形，长 6 ～ 14 cm，先端尖或渐尖，基部圆形、微心形或渐狭，上面无毛，下面被由短糙毛组成的灰白色或带灰黄色的毡毛，并散生暗橘黄色微腺毛，网脉凸起而呈明显的蜂窝状；叶柄长 6 ～ 10 mm，有薄绒状短糙毛，有时具开展的长糙毛。花有香味，双花常密集于小枝梢成圆锥状花序；总花梗长 0.5 ～ 3 mm；苞片披针形或条状披针形，长 2 ～ 4 mm，连同萼齿外面均有细毡毛和短缘毛；小苞片圆卵形或倒卵形，

长约为萼筒之半，有短糙缘毛；萼筒常有蓝白色粉，无毛、上半部或全部有毛，长近 2 mm，萼齿三角形，长 1 mm，比萼筒稍短；花冠白色，后变黄色，长 3.5 ～ 4.5（～ 6）cm，外被倒短糙伏毛及橘黄色腺毛，唇形，筒纤细，内面密生短柔毛，与唇瓣等长或较之长，上唇裂片卵形，基部具耳，两侧裂片裂隙深达 1/2，中裂片长为侧裂片之半，下唇条状倒披针形，反卷；雄蕊生于花冠筒先端，连同花柱均伸出而无毛。果实黑色，常有蓝白色粉，圆形，直径 6 ～ 10 mm。花期 6 月中旬至 7 月上旬，果熟期 10 ～ 11 月。

| **生境分布** | 生于海拔 500 ～ 1 800 m 的山谷溪流旁、山坡或山顶混交林内或灌丛中。分布于湖北西南部。

| **资源情况** | 野生资源丰富。

| **采收加工** | 花蕾由绿色变白色、上部膨大、即将开放时，选择天晴露水刚干时分批采收，及时蒸晒、生晒、炒晒至干。

| **功能主治** | 清热解毒，疏散风热。用于痈肿疔疮，喉痹，丹毒，热毒血痢，风热感冒，温病发热。

忍冬科 Caprifoliaceae 忍冬属 Lonicera

下江忍冬

Lonicera modesta Rehd.

| 药 材 名 | 下江忍冬。

| 形态特征 | 落叶灌木，高达 2 m；幼枝、叶柄和总花梗密被短柔毛；冬芽外鳞片约 5 对，顶尖，内鳞片约 4 对，最上 1 对增大。叶厚纸质，菱状椭圆形至圆状椭圆形、菱状卵形或宽卵形，长 2 ~ 4（~ 8）cm，先端钝圆，具短凸尖或凹缺，基部渐狭、圆形或近截形，有短缘毛，上面暗绿色，仅中脉和侧脉有短柔毛，下面网脉明显，全被短柔毛；叶柄长 2 ~ 4 mm。总花梗长 1 ~ 2.5 mm；苞片钻形，长 2 ~ 3（~ 4.5）mm，长超过萼筒而短于萼齿，有缘毛及疏腺；杯状小苞长约为萼筒的 1/3，有缘毛及疏腺；相邻两萼筒合生 1/2 ~ 2/3，上部具腺，萼齿条状披针形，长 2 ~ 2.5 mm，外面有疏柔毛，具缘毛

及疏腺；花冠白色，基部微红色，后变黄色，唇形，长 10 ~ 12 mm，外面疏生短柔毛或近无毛，筒与唇瓣等长或较之略短，基部有浅囊，内面有密毛，上唇裂片为唇瓣全长的 2/5 ~ 1/2；雄蕊长短不等，花丝基部有毛；子房 3 室，花柱长约等于唇瓣，全有毛。相邻两果实几全部合生，由橘红色转为红色，直径 7 ~ 8 mm；种子 1 ~ 2，淡黄褐色，稍扁，卵圆形或矩圆形，长约 4 mm，具沟纹，表面颗粒状而粗糙。花期 5 月，果熟期 9 ~ 10 月。

| 生境分布 | 生于海拔 500 ~ 1 300 m 的杂木林下或灌丛中。分布于湖北罗田、长阳。

| 功能主治 | 清热解毒，通络。

忍冬科 Caprifoliaceae 忍冬属 Lonicera

红脉忍冬
Lonicera nervosa Maxim.

| **药 材 名** | 红脉忍冬。

| **形态特征** | 落叶灌木，高达 3 m；幼枝和总花梗均被肉眼难见的微直毛和微腺毛。叶纸质，初发时带红色，椭圆形至卵状矩圆形，长 2.5 ~ 6 cm，两端尖，上面中脉、侧脉和细脉均带紫红色，两面均无毛或上面被肉眼难见的微糙毛或微腺；叶柄长 3 ~ 5 mm。总花梗长约 1 cm；苞片钻形；杯状小苞长约为萼筒之半，有时分裂成 2 对，具腺缘毛或无毛；相邻两萼筒分离，萼齿小，三角状钻形，具腺缘毛；花冠先为白色，后变黄色，长约 1 cm，外面无毛，内面基部密被短柔毛，筒略短于裂片，基部具囊；雄蕊约与花冠上唇等长；花柱端部具短柔毛。果实黑色，圆形，直径 5 ~ 6 mm。花期 6 ~ 7 月，果熟期 8 ~ 9 月。

| 生境分布 | 生于海拔 2 100 ～ 3 100 m 的山麓林下灌丛中或山坡草地上。湖北有分布。

| 功能主治 | 清热解毒。用于温病发热，热毒血痢，痈疽疔毒等。

忍冬科 Caprifoliaceae 忍冬属 Lonicera

短柄忍冬

Lonicera pampaninii H. Lév.

| 药 材 名 | 短柄忍冬。

| 形态特征 | 有毛。总花梗极短或几无；苞片狭披针形，有时叶状，长 5 ~ 15 mm，有毛，小苞片卵圆形，被短糙毛；萼筒长不及 2 mm，萼齿长三角形，外面和边缘均有毛；花冠白色，后变黄色，基部稍带红色，长 1.5 ~ 2 mm，外面密被糙毛，里面有柔毛；雄蕊与花柱均稍伸出花冠外，花丝下部有柔毛；花柱完全无毛。浆果黑色或蓝黑色，直径 5 ~ 6 mm。花期 5 ~ 6 月，果期 6 ~ 10 月。

| 生境分布 | 生于海拔约 600 m 的山沟边灌丛中。分布于湖北宣恩。

| 资源情况 | 野生资源较少。

| 采收加工 | 根：全年均可采挖，洗净泥土，切片，晒干。

| 功能主治 | 杀菌截疟。

忍冬科 Caprifoliaceae 忍冬属 Lonicera

蕊帽忍冬

Lonicera pileata Oliv.

| 药 材 名 | 蕊帽忍冬。

| 形态特征 | 常绿或半常绿灌木，高达 1.5 m；幼枝密生短糙毛，老枝浅灰色而无毛。叶革质，形状和大小变异很大，通常卵形至矩圆状披针形或菱状矩圆形，长 1 ~ 5（~ 6.5）cm，先端钝，基部通常楔形，上面深绿色，有光泽，中脉明显隆起，疏生短腺毛及少数微糙毛或近无毛。总花梗极短；苞片叶质，钻形或条状披针形，杯状小苞包围 2 分离的萼筒，无毛，先端为由萼檐下延而成的帽边状突起所覆盖；萼齿小而钝，卵形，边缘有短糙毛；花冠白色，漏斗状，长 6 ~ 8 mm，外被短糙毛和红褐色短腺毛，稀无毛，近整齐，筒长于裂片 2 ~ 3 倍，基部具浅囊，裂片圆卵形或卵形；雄蕊与花柱均略伸出；

花柱下半部有毛。果实透明蓝紫色，圆形，直径 6 ~ 8 mm；种子卵圆形或近圆形，长约 2 mm，淡黄褐色，平滑。花期 4 ~ 6 月，果熟期 9 ~ 12 月。

| 生境分布 | 生于海拔 500 ~ 2 200 m 的山坡灌丛、沟谷或林下。湖北有分布。

| 功能主治 | 养阴益肾。用于肾虚烦躁，神疲乏力，咳嗽。

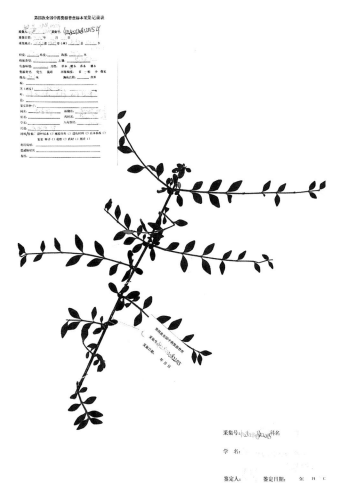

忍冬科 Caprifoliaceae 忍冬属 *Lonicera*

细毡毛忍冬 *Lonicera similis* Hemsl.

| **药 材 名** | 细毡毛忍冬。

| **形态特征** | 落叶藤本；幼枝、叶柄和总花梗均被淡黄褐色、开展的长糙毛和短柔毛，并疏生腺毛，或全然无毛；老枝棕色。叶纸质，卵形、卵状矩圆形至卵状披针形或披针形，长3～10（～13.5）cm，先端急尖至渐尖，基部圆或截形至微心形，两侧稍不等，有或无糙缘毛，上面初时中脉有糙伏毛，后变无毛，侧脉和小脉下陷，下面被由细短柔毛组成的灰白色或灰黄色细毡毛，脉上有长糙毛或无毛，老叶毛变稀而网脉明显凸起；叶柄长3～8（～12）mm。双花单生于叶腋或少数集生枝端成总状花序；总花梗下方者长可达4 cm，向上渐变短；苞片、小苞片和萼齿均有疏糙毛及缘毛或无毛；苞片三角状

披针形至条状披针形，长 2（～ 4.5）mm；小苞片极小，卵形至圆形，长约为萼筒的 1/3；萼筒椭圆形至长圆形，长 2（～ 3）mm，无毛，萼齿近三角形，长达 1 mm，宽与长近相等；花冠先为白色，后变淡黄色，长 4 ～ 6 cm，外被开展的长糙毛、短糙毛和腺毛或全然无毛，唇形，筒细，长 3 ～ 3.6 cm，超过唇瓣，内有柔毛，上唇长 1.4 ～ 2.2 cm，裂片矩圆形或卵状矩圆形，长 2 ～ 5.5 mm，下唇条形，长约 2 cm，内面有柔毛；雄蕊与花冠几等高，花丝长约 2 cm，无毛；花柱稍超出花冠，无毛。果实蓝黑色，卵圆形，长 7 ～ 9 mm；种子褐色，稍扁，卵圆形或矩圆形，长约 5 mm，有浅的横沟纹，两面中部各有 1 棱。花期 5 ～ 6（～ 7）月，果熟期 9 ～ 10 月。

| **生境分布** | 生于海拔 550 ～ 1 600 m 的山谷溪旁、向阳山坡灌丛或林中。分布于湖北西部。

| **资源情况** | 野生资源丰富。栽培资源较丰富。

| **采收加工** | **花蕾、初开的花**：夏初晴天早上花开放前采收，蒸、炒杀青后干燥。

| **功能主治** | 清热解毒，凉散风热。用于痈肿疔疮，喉痹，丹毒，热毒血痢，风热感冒，温病发热。

忍冬科 Caprifoliaceae 忍冬属 Lonicera

唐古特忍冬

Lonicera tangutica Maxim.

| 药 材 名 | 唐古特忍冬。

| 形 态 特 征 | 落叶灌木，高2（～4）m；幼枝无毛或有2列弯的短糙毛，有时夹生短腺毛，二年生小枝淡褐色，纤细，开展；冬芽顶渐尖或尖，外鳞片2～4对，卵形或卵状披针形，顶渐尖或尖，背面有脊，被短糙毛和缘毛或无毛。叶纸质，倒披针形至矩圆形或倒卵形至椭圆形，先端钝或稍尖，基部渐窄，长1～4（～6）cm，两面常被稍弯的短糙毛或短糙伏毛，上面近叶缘处毛常较密，有时近无毛或完全秃净，下面有时脉腋有趾蹼状鳞腺，常具糙缘毛；叶柄长2～3mm。总花梗生于幼枝下方叶腋，纤细，稍弯垂，长1.5～3（～3.8）cm，被糙毛或无毛；苞片狭细，有时叶状，略短于至略超出萼齿；小苞

片分离或连合，长为萼筒的 1/5 ～ 1/4，有或无缘毛；相邻两萼筒中部以上至全部合生，椭圆形或矩圆形，长 2（～ 4）mm，无毛，萼檐杯状，长为萼筒的 2/5 ～ 1/2 或与萼筒等长，先端具三角形齿或呈浅波状至截形，有时具缘毛；花冠白色、黄白色或有淡红晕，筒状漏斗形，长（8 ～）10 ～ 13 mm，筒基部稍一侧肿大或具浅囊，外面无毛或疏生糙毛，裂片近直立，圆卵形，长 2 ～ 3 mm；雄蕊着生花冠筒中部，花药内藏，达花冠筒上部至裂片基部；花柱高出花冠裂片，无毛或中下部疏生开展糙毛。果实红色，直径 5 ～ 6 mm；种子淡褐色，卵圆形或矩圆形，长 2 ～ 2.5 mm。花期 5 ～ 6 月，果熟期 7 ～ 8 月。

| 生境分布 | 生于海拔 1 600 ～ 3 100 m 的云杉、落叶松、栎和竹等林下或混交林中、山坡草地、溪边灌丛中。分布于湖北西部。

| 功能主治 | 补血调经。用于月经不调，经行腹痛，闭经，痛经，崩漏等。

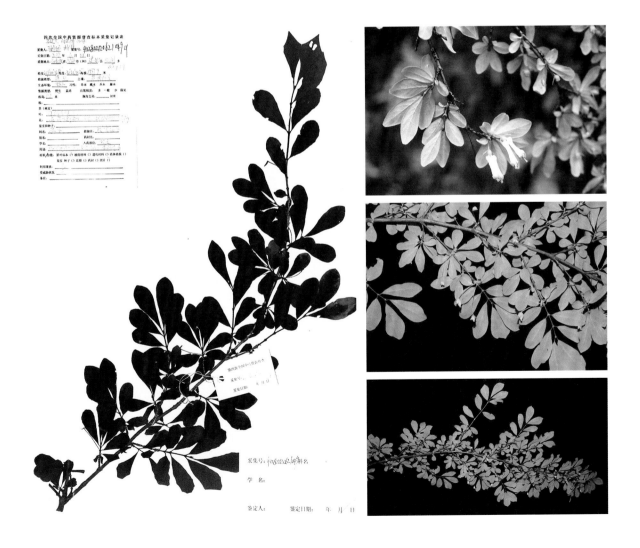

盘叶忍冬 *Lonicera tragophylla* Hemsl.

| **药 材 名** | 盘叶忍冬。

| **形态特征** | 落叶藤本；幼枝无毛。叶纸质，矩圆形或卵状矩圆形，稀椭圆形，长（4 ~ ）5 ~ 12 cm，先端钝或稍尖，基部楔形，下面粉绿色，被短糙毛或至少中脉下部两侧密生横出的淡黄色髯毛状短糙毛，很少无毛，中脉基部有时带紫红色，花序下方 1 ~ 2 对叶连合成近圆形或圆卵形的盘，盘两端通常钝形或具短尖头；叶柄很短或不存在。由 3 花组成的聚伞花序密集成头状花序，头状花序生于小枝先端，共有 6 ~ 9（~ 18）花；萼筒壶形，长约 3 mm，萼齿小，三角形或卵形，顶钝；花冠黄色至橙黄色，上部外面略带红色，长 5 ~ 9 cm，外面无毛，唇形，筒稍弓弯，长于唇瓣 2 ~ 3 倍，内面疏生柔毛；

雄蕊着生于唇瓣基部，约与唇瓣等长，无毛；花柱伸出，无毛。果实成熟时由黄色转为红黄色，最后变深红色，近圆形，直径约 1 cm。花期 6 ~ 7 月，果熟期 9 ~ 10 月。

| **生境分布** | 生于海拔（700 ~ ）1 000 ~ 2 000（~ 3 000）m 的林下、灌丛中或河滩旁岩缝中。分布于湖北西部和东部。

| **资源情况** | 野生资源丰富。

| **采收加工** | **花蕾、初开的花：** 花蕾呈黄绿色、未开放时适时采集，置芦席上摊开，于通风处干燥，不宜多翻动，不得水洗。

| **功能主治** | 清热解毒，凉散风热。用于痈肿疔疮，喉痹，丹毒，热毒血痢，风热感冒，温病发热。

忍冬科 Caprifoliaceae 接骨木属 Sambucus

血满草 *Sambucus adnata* Wall.

药 材 名

血满草。

形态特征

多年生高大草本或半灌木。高 1 ~ 2 m。根及根茎红色，折断后流出红色汁液。茎草质，具明显的棱条。羽状复叶具叶片状或条形的托叶；小叶 3 ~ 5 对，长椭圆形、长卵形或披针形，长 4 ~ 15 cm，宽 1.5 ~ 2.5 cm，先端渐尖，基部钝圆，两边不等，边缘有锯齿，上面疏被短柔毛，脉上毛较密，先端 1 对小叶基部常沿叶柄相连，有时与顶生小叶片相连，其他小叶在叶轴上互生或近对生；小叶的托叶退化成瓶状凸起的腺体。聚伞花序顶生，伞形，长约 15 cm，具总花梗；三至五出的分枝成锐角，初时密被黄色短柔毛，多少杂有腺毛；花小，有恶臭；花萼被短柔毛；花冠白色；花丝基部膨大，花药黄色；子房 3 室，花柱极短或几无，柱头 3 裂。果实红色，圆形。花期 5 ~ 7 月，果期 9 ~ 10 月。

生境分布

生于海拔 1 600 ~ 3 100 m 的林下、沟边、灌丛中、山谷斜坡湿地及高山草地等。湖北有分布。

| 采收加工 | 全草：夏、秋季采收，鲜用或晒干。

| 功能主治 | 祛风，利水，活血，通络。用于急、慢性肾小球肾炎，风湿疼痛，风疹瘙痒，小儿麻痹后遗症，慢性腰腿疼痛，扭伤瘀痛，骨折。

忍冬科 Caprifoliaceae 接骨木属 Sambucus

接骨草
Sambucus chinensis Lindl.

| **药材名** | 接骨草。

| **形态特征** | 高大草本或半灌木，高 1 ~ 2 m；茎有棱条，髓部白色。羽状复叶的托叶叶状或退化成蓝色的腺体；小叶 2 ~ 3 对，互生或对生，狭卵形，长 6 ~ 13 cm，宽 2 ~ 3 cm，嫩时上面被疏长柔毛，先端长渐尖，基部钝圆，两侧不等，边缘具细锯齿，近基部或中部以下边缘常有 1 或数枚腺齿；顶生小叶卵形或倒卵形，基部楔形，有时与第 1 对小叶相连；小叶无托叶，基部 1 对小叶有时有短柄。复伞形花序顶生，大而疏散，总花梗基部托以叶状总苞片，分枝三至五出，纤细，被黄色疏柔毛；杯形不孕性花不脱落，可孕性花小；萼筒杯状，萼齿三角形；花冠白色，仅基部连合，花药黄色或紫色；子房 3

室，花柱极短或几无，柱头 3 裂。果实红色，近圆形，直径 3 ~ 4 mm；核 2 ~ 3，卵形，长 2.5 mm，表面有小疣状突起。花期 4 ~ 5 月，果熟期 8 ~ 9 月。

| **生境分布** | 生于海拔 300 ~ 2 600 m 的山坡、林下、沟边和草丛中。湖北有分布。

| **采收加工** | **茎枝**：夏、秋季采收，切段，鲜用或晒干。

| **功能主治** | 祛风，利湿，舒筋，活血。用于风湿痹痛，腰腿痛，水肿，黄疸，跌打损伤，产后恶露不行，风疹瘙痒，丹毒，疮肿。

接骨木

Sambucus williamsii Hance

| **药 材 名** | 接骨木。

| **形态特征** | 落叶灌木或小乔木。高 5 ~ 6 m。老枝淡红褐色，具明显的长椭圆形皮孔，髓部淡褐色。羽状复叶有小叶 2 ~ 3 对，有时仅 1 对或多达 5 对；侧生小叶片卵圆形或狭椭圆形至倒矩圆状披针形，长 5 ~ 15 cm，宽 1.2 ~ 7 cm，先端尖或渐尖至尾尖，边缘具不整齐锯齿，有时在基部或中部以下具 1 至数枚腺齿，基部楔形或圆形，有时心形，两侧不对称，最下面 1 对小叶有时具长 0.5 cm 的柄；顶生小叶卵形或倒卵形，先端渐尖或尾尖，基部楔形，具长约 2 cm 的柄，初时小叶上面及中脉被稀疏短柔毛，后光滑无毛，叶搓揉后有臭气；托叶狭带形或退化成带蓝色的突起。花与叶同出，圆锥形聚伞花序顶生，

长 5 ~ 11 cm，宽 4 ~ 14 cm，具总花梗，花序分枝多呈直角开展，有时被稀疏短柔毛，随即光滑无毛；花小而密；萼筒杯状，长约 1 mm，萼齿三角状披针形，稍短于萼筒；花冠花蕾时带粉红色，开花后白色或淡黄色，花冠筒短，裂片矩圆形或长卵圆形，长约 2 mm；雄蕊与花冠裂片等长，开展，花丝基部稍肥大，花药黄色；子房 3 室，花柱短，柱头 3 裂。果实红色，极少蓝紫黑色，卵圆形或近圆形，直径 3 ~ 5 mm；分核 2 ~ 3，核卵圆形至椭圆形，长 2.5 ~ 3.5 mm，略有皱纹。花期 4 ~ 5 月，果期 9 ~ 10 月。

| **生境分布** | 生于海拔 540 ~ 1 600 m 的山坡、灌丛、沟边、路旁、宅边等。湖北各地均有分布。

| **采收加工** | 茎枝：全年均可采收，鲜用或切段晒干。

| **功能主治** | 祛风，利湿，活血，止痛。用于风湿筋骨痛，腰痛，水肿，风疹，瘾疹，产后血晕，跌打肿痛，骨折，创伤出血。

忍冬科 Caprifoliaceae 莛子藨 *Triosteum*

穿心莛子藨 *Triosteum himalayanum* Wall.

| **药 材 名** | 穿心莛子藨。

| **形态特征** | 多年生草本，茎高 40 ~ 60 cm。密被刺刚毛和腺毛。叶 5 ~ 7 对、相对之叶基部合生，茎贯穿其中，倒卵状椭圆形至倒卵状长圆形，长 8 ~ 16 cm，宽 5 ~ 10 cm，先端急尖或锐尖，上面被长刚毛，下面脉上毛较密，并夹杂腺毛。穗状花序顶生，可多至 5 轮，每轮有 6 花，系由 2 对生的无总梗的聚伞花序组成；萼筒长约 5 mm，具腺毛或短刺刚毛，萼齿 5 微小，萼筒与萼齿间缢缩；花冠黄绿色，筒内紫褐色，长约 1.6 cm，外具腺毛，筒基部弯曲，侧膨大成囊，裂片二唇形，上 4 下 1；雄蕊 5，着生于花冠筒中部，短于花冠，有腺毛和刺刚毛。核 3。花期 6 ~ 7 月，果期 8 ~ 9 月。

| **生境分布** | 生于海拔 1 800 ~ 3 100 m 的林下或高山草地。湖北有分布。

| **采收加工** | 夏、秋季采收，鲜用或切段晒干。

| **功能主治** | 利水消肿，活血调经。用于水肿，小便不利，月经不调，劳伤疼痛。

莛子藨
Triosteum pinnatifidum Maxim.

| 药 材 名 | 莛子藨。

| 形态特征 | 多年生草本。茎开花时顶部具 1 对分枝，高达 60 cm，具条纹，被白色刚毛及腺毛，中空，髓部白色。叶羽状深裂，基部楔形至宽楔形，近无柄，倒卵形至倒卵状椭圆形，长 8 ~ 20 cm，宽 6 ~ 18 cm，裂片 1 ~ 3 对，无锯齿，先端渐尖，上面浅绿色，散生刚毛，沿脉及边缘毛较密，下面黄白色；茎基部的初生叶有时不分裂。聚伞花序对生，各具 3 花；无总花梗，有时花序下具全缘的苞片，在茎或分枝先端集合成短穗状花序；萼筒被刚毛和腺毛，萼裂片三角形，长 3 mm；花冠黄绿色，狭钟状，长 1 cm，花冠筒基部弯曲，一侧膨大成浅囊，被腺毛，裂片圆而短，内面有带紫色斑点；雄蕊着生于花

冠筒中部以下，花丝短，花药矩圆形；花柱基部被长柔毛，柱头楔状头形。果实卵圆形，肉质，具 3 槽，长 10 mm，有宿存的萼齿；核 3，扁，亮黑色；种子凸平，腹面具 2 槽。花期 5 ~ 6 月，果期 8 ~ 9 月。

| 生境分布 | 生于海拔 1 800 ~ 2 900 m 的山坡针叶林下和沟边向阳处。湖北有分布。

| 功能主治 | 祛风湿，理气活血，健脾胃，消肿镇痛，生肌。用于劳伤，风湿腰腿痛，跌打损伤，消化不良，月经不调，带下。

忍冬科 Caprifoliaceae 荚蒾属 Viburnum

桦叶荚蒾

Viburnum betulifolium Batal.

药材名

桦叶荚蒾。

形态特征

落叶灌木或小乔木，高可达 7 m；小枝紫褐色或黑褐色，稍有棱角，散生圆形、凸起的浅色小皮孔，无毛或初时稍有毛。冬芽外面多少有毛。叶厚纸质或略带革质，干后变黑色，宽卵形至菱状卵形或宽倒卵形，稀椭圆状矩圆形，长 3.5 ~ 8.5（~ 12）cm，先端急短渐尖至渐尖，基部宽楔形至圆形，稀截形，边缘离基 1/3 ~ 1/2 以上具开展的不规则浅波状牙齿，上面无毛或仅中脉有时被少数短毛，下面中脉及侧脉被少数短伏毛，脉腋集聚簇状毛，侧脉 5 ~ 7 对；叶柄纤细，长 1 ~ 2（~ 3.5）cm，疏生简单长毛或无毛，近基部常有 1 对钻形小托叶。复伞形聚伞花序顶生或生于具 1 对叶的侧生短枝上，直径 5 ~ 12 cm，通常多少被疏或密的黄褐色簇状短毛，总花梗初时通常长不到 1 cm，果时可达 3.5 cm，第 1 级辐射枝通常 7，花生于第（3 ~）4（~ 5）级辐射枝上；萼筒有黄褐色腺点，疏被簇状短毛，萼齿小，宽卵状三角形，顶钝，有缘毛；花冠白色，辐状，直径约 4 mm，无毛，裂片圆卵形，比筒长；

雄蕊常高出花冠，花药宽椭圆形；柱头高出萼齿。果实红色，近圆形，长约 6 mm；核扁，长 3.5 ～ 5 mm，直径 3 ～ 4 mm，顶尖，有 1 ～ 3 浅腹沟和 2 深背沟。花期 6 ～ 7 月，果熟期 9 ～ 10 月。

| 生境分布 | 生于海拔 2 600 ～ 3 100 m 的山坡灌丛或山谷疏林。湖北有分布。

| 功能主治 | 调经，涩精。用于月经不调，梦遗虚滑，肺热口臭及白浊带下等。

忍冬科 Caprifoliaceae 荚蒾属 Viburnum

短序荚蒾
Viburnum brachybotryum Hemsl.

| 药 材 名 | 短序荚蒾。

| 形态特征 | 常绿灌木或小乔木，高可达 8 m；幼枝、芽、花序、萼、花冠外面、苞片和小苞片均被黄褐色簇状毛；小枝黄白色或灰褐色，散生凸起的圆形皮孔。冬芽有 1 对鳞片。叶革质，倒卵形、倒卵状矩圆形或矩圆形，长 7 ～ 20 cm，先端渐尖或急渐尖，基部宽楔形至近圆形，边缘自基部 1/3 以上疏生尖锯齿，有时近全缘，上面深绿色，有光泽，下面散生黄褐色簇状毛或近无毛，侧脉 5 ～ 7 对，弧形，近缘前互相网结，上面略凹陷，连同中脉下面明显凸起，小脉横列，下面明显；叶柄长 1 ～ 2（～ 3）cm，初时散生簇状毛，后变无毛。圆锥花序通常尖形，顶生或常有一部分生于腋出、无叶的退化短枝上，呈假

腋生状，直立或弯垂，长 5 ~ 11 (~ 22) cm，宽 2.5 ~ 8.5 (~ 15) cm；苞片和小苞片宿存；花生于序轴的第 2 至第 3 级分枝上，无梗或有短梗；萼筒筒状钟形，长约 1.5 mm，萼齿卵形，顶钝，长约 1 mm；花冠白色，辐状，直径 4 ~ 5 (~ 6) mm，筒极短，裂片开展，卵形至矩圆状卵形，顶钝，长约 1.5 mm，为筒的 2 倍；雄蕊花药黄白色，宽椭圆形；柱头头状，3 裂，远高出萼齿。果实鲜红色，卵圆形，先端渐尖，基部圆形，长约 1 cm，直径约 6 mm，常有毛；核卵圆形或长卵形，稍扁，先端渐尖，长约 8 mm，直径约 5 mm，有 1 条深腹沟。花期 1 ~ 3 月，果熟期 7 ~ 8 月。

| 生境分布 | 生于海拔（400 ~）600 ~ 1 900 m 的山谷密林或山坡灌丛中。分布于湖北西部。

| 功能主治 | 根：清热止痒，祛风除湿。用于风湿关节痛，跌打损伤。
叶：用于皮肤瘙痒。
花：用于风热咳喘。

忍冬科 Caprifoliaceae 荚蒾属 Viburnum

醉鱼草状荚蒾
Viburnum buddleifolium C. H. Wright

| 药 材 名 | 醉鱼草状荚蒾。

| 形态特征 | 落叶灌木，高达 3 m；当年小枝、冬芽、叶下面、叶柄、花序和萼筒均被由黄白色或带褐色簇状毛组成的绒毛，二年生小枝灰褐色或褐色，渐变无毛，散生圆形小皮孔。叶纸质，矩圆状披针形，长 6 ~ 11（~ 18）cm，先端渐尖，有时钝形，基部微心形或圆形，边缘有波状小齿，老叶齿不明显，上面密被簇状、叉状或简单短毛，侧脉 8 ~ 12 对、直伸至齿端或部分在近缘处互相网结，连同中脉上面凹陷，下面凸起，小脉下面稍凸起或不明显；叶柄长 5 ~ 15 mm。聚伞花序直径 4 ~ 7 cm，总花梗长 1 ~ 1.5（~ 2）cm，第 1 级辐射枝 6 ~ 7，花生于第 2 级辐射枝上；萼筒筒状倒圆锥形，长 2 ~ 3 mm，萼齿

三角形，顶稍尖，基部连合，有少数簇状毛或几无毛；花冠白色，辐状钟形，直径 7 ~ 9 mm，无毛，筒部长约 2 mm，裂片卵圆形，长约 3 mm；雄蕊与花冠裂片几等长，花药宽椭圆形，长约 1 mm；花柱高出萼齿。果实椭圆形；核长约 7 mm，直径约 4 mm，有 2 背沟和 3 腹沟。

| 生境分布 | 生于海拔 700 ~ 1 500 m 的山坡丛林或灌丛中。湖北有分布。

| 功能主治 | 止咳定喘，活血祛瘀，驱虫。

忍冬科 Caprifoliaceae 荚蒾属 Viburnum

金佛山荚蒾 *Viburnum chinshanense* Graebn.

药材名

金佛山荚蒾。

形态特征

灌木。高达 5 m。幼叶下面、叶柄和花序均被由灰白色或黄白色簇状毛组成的绒毛。小枝圆形，当年生小枝被黄白色或浅褐色绒毛；二年生小枝浅褐色而无毛，散生小皮孔。叶纸质至厚纸质，披针状矩圆形或狭矩圆形，长 5 ~ 10（~ 15）cm，先端稍尖或呈钝形，基部圆形或微心形，全缘，稀具少数不明显小齿，上面暗绿色，无毛，幼时中脉及侧脉散生短毛，老叶下面变为灰褐色；侧脉 7 ~ 10 对，近缘处互相网结，在上面凹陷（幼叶较明显），在下面凸起，小脉在上面稍凹陷或不明显；叶柄长 1 ~ 2 cm。聚伞花序直径 4 ~ 6（~ 8）cm，总花梗长 1 ~ 2.5 cm，第一级辐射枝 5 ~ 7，几等长，花通常生于第二级辐射枝上，有短梗；萼筒矩圆状卵圆形，长约 2.5 mm，多少被簇状毛，萼齿宽卵形，顶部钝圆形，疏生簇状毛；花冠白色，辐状，直径约 7 mm，外面疏被簇状毛，花冠筒长约 3 mm，裂片圆卵形或近圆形，长约 2 mm；雄蕊略高于花冠，花药宽椭圆形，长约 1 mm；花柱略高于萼齿或与萼齿几等长，红色。果实先红色后变为黑色，长圆状卵圆形；核甚扁，长 8 ~ 9 mm，直径 4 ~ 5 mm，有 2 背沟和 3 腹沟。花期 4 ~ 5 月（有时秋季也开花），果期 7 月。

| 生境分布 | 生于山坡疏林或灌丛中。湖北有分布。

| 功能主治 | 调经，涩精。用于月经不调，梦遗，滑精，肺热口臭，白浊带下。

忍冬科 Caprifoliaceae 荚蒾属 Viburnum

伞房荚蒾
Viburnum corymbiflorum Hsu et S. C. Hsu

| 药 材 名 |

伞房荚蒾。

| 形态特征 |

灌木或小乔木，高达 5 m；枝和小枝黄白色，无毛或近无毛。冬芽有 1 对鳞片。叶皮纸质，很少亚革质，干后变榄绿色，矩圆形至矩圆状披针形，长 6 ~ 10（~ 13）cm，先端急尖，基部圆形至宽楔形，边缘离基部 1/3 以上疏生外弯的尖锯齿，无毛或初时脉上有极稀疏簇状毛，上面深绿色，有光泽，侧脉 4 ~ 6 对，大部分直达齿端，连同中脉上面凹陷，下面凸起；叶柄长约 1 cm，初时有疏毛，后变近无毛。圆锥花序因主轴缩短而成圆顶的伞房状，生于具 1 对叶的短枝之顶，长（1.5 ~）3 ~ 4 cm，直径 3 ~ 6 cm，疏被簇状短柔毛，总花梗长 2 ~ 4.5 cm；花芳香，生于序轴的第 3 级分枝上，有长梗；萼筒筒状，长约 2 mm，无毛或几无毛，常有少数腺体，萼齿狭卵形，长约 1 mm，顶钝形；花冠白色，辐状，直径约 8 mm，筒长不足 1 mm，裂片矩圆形，长约 3 mm，顶圆形，雄蕊长约 1.5 mm；花药黄色；柱头头状，高出萼齿。果实红色，椭圆形，长 7 ~ 8（~ 10）mm，直径 5 ~ 6 mm；核倒卵圆形或倒卵状矩圆形，长约 6 mm，直径约 4 mm，有 1 深腹沟。花期 4 月，果熟期 6 ~ 7 月。

| 生境分布 | 生于山坡密林中、山谷或灌丛中湿润地。分布于湖北咸丰。

| 功能主治 | 用于痈毒。

忍冬科 Caprifoliaceae 荚蒾属 *Viburnum*

水红木

Viburnum cylindricum Buch.-Ham. ex D. Don

| 药 材 名 |　水红木。

| 形态特征 |　常绿灌木或小乔木，高 8 (～ 15) m；枝带红色或灰褐色，散生小皮孔，小枝无毛或初时被簇状短毛。冬芽有 1 对鳞片。叶革质，椭圆形至矩圆形或卵状矩圆形，长 8 ～ 16 (～ 24) cm，先端渐尖或急渐尖，基部渐狭至圆形，全缘或中上部疏生少数钝或尖的不整齐浅齿，通常无毛，下面散生带红色或黄色的微小腺点（有时扁化而类似鳞片），近基部两侧各有 1 至数个腺体，侧脉 3 ～ 5 (～ 18) 对，弧形；叶柄长 1 ～ 3.5 (～ 5) cm，无毛或被簇状短毛。聚伞花序伞形，先端圆形，直径 4 ～ 10 (～ 18) cm，无毛或散生簇状微毛，连同萼和花冠有时被微细鳞腺，总花梗长 1 ～ 6 cm，第 1 级辐射枝通常

7，苞片和小苞片早落，花通常生于第 3 级辐射枝上；萼筒卵圆形或倒圆锥形，长约 1.5 mm，有微小腺点，萼齿极小而不显著；花冠白色或有红晕，钟状，长 4 ~ 6 mm，有微细鳞腺，裂片圆卵形，直立，长约 1 mm；雄蕊高出花冠约 3 mm，花药紫色，矩圆形，长 1 ~ 1.8 mm。果实先为红色，后变蓝黑色，卵圆形，长约 5 mm；核卵圆形，扁，长约 4 mm；直径 3.5 ~ 4 mm，有 1 浅腹沟和 2 浅背沟。花期 6 ~ 10 月，果熟期 10 ~ 12 月。

| 生境分布 |　生于海拔 500 ~ 3 100 m 的阳坡疏林或灌丛中。分布于湖北西部。

| 采收加工 |　**根**：全年均可采挖，洗净，鲜用或晒干。

| 功能主治 |　祛风活络，清热解毒，凉血，化湿通络，润肺止咳。用于跌打损伤，风湿筋骨痛，泄泻，口腔破溃，淋病，风热咳嗽，烫火伤，疮疡肿毒，皮肤瘙痒。

荚蒾

Viburnum dilatatum Thunb.

| 药 材 名 | 荚蒾。

| 形态特征 | 落叶灌木，高 1.5 ~ 3 m；当年生小枝连同芽、叶柄和花序均密被土黄色或黄绿色开展的小刚毛状粗毛及簇状短毛，老时毛可弯伏，毛基有小瘤状突起，二年生小枝暗紫褐色，被疏毛或几无毛，有凸起的垫状物。叶纸质，宽倒卵形、倒卵形或宽卵形，长 3 ~ 10（~ 13）cm，先端急尖，基部圆形至钝形或微心形，有时楔形，边缘有牙齿状锯齿，齿端突尖，上面被叉状或简单伏毛，下面被带黄色叉状或簇状毛，脉上毛尤密，脉腋集聚簇状毛，有带黄色或近无色的透亮腺点，虽脱落仍留有痕迹，近基部两侧有少数腺体，侧脉 6 ~ 8 对，直达齿端，上面凹陷，下面明显凸起；叶柄长（5 ~）

10 ～ 15 mm；无托叶。复伞形聚伞花序稠密，生于具 1 对叶的短枝之顶，直径 4 ～ 10 cm，果时毛多少脱落，总花梗长 1 ～ 2（～ 3）cm，第 1 级辐射枝 5，花生于第 3 至第 4 级辐射枝上，萼和花冠外面均有簇状糙毛；萼筒狭筒状，长约 1 mm，有暗红色微细腺点，萼齿卵形；花冠白色，辐状，直径约 5 mm，裂片圆卵形；雄蕊明显高出花冠，花药小，乳白色，宽椭圆形；花柱高出萼齿。果实红色，椭圆状卵圆形，长 7 ～ 8 mm；核扁，卵形，长 6 ～ 8 mm，直径 5 ～ 6 mm，有 3 浅腹沟和 2 浅背沟。花期 5 ～ 6 月，果熟期 9 ～ 11 月。

| 生境分布 | 生于山地或丘陵地区的灌丛中。分布于湖北黄冈红安。

| 采收加工 | 根、枝、叶：夏、秋季采集，鲜用或晒干。

| 功能主治 | 根：祛瘀消肿。用于瘰疬，跌打损伤。

枝、叶：清热解毒，疏风解表。用于疔疮发热，暑热感冒；外用于过敏性皮炎。

宜昌荚蒾 *Viburnum erosum* Thunb.

| **药 材 名** | 宜昌荚蒾。

| **形态特征** | 落叶灌木。高达 3 m。幼枝密被星状毛和柔毛。冬芽小而有毛，具 2 对外鳞片。叶对生，纸质，卵形至卵状披针形，长 3.5 ~ 7 cm，宽 1.5 ~ 3.5 cm，先端渐尖，基部心形，边缘有牙齿，叶面粗糙，上面 疏生有疣基的叉毛，下面密生星状毡毛，近基部两侧有少数腺体； 侧脉 6 ~ 9 对，伸达齿端，与主脉在叶上面凹陷，在下面凸起；叶 柄长 3 ~ 5 mm；托叶钻形。复伞形聚伞花序生于具 1 对叶的侧生短 枝顶部，直径 2 ~ 4 cm，有毛；有总花梗，第一级辐射枝 5，花生 于第二级至第三级辐射枝上；苞片和小苞片线形，均长 4 ~ 5 mm； 萼筒长约 1.5 mm，萼齿 5，微小，卵状三角形；花冠白色，辐状，

直径约 6 mm，裂片卵圆形，稍长于花冠筒；雄蕊 5，稍短至等长于花冠。核果卵圆形，长约 7 mm，红色；核扁，具 3 浅腹沟和 2 浅背沟。花期 4 ~ 5 月，果期 6 ~ 9 月。

| **生境分布** | 生于海拔 300 ~ 1 800 m 的山坡林下或灌丛中。湖北有分布。

| **功能主治** | 祛风，除湿。用于风湿痹痛。

忍冬科 Caprifoliaceae 荚蒾属 Viburnum

红荚蒾
Viburnum erubescens Wall.

| 药 材 名 | 红荚蒾。

| 形 态 特 征 | 落叶灌木或小乔木，高达 6 m。当年小枝被簇状毛至无毛。冬芽有 1 对鳞片。叶纸质，椭圆形、矩圆状披针形至狭矩圆形，稀卵状心形或略带倒卵形，长 6 ~ 11 cm，边缘基部除外具细锐锯齿，上面无毛或中脉有细短毛，下面中脉和侧脉被簇状毛，侧脉 4 ~ 6 对，多直达齿端，连同中脉上面略凹陷；叶柄长 1 ~ 2.5 cm，被簇状毛或无毛。圆锥花序，长（5 ~）7.5 ~ 10 cm，花无梗或有短梗，生于花序轴第 1 ~ 3 级分枝；花萼筒筒状，通常无毛；花冠白色或淡红色，高脚碟状，裂片长 2 ~ 3 mm，先端圆；雄蕊生于花冠筒先端，花药微外露；花柱高出萼齿。果实紫红色，后黑色，椭圆形；核倒

卵圆形，扁，直径 4 ~ 5 mm，有 1 深腹沟，腹面上半部有 1 隆起的脊。花期 4 ~ 6 月，果熟期 8 月。

| 生境分布 |　生于海拔 1 500 ~ 2 000 m 的针阔叶混交林。湖北有分布。

| 功能主治 |　清热解毒，凉血，止血。

忍冬科 Caprifoliaceae 荚蒾属 Viburnum

紫药红荚蒾 Viburnum erubescens Wall. var. prattii (Graebn.) Rehd.

| 药 材 名 | 紫药红荚蒾。

| 形态特征 | 叶倒卵形、倒卵状椭圆形至矩圆形或狭矩圆形，长 6 ~ 14 cm，侧脉 7 ~ 9 对。脉腋常集聚簇状毛。花药堇紫色。

| 生境分布 | 生于海拔 1 400 ~ 3 100 m 的山谷溪涧旁密林中或林缘。分布于湖北西部。

| 功能主治 | 止咳化痰，消积破瘀，止痢，止血。

忍冬科 Caprifoliaceae 荚蒾属 *Viburnum*

直角荚蒾
Viburnum foetidum Wall. var. *rectangulatum* (Graebn.) Rehd.

| 药 材 名 | 直角荚蒾。

| 形态特征 | 植株直立或攀缘状；枝披散，侧生小枝甚长而呈蜿蜒状，常与主枝呈直角或近直角开展。叶厚纸质至薄革质，卵形、菱状卵形，椭圆形至矩圆形或矩圆状披针形，长 3 ～ 6（～ 10）cm，全缘或中部以上有少数不规则浅齿，下面偶有棕色小腺点，侧脉直达齿端或近缘前互相网结，基部 1 对较长而常作离基三出脉状。总花梗通常极短或几缺，很少长达 2 cm；第 1 级辐射枝通常 5。花期 5 ～ 7 月，果熟期 10 ～ 12 月。

| 生境分布 | 生于海拔 600 ～ 2 400 m 的山坡林中或灌丛中。分布于湖北西部。

| 采收加工 | 茎叶：春、夏、秋季均可采收，鲜用或切段晒干。

| 功能主治 | 清热解毒，凉血止血。用于湿热痢疾，痈疽疮疖，衄血，咯血，吐血，便血，跌打损伤。

| 忍冬科 | Caprifoliaceae | 荚蒾属 | Viburnum |

南方荚蒾
Viburnum fordiae Hance

| 药 材 名 | 南方荚蒾。

| 形态特征 | 灌木或小乔木。高可达5 m。幼枝、芽、叶柄、花序、花萼和花冠外面均被由暗黄色或黄褐色簇状毛组成的绒毛。枝灰褐色或黑褐色。叶纸质至厚纸质，宽卵形或菱状卵形，长4～7（～9）cm，先端钝或短尖至短渐尖，基部宽楔形或圆形至截形，稀楔形，除边缘基部外，其余部分常有小尖齿，上面（尤其沿脉）有时散生具柄的红褐色微小腺体（放大镜下可见），初时被簇状毛或叉状毛，后仅脉上有毛，稍光亮，下面毛较密，无腺点；侧脉5～7（～9）对，直达齿端，在上面略凹陷，在下面凸起；壮枝上的叶带革质，常较大，基部较宽，下面被绒毛，疏生浅齿或几全缘，侧脉较少；叶柄

长 5 ~ 15 mm，有时更短；无托叶。复伞形聚伞花序顶生或生于具 1 对叶的侧生小枝顶部，直径 3 ~ 8 cm；总花梗长 1 ~ 3.5 cm，或极少近无，第一级辐射枝通常 5，花生于第三级至第四级辐射枝上；萼筒倒圆锥形，萼齿钝三角形；花冠白色，辐状，直径（3.5 ~）4 ~ 5 mm，裂片卵形，长约 1.5 mm，比花冠筒长；雄蕊与花冠等长或略长于花冠，花药小，近圆形；花柱高于萼齿，柱头头状。果实红色，卵圆形，长 6 ~ 7 mm；核扁，长约 6 mm，直径约 4 mm，有 2 腹沟和 1 背沟。花期 4 ~ 5 月，果期 10 ~ 11 月。

| **生境分布** | 生于海拔 600 ~ 2 400 m 的山坡林中或灌丛中。湖北有分布。

| **功能主治** | 疏风解表，活血散瘀，清热解毒。用于感冒，发热，月经不调，风湿痹痛，跌打损伤，淋巴结炎，疮疖，湿疹。

忍冬科 Caprifoliaceae 荚蒾属 Viburnum

聚花荚蒾
Viburnum glomeratum Maxim.

| 药 材 名 | 聚花荚蒾。

| 形态特征 | 落叶灌木或小乔木。高 3 (~5) m。当年生小枝、芽、幼叶下面、叶柄及花序均被黄色或黄白色簇状毛。叶纸质，卵状椭圆形、卵形或宽卵形，稀倒卵形或倒卵状矩圆形，长 (3.5~)6~10(~15) cm，先端钝圆、尖或短渐尖，基部圆形或多少带斜微心形，边缘有牙齿，上面疏被簇状短毛，下面初时被由簇状毛组成的绒毛，后毛渐变稀；侧脉 5~11 对，侧脉与其分枝均直达齿端；叶柄长 1~2(~3) cm。聚伞花序直径 3~6 cm；总花梗长 1~2.5(~7) cm，第一级辐射枝 (4~)5~7(~9)；萼筒被白色簇状毛，长 1.5~3 mm，萼齿卵形，长 1~2 mm，与花冠筒等长或长为花冠筒的 2 倍；花冠

白色，辐状，直径约 5 mm，花冠筒长约 1.5 mm，裂片卵圆形，约等长于花冠筒；雄蕊稍高出花冠裂片，花药近圆形，直径约 1 mm。果实红色，后变为黑色；核椭圆形，扁，长 5 ~ 7（~ 9）mm，直径（4 ~）5 mm，有 2 浅背沟和 3 浅腹沟。花期 4 ~ 6 月，果期 7 ~ 9 月。

| 生境分布 | 生于海拔（1 100 ~）1 700 ~ 3 100 m 的山谷林中、灌丛中或山坡草地的阴湿处。分布于湖北西部。

| 功能主治 | 疏风解毒，清热活血。用于风热感冒，疔疮发热，产后伤风，跌打损伤，骨折。

忍冬科 Caprifoliaceae 荚蒾属 *Viburnum*

琼花
Viburnum macrocephalum Fort. f. *keteleeri* (Carr.) Rehd.

| 药 材 名 | 琼花。

| 形态特征 | 落叶或半常绿灌木，高达 4 m；树皮灰褐色或灰白色；芽、幼枝、叶柄及花序被灰白色或黄白色簇状短毛，后渐变无毛。叶临冬至翌年春季逐渐落尽，纸质，卵形至椭圆形或卵状矩圆形，长 5 ~ 11 cm，先端钝或稍尖，基部圆形或微心形，边缘有小齿，上面初时密被簇状短毛，后仅中脉有毛，下面被簇状短毛，侧脉 5 ~ 6 对，近缘前互相网结，连同中脉上面略凹陷，下面凸起；叶柄长 10 ~ 15 mm。聚伞花序直径 8 ~ 15 cm，全部由大型不孕花组成，总花梗长 1 ~ 2 cm，第 1 级辐射枝 5，花生于第 3 级辐射枝上；萼筒筒状，长约 2.5 mm，宽约 1 mm，无毛，萼齿与萼筒几等长，矩圆形，顶

钝；花冠白色，辐状，直径 1.5 ~ 4 cm，裂片圆状倒卵形，筒部甚短；雄蕊长约 3 mm，花药小，近圆形；雌蕊不育。花期 4 ~ 5 月。

| 生境分布 | 生于丘陵、山坡林下或灌丛中。庭园亦常有栽培。分布于湖北西部。

| 采收加工 | **枝叶、果实**：枝叶春、夏季进行采摘，鲜用或晒干。果实成熟时采收。

| 功能主治 | 活血，镇痛，通经络，解毒止痒。用于腰扭伤，关节疼痛，瘙痒。

忍冬科 Caprifoliaceae 荚蒾属 Viburnum

黑果荚蒾
Viburnum melanocarpum Hsu

| 药 材 名 | 黑果荚蒾。

| 形态特征 | 落叶灌木。高达 3.5 m。当年生小枝浅灰黑色，连同叶柄和花序均疏被带黄色簇状短毛；二年生小枝变为红褐色，无毛。冬芽长约 6 mm，密被黄白色细短毛。叶纸质，倒卵形、圆状倒卵形或宽椭圆形，稀菱状椭圆形，长 6 ～ 10（～ 12）cm，先端常骤短渐尖，基部圆形、浅心形或宽楔形，边缘有小牙齿，齿顶有小凸尖，上面有光泽；中脉常有少数短糙毛，后近无毛，下面中脉及侧脉有少数长伏毛，脉腋常有少数集聚簇状毛，无腺点，侧脉 6 ～ 7 对，连同中脉在上面凹陷，在下面显著凸起，小脉横列，叶干后下面呈明显的网格状；叶柄长 1 ～ 2（～ 4）cm；托叶钻形，长约 3 mm，早落或无。复伞

式聚伞花序生于具 1 对叶的短枝顶部，直径约 5 cm，散生微细腺点；总花梗纤细，长 1.5 ~ 3 cm，第一级辐射枝通常 5，花生于第二级至第三级辐射枝上；萼筒筒状倒圆锥形，长约 1.5 mm，被少数簇状微毛或无毛，具红褐色微细腺点，萼齿宽卵形，先端钝；花冠白色，辐状，直径约 5 mm，无毛，裂片宽卵形，略长于花冠筒；雄蕊高于或略短于花冠，花药宽椭圆形；柱头头状，高于萼齿。果实由暗紫红色转为酱黑色，有光泽，椭圆状圆形，长 8 ~ 10 mm；核扁，卵圆形，长约 8 mm，直径约 6 mm，多少呈浅勺状，腹面中央有 1 纵向隆起的脊。花期 4 ~ 5 月，果期 9 ~ 10 月。

| 生境分布 | 生于海拔约 1 000 m 的山地林中或山谷溪涧旁的灌丛中。湖北有分布。

| 功能主治 | 疏风解毒，清热活血。用于风热感冒，疔疮发热，产后伤风，跌打损伤，骨折。

珊瑚树

Viburnum odoratissimum Ker-Gawl.

| 药 材 名 | 珊瑚树。

| 形态特征 | 常绿灌木或小乔木，高 10（～ 15）m；枝灰色或灰褐色，有凸起的小瘤状皮孔，无毛或稍被褐色簇状毛。冬芽有 1 ～ 2 对卵状披针形的鳞片。叶革质，椭圆形至矩圆形或矩圆状倒卵形至倒卵形，有时近圆形，长 7 ～ 20 cm，先端短尖至渐尖而钝头，有时钝至近圆形，基部宽楔形，稀圆形，边缘上部有不规则浅波状锯齿或近全缘，上面深绿色，有光泽，两面无毛或脉上散生簇状微毛，下面有时散生暗红色微腺点，脉腋常有集聚簇状毛和趾蹼状小孔，侧脉 5 ～ 6 对，弧形，近缘前互相网结，连同中脉下面凸起而显著；叶柄长 1 ～ 2（～ 3）cm，无毛或被簇状微毛。圆锥花序顶生或生于侧生短枝上，

宽尖塔形，长（3.5 ～）6 ～ 13.5 cm，宽（3 ～）4.5 ～ 6 cm，无毛或散生簇状毛，总花梗长可达 10 cm，扁，有淡黄色小瘤状突起；苞片长不足 1 cm，宽不及 2 mm；花芳香，通常生于序轴的第 2 至第 3 级分枝上，无梗或有短梗；萼筒筒状钟形，长 2 ～ 2.5 mm，无毛，萼檐碟状，齿宽三角形；花冠白色，后变黄白色，有时微红色，辐状，直径约 7 mm，筒长约 2 mm，裂片反折，圆卵形，先端圆，长 2 ～ 3 mm；雄蕊略超出花冠裂片，花药黄色，矩圆形，长近 2 mm；柱头头状，不高出萼齿。果实先为红色，后变黑色，卵圆形或卵状椭圆形，长约 8 mm，直径 5 ～ 6 mm；核卵状椭圆形，浑圆，长约 7 mm，直径约 4 mm，有 1 深腹沟。花期 4 ～ 5 月（有时不定期开花），果熟期 7 ～ 9 月。

| 生境分布 | 生于海拔 200 ～ 1 300 m 的山谷密林中、溪涧旁背阴处、疏林中向阳地或平地灌丛中。湖北有栽培。

| 功能主治 | 用于跌打肿痛和骨折。

忍冬科 Caprifoliaceae 荚蒾属 Viburnum

鸡树条
Viburnum opulus L. var. *calvescens* (Rehd.) Hara

| 药 材 名 | 鸡树条。

| 形态特征 | 落叶灌木。高 1.5 ~ 4 m。当年生小枝有棱，无毛，有明显凸起的皮
孔；二年生小枝带黄色或红褐色，近圆柱形；老枝和茎干暗灰色，树
皮薄，常纵裂。冬芽卵圆形，有柄，有 1 对合生的外鳞片，无毛，
内鳞片膜质，基部合生成筒状。叶圆卵形至广卵形或倒卵形，长
6 ~ 12 cm，通常 3 裂，具掌状三出脉，基部圆形、截形或浅心形，
无毛，裂片先端渐尖，边缘具不整齐粗牙齿，侧裂片略向外开展；
位于小枝上部的叶常较狭长，椭圆形至矩圆状披针形，不分裂，边
缘疏生波状牙齿或 3 浅裂，裂片全缘或近全缘，侧裂片短，中裂片
伸长；叶柄粗壮，长 1 ~ 2 cm，无毛，有 2 ~ 4 至多枚明显的长盘

形腺体，基部有 2 钻形托叶。复伞式聚伞花序直径 5 ~ 10 cm，周围大多有大型的不孕花；总花梗粗壮，长 2 ~ 5 cm，无毛，第一级辐射枝 6 ~ 8，通常 7，花生于第二级至第三级辐射枝上，花梗极短；萼筒倒圆锥形，长约 1 mm，萼齿三角形，均无毛；花冠白色，辐状，裂片近圆形，长约 1 mm；大小稍不等，花冠筒与裂片几等长，内被长柔毛；雄蕊长约为花冠的 1.5 倍，花药黄白色，长不及 1 mm；花柱不存，柱头 2 裂；不孕花白色，直径 1.3 ~ 2.5 cm，有长梗，裂片宽倒卵形，先端圆形，形状不等。果实红色，近圆形，直径 8 ~ 10 (~ 12)mm；核扁，近圆形，直径 7 ~ 9 mm，灰白色，稍粗糙，无纵沟。花期 5 ~ 6 月，果期 9 ~ 10 月。

| 生境分布 | 生于海拔 1 000 ~ 1 600 m 的河谷云杉林下。湖北有分布。

| 采收加工 | 夏、秋季采收，鲜用或切段晒干。

| 功能主治 | 通经活络，解毒止痒。用于腰腿疼痛，闪腰岔气，疮疖，疥癣，皮肤瘙痒。

忍冬科 Caprifoliaceae 荚蒾属 Viburnum

粉团 *Viburnum plicatum* Thunb.

|药 材 名|

粉团花。

|形态特征|

落叶灌木。高达 3 m。当年生小枝浅黄褐色，四角状，被黄褐色簇状毛组成的绒毛；二年生小枝灰褐色或灰黑色，稍具棱角或否，散生圆形皮孔；老枝圆筒形，近水平状开展。冬芽有 1 对披针状三角形鳞片。叶纸质，宽卵形、圆状倒卵形或倒卵形，稀近圆形，长 4 ~ 10 cm，先端圆或急狭而微凸尖，基部圆形或宽楔形，稀微心形，边缘有不整齐的三角状锯齿，上面疏被短伏毛，中脉毛较密，下面密被绒毛或仅侧脉有毛；侧脉10 ~ 12（ ~ 13）对，笔直伸至齿端，在上面常深凹陷，在下面显著凸起，小脉横列，并行，紧密，成明显的长方形格纹；叶柄长1 ~ 2 cm，被薄绒毛；无托叶。聚伞式花序伞形，直径4 ~ 8 cm，常生于具 1 对叶的短侧枝上，全部由大型的不孕花组成；总花梗长 1.5 ~ 4 cm，稍有棱角，被黄褐色簇状毛，第一级辐射枝 6 ~ 8，花生于第四级辐射枝上；萼筒倒圆锥形，被簇状毛或无毛，萼齿卵形，先端钝圆；花冠白色，辐状，直径 1.5 ~ 3 cm，裂片有时仅 4，倒卵形或近圆形，先端圆形，大小常不相等；雌、雄蕊均不发育。花期 4 ~ 5 月。

| **生境分布** | 生于山谷溪边、林缘灌丛中、郊野路边、水沟边。湖北有分布。

| **功能主治** | 除湿，破血。

蝴蝶戏珠花

Viburnum plicatum Thunb. var. *tomentosum* (Thunb.) Miq.

| 药 材 名 | 蝴蝶戏珠花。

| 形态特征 | 落叶灌木，高达 3 m；当年生小枝浅黄褐色，四角状，被由黄褐色簇状毛组成的绒毛，二年生小枝灰褐色或灰黑色，稍具棱角或否，散生圆形皮孔，老枝圆筒形，近水平状开展。冬芽有 1 对披针状三角形鳞片。叶较狭，宽卵形或矩圆状卵形，有时椭圆状倒卵形，两端有时渐尖，下面常带绿白色，侧脉 10 ~ 17 对。花序直径 4 ~ 10 cm，外围有 4 ~ 6 白色、大型的不孕花，具长花梗，花冠直径达 4 cm，不整齐 4 ~ 5 裂；中央可孕花直径约 3 mm，萼筒长约 15 mm，花冠辐状，黄白色，裂片宽卵形，长约等于萼筒，雄蕊高出花冠，花药近圆形。果实先为红色，后变黑色，宽卵圆形或倒卵圆形，长

5 ~ 6 mm，直径约 4 mm；核扁，两端钝形，有 1 上宽下窄的腹沟，背面中下部还有 1 短的隆起之脊。花期 4 ~ 5 月，果熟期 8 ~ 9 月。

| 生境分布 | 生于海拔 240 ~ 1 800 m 的山坡、山谷混交林内及沟谷旁灌丛中。湖北有分布。

| 功能主治 | 清热解毒，健脾消积。用于淋巴结炎，疳积。

忍冬科 Caprifoliaceae 荚蒾属 Viburnum

球核荚蒾

Viburnum propinquum Hemsl.

| 药 材 名 | 球核荚蒾。

| 形态特征 | 常绿灌木，高达 2 m，全体无毛；当年生小枝红褐色，光亮，具凸起的小皮孔，二年生小枝变灰色。幼叶带紫色，成长后革质，卵形至卵状披针形或椭圆形至椭圆状矩圆形，长 4 ~ 9（ ~ 11）cm，先端渐尖，基部狭窄至近圆形，两侧稍不对称，边缘通常疏生浅锯齿，基部以上两侧各有 1 ~ 2 腺体，具离基三出脉，脉延伸至叶中部或中部以上，近缘前互相网结，有时脉腋有集聚簇状毛，中脉和侧脉（有时连同小脉）上面凹陷，下面凸起；叶柄纤细，长 1 ~ 2 cm。聚伞花序直径 4 ~ 5 cm，果时可达 7 cm，总花梗纤细，1.5 ~ 2.5(~ 4) cm，第 1 级辐射枝通常 7，花生于第 3 级辐射枝上，有细花梗；萼筒长

约 0.6 mm，萼齿宽三角状卵形，顶钝，长约 0.4 mm；花冠绿白色，辐状，直径约 4 mm，内面基部被长毛，裂片宽卵形，先端圆形，长约 1 mm，约与筒等长；雄蕊常稍高出花冠，花药近圆形。果实蓝黑色，有光泽，近圆形或卵圆形，长（3 ~）5 ~ 6 mm，直径 3.5 ~ 4 mm；核有 1 极细的浅腹沟或无沟。

| 生境分布 | 生于 250 ~ 1 500 m 的灌丛、山谷林下、山坡、水边。分布于湖北利川。

| 采收加工 | 叶：夏、秋季采集，鲜用或晒干。

| 功能主治 | 散瘀止血，消肿止痛，接骨续筋。用于骨折，跌打损伤，外伤出血。

忍冬科 Caprifoliaceae 荚蒾属 Viburnum

皱叶荚蒾
Viburnum rhytidophyllum Hemsl.

| 药 材 名 |

枇杷叶。

| 形态特征 |

常绿灌木或小乔木。高达 4 m。幼枝、芽、叶下面、叶柄及花序均被由黄白色、黄褐色或红褐色簇状毛组成的厚绒毛，绒毛的分枝长 0.3 ~ 0.7 mm。当年生小枝粗壮，稍有棱角；二年生小枝红褐色或灰黑色，无毛，散生圆形小皮孔；老枝黑褐色。叶革质，卵状矩圆形至卵状披针形，长 8 ~ 18（~ 25）cm，先端稍尖或略钝，基部圆形或微心形，全缘或有不明显小齿，上面深绿色，有光泽，幼时疏被簇状柔毛，后变无毛，各脉深凹陷而呈极度皱纹状，下面有凸起的网纹；侧脉 6 ~ 8（~ 12）对，近缘处互相网结，很少直达齿端；叶柄粗壮，长 1.5 ~ 3（~ 4）cm。聚伞花序稠密，直径 7 ~ 12 cm；总花梗粗壮，长 1.5 ~ 4（~ 7）cm，第一级辐射枝通常 7，四角状，粗壮，花生于第三级辐射枝上，无梗；萼筒筒状钟形，长 2 ~ 3 mm，被由黄白色簇状毛组成的绒毛，绒毛长 2 ~ 3 mm，萼齿微小，宽三角状卵形，长 0.5 ~ 1 mm；花冠白色，辐状，直径 5 ~ 7 mm，几无毛，裂片卵圆形，长 2 ~ 3 mm，

略长于花冠筒；雄蕊高于花冠，花药宽椭圆形，长约 1 mm。果实红色，后变为黑色，宽椭圆形，长 6 ~ 8 mm，无毛；核宽椭圆形，两端近截形，扁，长 6 ~ 7 mm，直径 4 ~ 5 mm，有 2 背沟和 3 腹沟。花期 4 ~ 5 月，果期 9 ~ 10 月。

| 生境分布 | 生于海拔 800 ~ 2 400 m 的山坡林下或灌丛中。湖北有分布。

| 功能主治 | 清热解毒，凉血止血。

忍冬科 Caprifoliaceae 荚蒾属 Viburnum

陕西荚蒾
Viburnum schensianum Maxim.

药材名

陕西荚蒾。

形态特征

落叶灌木，高可达 3 m；幼枝、叶下面、叶柄及花序均被由黄白色簇状毛组成的绒毛；芽常被带锈褐色簇状毛；二年生小枝稍四角状，灰褐色，老枝圆筒形，散生圆形小皮孔。叶纸质，卵状椭圆形、宽卵形或近圆形，长 3 ~ 8 cm，先端钝或圆形，有时微凹或稍尖，基部圆形，边缘有较密的小尖齿，初时上面疏被叉状或簇状短毛，侧脉 5 ~ 7 对，近缘处互相网结或部分直伸至齿端，连同中脉上面凹陷，下面凸起，小脉两面稍凸起；叶柄长 7 ~ 10（~ 15）mm。聚伞花序直径 4 ~ 8 cm，结果时可达 9 cm，总花梗长 1 ~ 1.5（~ 7）cm 或很短，第 1 级辐射枝 3 ~ 5，长 1 ~ 2 cm，中间者最短，花大部分生于第 3 级分枝上；萼筒圆筒形，长 3.5 ~ 4 mm，宽约 1.5 mm，无毛，萼齿卵形，长约 1 mm，顶钝；花冠白色，辐状，直径约 6 mm，无毛，筒长约 1 mm，裂片圆卵形，长约 2 mm；雄蕊与花冠等长或较之略长，花药圆形，直径约 1 mm。果实红色而后变黑色，椭圆形，长约 8 mm；核卵圆形，长 6 ~ 8 mm，直径 4 ~ 5 mm，背部龟背状凸起而无沟或有 2 不明显的沟，腹部有 3 沟。花期 5 ~ 7 月，果熟期 8 ~ 9 月。

| **生境分布** | 生于海拔 700 ~ 2 200 m 的山谷混交林和松林下或山坡灌丛中。湖北有分布。

| **功能主治** | 清热解毒，祛风消瘀，下气，消食，活血。

忍冬科 Caprifoliaceae 荚蒾属 *Viburnum*

茶荚蒾
Viburnum setigerum Hance

| 药 材 名 |

茶荚蒾。

| 形 态 特 征 |

落叶灌木，高达 4 m；芽及叶干后变黑色、黑褐色或灰黑色；当年生小枝浅灰黄色，多少有棱角，无毛，二年生小枝灰色、灰褐色或紫褐色。冬芽通常长 5 mm 以下，最长可达 1 cm，无毛，外面 1 对鳞片为芽体长的 1/3 ～ 1/2。叶纸质，卵状矩圆形至卵状披针形，稀卵形或椭圆状卵形，长 7 ～ 15 cm，先端渐尖，基部圆形，除边缘基部外疏生尖锯齿，上面初时中脉被长纤毛，后变无毛，下面仅中脉及侧脉被浅黄色贴生长纤毛，近基部两侧有少数腺体，侧脉 6 ～ 8 对，笔直而近并行，伸至齿端，上面略凹陷，下面显著凸起；叶柄长 1 ～ 1.5（～ 2.5）cm，有少数长伏毛或近无毛。复伞形聚伞花序无毛或稍被长伏毛，有极小红褐色腺点，直径 2.5 ～ 4（～ 5）cm，常弯垂，总花梗长 1 ～ 2.5（～ 3.5）cm，第 1 级辐射枝通常 5，花生于第 3 级辐射枝上，有梗或无，芳香；萼筒长约 1.5 mm，无毛和腺点，萼齿卵形，长约 0.5 mm，顶钝；花冠白色，干后变茶褐色或黑褐色，辐状，直径 4 ～ 6 mm，无

毛，裂片卵形，长约 2.5 mm，比筒长；雄蕊与花冠几等长，花药圆形，极小；花柱不高出萼齿。果序弯垂，果实红色，卵圆形，长 9 ~ 11 mm；核甚扁，卵圆形，长 8 ~ 10 mm，直径 5 ~ 7 mm，有时较小，间或卵状矩圆形，直径仅 4 ~ 5 mm，凹凸不平，腹面扁平或略凹陷。花期 4 ~ 5 月，果熟期 9 ~ 10 月。

| 生境分布 | 生于海拔（200 ~）800 ~ 1 650 m 的山谷混交林、松林下、山谷溪涧旁疏林或山坡灌丛中。分布于湖北西部。

| 采收加工 | 根：全年均可采挖，洗净，鲜用或晒干。
果实：9 ~ 10 月采收，鲜用或晒干。

| 功能主治 | 根：破血通经，止血。用于血瘀经闭，产后瘀滞腹痛，跌打损伤，肿痛出血。
果实：健脾。用于脾胃虚弱，胃纳呆钝。

忍冬科 Caprifoliaceae 荚蒾属 Viburnum

合轴荚蒾

Viburnum sympodiale Graebn.

| 药 材 名 | 合轴荚蒾。

| 形 态 特 征 | 落叶灌木或小乔木，高可达 10 m；幼枝、叶下面脉上、叶柄、花序及萼齿均被灰黄褐色鳞片状或糠秕状簇状毛，二年生小枝红褐色，有时光亮，最后变灰褐色，无毛。叶纸质，卵形至椭圆状卵形或圆状卵形，长 6 ~ 13 （~ 15）cm，先端渐尖或急尖，基部圆形，很少浅心形，边缘有不规则牙齿状尖锯齿，上面无毛或幼时脉上被簇状毛，侧脉 6 ~ 8 对，在上面稍凹陷，在下面凸起，小脉横列，明显；叶柄长 1.5 ~ 3 （~ 4.5）cm；托叶钻形，长 2 ~ 9 mm，基部常贴生于叶柄，有时无托叶。聚伞花序直径 5 ~ 9 cm，花开后几无毛，周围有大型、白色的不孕花，无总花梗，第 1 级辐射枝常 5，花生

于第 3 级辐射枝上，芳香；萼筒近圆球形，长约 2 mm，萼齿卵圆形；花冠白色或带微红色，辐状，直径 5 ～ 6 mm，裂片卵形；雄蕊花药宽卵圆形，黄色；花柱不高出萼齿；不孕花直径 2.5 ～ 3 cm，裂片倒卵形，常大小不等。果实红色，后变紫黑色，卵圆形，长 8 ～ 9 mm；核稍扁，长约 7 mm，直径约 5 mm，有 1 浅背沟和 1 深腹沟。花期 4 ～ 5 月，果熟期 8 ～ 9 月。

| 生境分布 |　生于海拔 800 ～ 2 600 m 的林下或灌丛中。分布于湖北西部。

| 采收加工 |　**根**：全年均可采挖，洗净，鲜用或晒干。

| 功能主治 |　清热解毒，消积。用于湿热痢疾，痈疽疮疖。

忍冬科 Caprifoliaceae 荚蒾属 Viburnum

烟管荚蒾 *Viburnum utile* Hemsl.

| 药 材 名 | 烟管荚蒾。

| 形态特征 | 常绿灌木，高达 2 m；叶下面、叶柄和花序均被由灰白色或黄白色簇状毛组成的细绒毛；当年小枝被带黄褐色或带灰白色绒毛，后变无毛，翌年变红褐色，散生小皮孔。叶革质，卵圆状矩圆形，有时卵圆形至卵圆状披针形，长 2 ~ 5（~ 8.5）cm，先端圆至稍钝，有时微凹，基部圆形，全缘或很少有少数不明显疏浅齿，边稍内卷，上面深绿色，有光泽而无毛，或暗绿色而疏被簇状毛，侧脉 5 ~ 6 对，近缘前互相网结，上面略凸起或不明显，下面稍隆起，有时被锈色簇状毛；叶柄长 5 ~ 10（~ 15）mm。聚伞花序直径 5 ~ 7 cm，总花梗粗壮，长 1 ~ 3 cm，第 1 级辐射枝通常 5，花通常生于第 2 至

第 3 级辐射枝上；萼筒筒状，长约 2 mm，无毛，萼齿卵状三角形，长约 0.5 mm，无毛或具少数簇状缘毛；花冠白色，花蕾时带淡红色，辐状，直径 6 ~ 7 mm，无毛，裂片圆卵形，长约 2 mm，与筒等长或略长；雄蕊与花冠裂片几等长，花药近圆形，直径约 1 mm；花柱与萼齿近等长。果实红色，后变黑色，椭圆状矩圆形至椭圆形，长（6 ~）7 ~ 8 mm；核稍扁，椭圆形或倒卵形，长 5 ~ 7 mm，直径（4 ~）5 mm，有 2 极浅背沟和 3 腹沟。花期 3 ~ 4 月，果熟期 8 月。

| 生境分布 |　生于山坡林缘或灌丛中。分布于湖北西部（利川）。

| 采收加工 |　**全株：**全年均可采收。

| 功能主治 |　清热利湿，祛风活络，凉血止血。用于泄泻，下血，痔疮脱肛，风湿痹痛，带下，疮疡，风湿筋骨痛，跌打损伤。

锦带花
Weigela florida (Bunge) A. DC.

| 药 材 名 | 锦带花。

| 形态特征 | 落叶灌木，高 1 ~ 3 m；幼枝稍四方形，有 2 列短柔毛；树皮灰色。芽先端尖，具 3 ~ 4 对鳞片，常光滑。叶矩圆形、椭圆形至倒卵状椭圆形，长 5 ~ 10 cm，先端渐尖，基部阔楔形至圆形，边缘有锯齿，上面疏生短柔毛，脉上毛较密，下面密生短柔毛或绒毛，具短柄至无柄。花单生或成聚伞花序生于侧生短枝的叶腋或枝顶；萼筒长圆柱形，疏被柔毛，萼齿长约 1 cm，不等，深达萼檐中部；花冠紫红色或玫瑰红色，长 3 ~ 4 cm，直径 2 cm，外面疏生短柔毛，裂片不整齐，开展，内面浅红色；花丝短于花冠，花药黄色；子房上部的腺体黄绿色，花柱细长，柱头 2 裂。果实长 1.5 ~ 2.5 cm，顶有短

柄状喙，疏生柔毛；种子无翅。花期 4 ～ 6 月。

| 生境分布 | 生于海拔 100 ～ 1 450 m 的湿润沟谷、杂木林下或山顶灌丛中。湖北有栽培。

| 功能主治 | 清热解毒，活血止痛。用于瘟病初起，头痛咽干，喉痹，痈肿疔疮，丹毒，感冒发热，食少气虚，消化不良，体质虚弱。

| 附　　注 | 土家族治疗腰膝疼痛，劳伤身痛，疔疮，痈疽，烫火伤等。

忍冬科 Caprifoliaceae 锦带花属 Weigela

半边月

Weigela japonica Thunb. var. *sinica* (Rehd.) Bailey

| 药 材 名 |

半边月。

| 形态特征 |

落叶灌木。高达 6 m。叶长卵形至卵状椭圆形，稀倒卵形，长 5 ~ 15 cm，宽 3 ~ 8 cm，先端渐尖至长渐尖，基部阔楔形至圆形，边缘具锯齿，上面深绿色，疏生短柔毛，脉上毛较密，下面浅绿色，密生短柔毛；叶柄长 8 ~ 12 mm，有柔毛。单花或具 3 花的聚伞花序生于短枝的叶腋或先端；萼筒长 10 ~ 12 mm，萼齿条形，深达萼檐基部，长 5 ~ 10 mm，被柔毛；花冠白色或淡红色，开花后逐渐变为红色，漏斗状钟形，长 2.5 ~ 3.5 cm，外面疏被短柔毛或近无毛，花冠筒基部呈狭筒形，中部以上突然扩大，裂片开展，近整齐，无毛；花丝白色，花药黄褐色；花柱细长，柱头盘形，伸出花冠外。果实长 1.5 ~ 2 cm，先端有短柄状喙，疏生柔毛；种子具狭翅。花期 4 ~ 5 月。

| 生境分布 |

生于肥沃湿润、腐殖质丰富的土壤中。湖北有分布。

| **采收加工** | 根：全年均可采挖，洗净，鲜用或晒干。

| **功能主治** | 益气，健脾。用于气虚食少，消化不良。